Avec les hommages
du
Conseil de[s arts d]u Canada

With the compliments
of the
Canada Council

Le missionnaire
l'apostat
le sorcier

RELATION DE 1634 DE PAUL LEJEUNE

Le missionnaire
l'apostat
le sorcier

Édition critique par
GUY LAFLÈCHE

1973
LES PRESSES DE L'UNIVERSITÉ DE MONTRÉAL
C.P. 6128, Montréal 101, Canada

ISBN 0 8405 0239 7
LIBRARY OF CONGRESS, FICHE N° 73-90555
DÉPÔT LÉGAL, 4e TRIMESTRE 1973
BIBLIOTHÈQUE NATIONALE DU QUÉBEC

Tous droits de reproduction, d'adaptation ou de traduction réservés
© Les Presses de l'Université de Montréal, 1973

AVERTISSEMENT

La BIBLIOTHÈQUE DES LETTRES QUÉBÉCOISES a été créée pour répondre aux besoins actuels de l'enseignement et de la recherche ; à l'attente, aussi, d'un public de plus en plus vaste qui lit pour se comprendre, pour tenter de résoudre, au moyen de *sa* littérature, l'énigme de l'identité nationale.

Jusqu'ici, l'on a surtout lu et étudié les œuvres contemporaines : romans, pièces de théâtre, recueils poétiques, publiés depuis 1939 environ ; plus rarement, celles qui ont paru autour de 1900 ; exceptionnellement, les écrits des XIXe, XVIIIe et XVIIe siècles. Les textes québécois anciens ont la réputation souvent imméritée d'être médiocres, du point de vue littéraire, et par surcroît, sont difficilement accessibles ; parmi les plus récents, beaucoup sont incomplets, mal édités, et parfois aussi introuvables que les premiers. Il fallait donc jeter les bases d'un Répertoire littéraire national susceptible d'accueillir les œuvres les plus représentatives de notre culture : de la première *Relation* des Jésuites à *la Batêche* de Gaston Miron, elles sont les témoins exemplaires d'un destin collectif qui a surgi voici plus de trois siècles et demi.

Répertoire littéraire, la présente collection ne peut se proposer de reprendre, sans critique, les œuvres complètes de tous les écrivains, ou « écrivants », dont nos manuels conservent les noms. Mais si les vers de Pamphile Lemay, le *Charles Guérin* de P. J. O. Chauveau, n'ont rien à dire à un homme d'aujourd'hui, il n'est pas exclu que telle *Relation* écrite sous l'Ancien Régime, tel mandement épiscopal du siècle dernier, puissent s'adresser directement à nous, et du fait même, acquérir une véritable existence littéraire. La BIBLIOTHÈQUE DES LETTRES QUÉBÉCOISES n'admet donc que des textes présentant une valeur certaine de formation pour les « vrais » lecteurs, c'est-à-dire pour tous ceux qui, leur vie durant, lisent pour apprendre à parler, à écrire, à penser, à vivre.

Elle présente, dans un texte soigneusement établi et commenté, des œuvres peu connues. A la suite de la *Relation* du père Paul Lejeune, ce seront la *Correspondance littéraire* et les *Poésies* d'Octave Crémazie, les *Lettres et Mandements* de Mgr Ignace Bourget, les *Œuvres polémiques* de Louis-Antoine Dessaules, l'*Œuvre littéraire* de l'abbé Henri-Raymond Casgrain, l'*Œuvre critique* de Louis Dantin, les *Pamphlets politiques* d'Olivar Asselin, le *Grand voyage au Pays des Hurons* de Gabriel Sagard. Peu lues, ces œuvres appellent souvent des éclaircissements d'ordre philologique et ethnologique ; elles exigent toujours un commentaire historique et littéraire qui aplanisse les principales difficultés de lecture. Les notes et commentaires n'ont d'autre but que de rapprocher le lecteur des textes, qui y trouvera maintes précisions inédites concernant les époques les moins étudiées de notre histoire littéraire.

La B. L. Q. propose aussi des textes établis avec soin et publiés dans leur intégralité. Elle accueille des œuvres largement diffusées, qui ont fait l'objet d'assez nombreux commentaires. Elle en donne une édition rigoureusement critique, et restitue le texte à l'état brut : le document, décapé de ses « lectures ». Telle a été la première publication de la collection, les *Œuvres* de Saint-Denys Garneau, édition critique par Jacques Brault et Benoît Lacroix.

L'Éditeur

INTRODUCTION

LA DESCRIPTION TRIOMPHANTE
D'UN RÉCIT MALHEUREUX

*La note infrapaginale de Rochemonteix
et autres notes biographiques*

La biographie de Paul Lejeune ne m'intéresse qu'accessoirement dans la mesure où son nom est un point d'entrée extérieur au texte qui m'occupe. Cet intérêt secondaire m'amuse pourtant parce qu'il est déçu : on ne connaît rien sur Paul Lejeune sinon ce qu'en dit, en 1895, Camille de Rochemonteix dans la note infrapaginale de la page 190 du premier de ses trois livres sur *les Jésuites et la Nouvelle-France*. Voici d'ailleurs la liste complète des livres que j'ai consultés :

Catalogus personarum et officiorum, Provinciæ Franciæ, ASJP [1], Bibliothèque de Chantilly, photocopies.

CHAUSSE, Gilles, *le Père Paul Le Jeune, missionnaire-colonisateur,* Montréal, 1957, thèse de maîtrise manuscrite publiée sous ce titre in *Revue d'histoire d'Amérique française,* XII, 1959-1960, p. 56-79 et 217-246.

CIORANESCU, A., *Bibliographie de la littérature française du XVIIᵉ siècle,* Paris, C.N.R.S., 1965 et suiv.

DE BACKER, Augustin et Aloys, *Bibliothèque de la Compagnie de Jésus,* I, *Bibliographie,* nouv. éd. de C. Sommervogel, Bruxelles et Paris, 1893.

DECHAMPS, Étienne, *Lettre circulaire sur la mort de Paul Lejeune,* manuscrit, ASJP, fonds Rybeyrète, fᵒ 78 (nous la reproduisons plus bas).

DELATTRE, Pierre, *les Établissements des Jésuites en France, 1540-1900, Répertoire topo-bibliographique,* 5 vol., Enghien-Wetteren, 1957.

---

1. Voir la liste des abréviations, p. XLIII.

DENIS, Ferdinand, « Vieux voyageurs français. Le Père Paul Le Jeune », in *la Revue de Paris,* nouvelle série, VI, juin 1834, p. 5-22.

DIDOT, Firmin, *Nouvelle biographie générale depuis les temps les plus reculés jusqu'à nos jours,* Paris, 1862 (article Paul Le Jeune de Coquebert de Taizy).

DU CREUX, François, *Historiæ canadensis, seu Novæ-Franciæ libri decem ad annum usque Christi MDCLVI,* Paris, Cramoisy, 1664.

Encyclopedia of Canada, Ottawa, Grolier, 1958, 1965 (article Paul Le Jeune non signé).

FOUQUERAY, Henri, *Histoire de la Compagnie de Jésus en France, des origines à la suppression,* 5 vol., Paris, Études, 1910 (voir V, 293).

FRESSENCOURT, F., « Notice sur la vie du R.P. Paul Le Jeune », introduction à Paul Lejeune, *Lettres spirituelles...,* Paris, Victor Palmé, 1875.

GOSSELIN, « Quelques observations à propos du voyage du P. Le Jeune au Canada en 1660... », in *Mémoires de la Société royale du Canada,* II, 1896, sect. I, p. 35-58.

LEJEUNE, Louis, article Le Jeune, in *Dictionnaire général de biographie, histoire, littérature... du Canada,* 2 vol., s. l. [Paris], Université d'Ottawa et Firmin Didot, 1931.

[MARTIN, F.-X.], *Liste des missionnaires jésuites [de la] Nouvelle-France et [de la] Louisiane, 1611-1800,* Montréal, Collège Sainte-Marie, 1929.

MICHAUD, *Bibliographie universelle (Michaud) ancienne et moderne...,* nouv. éd., Paris, Desplaces et Leipzig, s.d.

MORIN, Victor, « Aux sources de l'histoire de Montréal », in *Mémoires de la Société royale du Canada,* III, 1942, sect. I, p. 83-94.

POULIOT, Léon, article Paul Le Jeune, in G. W. Brown, M. Trudel et A. Vachon, *Dictionnaire biographique du Canada,* I, Québec, P.U.L., 1966.

POULIOT, Léon, introduction à *Textes choisis de Paul Lejeune,* Montréal, Fides, « Classiques canadiens », n° 7, 1957.

Pouliot, Léon, *Étude sur les Relations des Jésuites de la Nouvelle-France (1632-1672)*, Montréal et Paris, Desclée de Brouwer, « Studia », 1940.

Rochemonteix, Camille de, *les Jésuites et la Nouvelle-France au XVIIe siècle d'après beaucoup de documents inédits*, 3 vol., Paris, Letouzey et Ané, 1895 (voir p. 190 et note 1).

Rochemonteix, Camille de, *Un collège de Jésuites aux XVIIe et XVIIIe siècles. Le collège Henri IV de La Flèche*, 4 vol., Paris, Le Mans Leguicheux, 1889.

Roustang, François, présentation de *les Jésuites de la Nouvelle-France. Textes choisis*, Paris, Desclée De Brouwer, « Christus », n° 6, 1961.

Sotwel, Bacon Nathanael, *Bibliotheca scriptorum Societatis Jesu...*, Romæ, 1676.

Streit, Robert, *Bibliotheca missionum, II, Americanische missionsliteratur, 1493-1699*, éd. 1924 (voir p. 785).

Thwaites, R. G., *The Jesuits Relations and Allied Documents...* (RJ), V, 275, note 1.

Trudel, Marcel, article Paul Lejeune, in A. Pauphilet, L. Dichard et R. Barroux, *Dictionnaire des lettres françaises. Le XVIIe siècle*, Paris, Fayard, 1954.

Cette liste constitue la somme des redites sur un très petit nombre de repères biographiques : les quelques lignes que chacun de ces auteurs consacre à Paul Lejeune répètent toujours l'une ou l'autre des trois sources imprimées qui se complètent progressivement. La première de ces sources est la bibliographie des de Backer qui consigne les renseignements suivants :

> Jeune, Paul Le, né, de parents hérétiques, à Châlons-sur-Marne ou à Vitry (Marne), le 15 juin 1592, se convertit en 1608 et entra au noviciat le 22 septembre 1613. Après avoir professé la rhétorique et les belles-lettres, il fut envoyé dans les missions du Canada, où il travailla durant 18 ans. Il mourut à Paris, le 7 août 1664.

Si nous laissons de côté tous ceux qui reprennent cette notice sans rien lui ajouter sauf des erreurs, nous en arrivons à Fressencourt qui, en 1875, reproduit dans son introduction aux *Lettres spirituelles* les éléments donnés par de Backer, n'y introduit qu'une seule erreur (selon lui,

Lejeune entre au noviciat non pas le 22 septembre 1613, mais à 22 ans, soit en 1614) et ajoute une dizaine de dates « sur les années de son noviciat, sur celles qu'il a consacrées à ses études personnelles et à la régence dans les colléges, selon l'usage de la Compagnie ». Ce sera le mérite de Rochemonteix, vingt ans plus tard, de préciser de façon systématique ces dates qu'il lira sur les Catalogues de la Province de France dans les archives générales de la Compagnie de Jésus[2]. La note de Rochemonteix rassemble tout ce que nous connaissons aujourd'hui de Paul Lejeune en dehors de son séjour de dix-huit ans en Nouvelle-France et constitue l'entier de l'information proprement biographique qui est commentée par Léon Pouliot dans le *Dictionnaire biographique du Canada*. Celui-ci reproduit toutefois les cinq repères de la *Liste des missionnaires jésuites* dont deux sont faux : Lejeune n'a pas fait son noviciat à Paris, mais à Rouen, et il n'est pas né à « Vitry-le-François diocèse de Châlons-sur-Marne », mais à Châlons-sur-Marne ; je ne vois pas ce qui contredirait sur ces deux points Rochemonteix à qui je m'en tiens. Ce dernier apporte pourtant une correction aux informations des de Backer et de Fressencourt : Lejeune n'est pas né le 15 juin 1592, mais en juillet 1591. La précision de la première (le 15 juin), assez étonnante, sera reprise jusqu'à Rochemonteix, puis corrigée à partir de lui[3]. On sait que Lejeune est mort le 7 août 1664 « dans la 73e année de son aage » ; on retient donc juillet 1591.

Ce que nous connaissons de la biographie européenne de Lejeune, grâce à Rochemonteix, provient donc des Catalogues de la Compagnie de Jésus ; une information toutefois semble étrangère à cette source : « né de parents hérétiques [...], se convertit en 1608 ». Il semble que l'origine de cette notation partout reprise soit la *Lettre circulaire sur la mort de Paul Lejeune* qu'Etienne Dechamps adresse à son Provincial le 7 août 1664. Nous la reproduisons ici avec l'aimable autorisation de M. Joseph Dehergne, archiviste de la bibliothèque de Chantilly :

---

2. J'ai pu vérifier quelques-unes de ces dates sur des photocopies de ces documents à la bibliothèque de Chantilly.
3. Peut-être faut-il l'attribuer à une confusion de patronyme : Jean Lejeune est né je ne sais quel jour de 1592 (voir la bibliographie, p. 229).

Mon R. Père,

Pax Christi.

Nous venons de faire une perte qui nous est très sensible, et que beaucoup de personnes pleureront avec nous : c'est du P. Paul le Jeune qui est mort sur les 6 heures du matin dans la 73e année de son aage et dans la 51e de son entrée en la Compagnie. Il y a beaucoup travaillé pour la gloire de Dieu, et principalement dans le Canada où les Supérieurs l'ayant envoyé sans qu'il l'ait jamais demandé, il fut le premier qui suivit les sauvages dans les bois durant plusieurs hivers, pour apprendre les langues montagnaises et algonquines qu'il a le premier réduit en paraphes. Il n'est pas croyable combien il souffrist en ces courses, non seulement de la mauvaise humeur de ces barbares qui furent souvent sur le point de l'assommer, mais encore du froid, de la faim, de la soif, de la fumée, et d'une grande maladie dans laquelle il se trouva abandonné de tous les secours humains. Après avoir passé 17 ans dans cette pénible mission et y avoir donné de grandes preuves de son zèle infatigable et de son addresse à gaigner les Sauvages, il fut rappellé en France pour en estre procureur. Il s'est comporté dans cest emploi avec beaucoup de sagesse, et ayant de par son moyen quelque entrée à la cour, il s'y est acquis l'estime et la confiance d'un très grand nombre de personnes de qualité qu'il entretenoit d'une manière très religieuse et pleine de mortification. Le Roi mesme et la Reine mère lui tesmoignoient de l'affection et il leur parloit souvent avec une sainte liberté des choses de leur salut. Beaucoup de maisons religieuses dans Paris et aux environs suivoient sa conduite ; et on a remarqué que toutes les personnes qui estoient plus attachées à lui estoient très intérieures et lui portoient un respect tout extraordinaire. Sa mort n'a pas esté moinsdre que sa vie : car après une fièvre continue de 15 jours dans laquelle il a fait paroistre beaucoup de patience, il a reçu les sacremens avec grande dévotion, et ayant dit à un des nostres en particulier qu'il s'estimoit bienheureux de mourir en la Compagnie, il dit publiquement quand on lui donna le viatique qu'il remercioit Dieu particulièrement de deux choses. La 1re de ce qu'il l'avoit appellé à la foi catholique apostolique et romaine, car il s'estoit trouvé engagé dans l'hérésie par sa naissance et s'estoit converti malgré ses parents à l'âge de 16 ans. La 2e de ce qu'il avoit esté employé aux missions. Une vie si sainte, suivie d'une si belle mort nous fait espérer qu'il jouit maintenant du fruit de ses travaux. Je prie néanmoins V.R. de lui procurer les suffrages ordinaires de la Compagnie, et de se souvenir dans ses saintes prières de celui qui est de tout son cœur

Mon R.P., de V.R.,

à Paris ce 7e aoust 1664   Le très humble et très
                                                    obéissant serviteur
                                                    E. Dechamps

Telle quelle, cette notice biographique me séduit et j'en reporte le ton et la chaleur sur la chronologie suivante qui rassemble mes connaissances sur Paul Lejeune, extraites jusqu'à 1632, je l'ai dit, de la note de Rochemonteix, sauf pour les noms de collèges que je trouve dans le dictionnaire de Delattre :

1591 Juillet, naissance de Paul Lejeune à Châlons-sur-Marne de parents calvinistes.

1608 16 ans, abjuration et conversion au catholicisme.

1613 Le 22 septembre, entrée au noviciat des Jésuites de Rouen (collège de Bourbon).

1615 Début de trois ans de philosophie au collège Henri IV de La Flèche ; enseignement aristotélico-thomiste à raison de deux heures par jour, une le matin et une l'après-midi : 1615-1616 : logique ; 1616-1617 : physique et morale ; 1617-1618 : métaphysique et mathématique.

1618 Professeur de cinquième au collège Saint-Thomas de Rennes.

1619 Professeur de troisième au collège Sainte-Marie de Bourges.

1620 Professeur de seconde au même collège durant deux ans.

1622 Commencement de sa théologie au collège de Clermont à Paris : enseignement conduisant au sacerdoce, donné en latin durant quatre ans, mais sans distinction d'année.

1626 Ordination. Professeur de rhétorique durant deux ans au collège de Nevers.

1628 Troisième année de probation à Rouen (collège de Bourbon).

1629 Professeur de rhétorique au collège du Mont (Caen) ; direction de la Congrégation des Messieurs [4].

1630 Prédicateur à la Résidence de Dieppe.

1631 Le 15 août, Profès des quatre vœux. Supérieur de la Résidence de Dieppe.

1632 Le 31 mars, Supérieur des Jésuites de la Nouvelle-France (RJ, V, 10). Départ avec Anne de Noue et Gilbert Burel sur le vaisseau d'Émery de Caen : 18 juin, Tadoussac et le 5 juillet, Québec. Le 13 juillet, reddition de la Colonie.

Le travail missionnaire, entrepris par les Récollets en 1615, interrompu depuis trois ans par l'occupation anglaise, doit être repris à zéro. Depuis 1632 jusqu'à 1649, la vie de Lejeune se confond avec l'histoire missionnaire, elle-même étroitement liée à la vie coloniale : retour de Champlain à l'été 1633, sa mort en 1635 (voir INP à Champlain) ; arrivées successives de missionnaires (voir INP à Pères) : en 1636, la Mission comptera 20 prêtres et 6 frères ; arrivée des premières religieuses en 1639 qui marque les débuts de l'hôpital des Hospitalières et du couvent des Ursulines. Entre la « petite maisonnette » endommagée par l'occupant où arrivent le Supérieur et deux missionnaires en 1632 et l'essor missionnaire de 1648 où Québec compte un hôpital, un couvent, une réduction, plusieurs Résidences et près d'une vingtaine de missionnaires en Huronie, on ne saurait rien énumérer qui ne touche de quelque façon le nom de Lejeune.

4. La Congrégation des Messieurs, contrairement à celles des Marchands ou des Artisans, s'adresse « aux gens de haute classe, prêtres ou laïcs » et leur propose une œuvre sociale et apostolique qui oscille entre le prêt sur gage et la visite des malades ; on en trouve dans plusieurs villes où les Jésuites avaient un collège ou une Résidence. Voir H. Fouqueray, « Une œuvre sociale du XVIIIe siècle », in *Études*, 40e année, t. 94, janvier-mars 1903, p. 97-110.

1633 18 octobre, début de l'hivernement avec la cabane de Mestigoït.

1634 Retour prématuré à Québec le 9 avril. Le 7 août,
signature de la *Relation de 1634*. À Trois-Rivières
avec Jacques Buteux le 8 septembre. Retour à
Québec après la mort de Champlain.

1639 Nomination de Barthelemy Vimont comme Supérieur des Jésuites de la Nouvelle-France : succession de Lejeune toujours à Québec, à la
réduction de Sillery.

1641 Voyage en France : départ à la fin de l'été ou à
l'automne ; en France lors de la « fondation »
de Montréal en février 1642 ; retour au printemps ou au début de l'été suivant (RJ, 1641,
1642).

1643 Deuxième voyage en France, même motif qu'en
1641 : obtenir de l'aide contre l'Iroquois (RJ,
1643). Retour au printemps ou à l'été 1644.

1645 À Montréal (ASJP) à la demande de La Dauver-
sière (L. Pouliot, in DB) ; en 1645-1646, retour
à la réduction de Sillery.

1649 À la réduction de Sillery lorsqu'il rentre définitivement en France. Procureur des Missions de la
Nouvelle-France (Charles Lalemant occupait ce
poste depuis 1638), fonction qu'il occupera, au
collège de Clermont à Paris, jusqu'à sa mort
bien qu'il soit en pratique remplacé par Paul
Ragueneau en 1662 (Delattre, art. Clermont).

1658 21 mars, une procuration de Florentin Lambert
en sa faveur l'autorise à percevoir au nom du
libraire parisien des arrérages que lui doivent les
Ursulines de Dieppe (Archives de la Seine-
Maritime, D-360) : on suppose donc que de Paris,
le Procureur fait de fréquents voyages à la Résidence de Dieppe d'où il met la dernière main aux
Constitutions des Hospitalières.

1660 Dernier voyage possible en Nouvelle-France (cf.
L. Pouliot, in DB, 466).

1664 Meurt à Paris le 7 août. En dehors des onze
Relations qu'il écrit et de celles qu'il édite comme
Procureur des Missions, il a écrit cinq livres de
piété dont un recueil de lettres qui seront tous

publiés pour la première fois en 1665 (voir bibliographie, œuvres de Lejeune, 227s.).

Cette chronologie, on le voit, du moins jusqu'en 1633-1634, ne fait que placer entre quelques dates ce que Lejeune nous apprend de lui-même : un Jésuite dans la quarantaine et, comme tel, théologien, puis professeur et prédicateur, dont on fait un missionnaire de la Nouvelle-France. Nous voilà donc renvoyés à son texte qui lui ne nous renvoie pas à son auteur, du moins pas de la manière dont on vient, pour s'amuser, de le présenter.

Valeurs documentaires et valeur littéraire

A cause de son titre, à cause de sa situation dans l'histoire, dans les bibliothèques et dans la mythologie québécoise, à cause aussi de ce qu'elle est au niveau purement et simplement énonciatif, la *Relation*[5] de Paul Lejeune est d'abord un *document*. Comme toutes les *Relations des Jésuites de la Nouvelle-France,* elle est un document historique, sociologique et linguistique essentiel à notre compréhension de la Nouvelle-France, de la France et du monde occidental ; en regard de la société montagnaise du XVIIᵉ siècle, elle est un document sans équivalent connu : nous nous sommes permis de le montrer pour ce qui a trait à la mythologie montagnaise (voir p. 30, note 1), mais la richesse de la description économique, sociologique et culturelle de cette société est assez évidente, on le verra, pour que toute accentuation ait été superflue de notre part. D'ailleurs la valeur documentaire du livre de Lejeune m'intéresse tout aussi accessoirement que la biographie de son auteur. Il existe aux Archives départementales de la Seine-Maritime (Rouen), sous la cote D-52, un gros livre intitulé *Recette [du] Collège de Rouen, 1625-1639.* On y trouve quelques informations relatives à l'histoire de la Nouvelle-France : par exemple, au 6 avril 1639, il y est consigné un versement de Madame de la Pelleterie pour la somme de 58 livres (écrit 5 800#). Cette information est comparable à celle que tirera l'historien de la *Relation* de

---

5. Celle de 1634, comme il faut toujours l'entendre à partir d'ici, tandis que le pluriel désignera les *Relations des Jésuites de la Nouvelle-France.*

Lejeune : le don du marquis Rohault de Gamache, par exemple, confirmé par des lettres de Charles Lalemant et peut-être consigné dans les registres de la Compagnie. Il n'y a donc pas de différence de nature entre le registre du collège de Rouen et la *Relation* de Lejeune sur le plan documentaire. Aucune différence de nature non plus entre le livre de Lejeune et les *Voyages et Descouvertures* de Samuel de Champlain sur ce plan. La différence est à un tout autre niveau, mais essentielle : le livre de Lejeune a aussi une valeur littéraire ou est aussi une œuvre d'art, ce que n'ont et ne sont pas le registre du collège de Rouen et les livres de Champlain qui ne seront lus que par des historiens et jamais relus. La *relecture* est la définition la plus simple, mais la plus exacte, du phénomène littéraire. Evitons les malentendus : je ne dis pas que l'historien Marcel Trudel n'a pas « relu » plusieurs fois les relations de Jacques Cartier, seulement il s'agit chaque fois d'une lecture où l'historien analyse le document, en sort et en interprète l'information. Je crois par contre que celui qui lit la *Relation* de Lejeune, même pour la première fois, en fait déjà une *relecture* : il y relit Rabelais, la Bible, Chamberland, Flaubert, Céline et Aquin, il y retrouve cette chose gratuite, le plaisir. La valeur documentaire de la *Relation de 1634,* ses éléments biographiques, historiques, sociologiques, ethnologiques et linguistiques ne m'intéressent que du seul point de vue où Lejeune les a utilisés pour créer le plaisir qu'est son livre — un texte.

Vers un modèle définitionnel des Relations

Le texte de Lejeune s'insère dans un contexte d'où se détache tout le livre. Ce contexte est inscrit dans son titre qui en est, après le nom de l'auteur, le deuxième point d'entrée. *Relation de ce qui s'est passé en la Nouvelle France en l'année 1634...* Léon Pouliot a donné des *Relations* la définition suivante :

> « Rapports annuels envoyés par le Supérieur de Québec au Provincial de Paris, imprimés au xviie siècle, répandus dans le grand public et dont le but est d'attirer des sympathies, des bienfaiteurs spirituels et temporels aux missions de la Nouvelle-France », telle nous apparaît la description exacte des *Relations* [6].

6. Léon Pouliot, in DB, 466.

Cette définition est en rapport polémique avec le problème de la « valeur historique » des *Relations,* valeur qui ne peut exister dans un document, mais dans l'interprétation qu'en donne une idéologie. Elle a toutefois le mérite de marquer très exactement la situation des *Relations* dans la mythologie québécoise : qui se reportera spontanément à ce que désigne cette description ? Cette position défini-tionnelle est pourtant exacte pour la majorité des *Rela-tions,* même si la définition est fausse de plusieurs points de vue, mais elle n'intéresse en rien le texte de Lejeune dans la mesure où elle ne pourrait avoir prise qu'extérieu-rement sur le contexte qui nous occupe, la structure des *Relations.*

Il ne pourra être question ici que très schématiquement des quelque cinquante *Relations* qui s'échelonnent de 1632 à 1672 [7]. Nous nous contenterons d'abord d'un modèle très simple que nous affinerons quelque peu par la suite. Nous considérerons, dans l'ensemble des *Relations* (1632-1672), le sous-ensemble des relations de Paul Lejeune (1632-1642) dont le texte qui nous occupe est un élément (1634). Le modèle le plus simple que je puisse imaginer pour représenter la structure de la forme (la « forme de l'expression » au sens arrêté par Hjelmslev) des *Relations* m'est donné par l'image qui s'impose si on feuillette seu-lement quelques relations-occurrences dans l'ensemble ou si on jette un coup d'œil sur les « tables des matières » : la structure des *Relations* que nous cherchons à définir passe progressivement de la simplicité à la complexité de la pré-sentation. La *Relation de 1632* est une simple lettre sans aucune division extérieure ; celle de 1672 est au contraire fortement organisée : elle est divisée en trois parties « con-formément aux trois langues de ce pays », chacune de ces parties est divisée en chapitres et ceux-ci en plusieurs sections. Si on donne à la première relation la position 1 et à la dernière la position *n*, on peut représenter l'évolu-tion des *Relations* par le schéma suivant où la hauteur des flèches indique le degré de complexité du texte-occurrence :

---

7. Ces repères chronologiques sont eux-mêmes schématiques puis-qu'il existe une relation de 1673 et plusieurs relations anté-rieures à 1632.

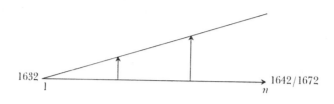

Figure 1

Évolution des Relations d'une présentation
simple à complexe

Cette représentation n'est pas très efficace dans la mesure où elle souffre de nombreuses exceptions (la *Relation de 1655,* par exemple, n'est constituée que de deux courtes lettres), mais elle s'applique rigoureusement à notre sous-ensemble ; de la position 1 à la position *n,* on peut dégager l'évolution suivante : les relations de 1632 et de 1633 ont la forme d'un journal, celle de 1634 est divisée en chapitres suivis encore d'un long journal qui devient, dès l'année suivante, un « ramas de diverses choses dressé en forme de journal » pour s'amenuiser peu à peu de 1635 à 1640 et disparaître complètement dans les deux dernières relations. La *Relation de 1634* occupe une position médiane dans cet ensemble puisqu'elle connaît comme les dernières relations la division par chapitres et qu'elle contient aussi un journal, ce que sont les premières relations.

Soulignons que la « simplicité » et la « complexité » dont il est question ici ne portent que sur la présentation du texte ; par rapport à sa représentation, il faudrait peut-être inverser les termes : la présentation complexe de la *Relation* de Claude Dablon (1672) pourrait bien correspondre à une représentation plus simple. Nous abandonnerons donc cette dichotomie pour la remplacer par l'opposition temporel/spatial plus opérante : la *Relation de 1632* a la forme d'un journal qui se déroule chronologiquement du point de vue de l'auteur ; celle de 1672 est divisée en trois parties qui correspondent à un ordre géographique, les trois langues du pays délimitant trois régions. On est donc passé d'une organisation chronologique à une organisation spatiale, d'un déroulement temporel à un étalement spatial. Ce passage ne peut plus se concevoir selon le modèle que nous avions imaginé, c'est-à-dire comme une évolution continue de la position 1 à la position *n* : le passage d'un terme à l'autre présuppose non plus une évolution, mais une mutation, un renversement structural que nous visualiserons de la façon suivante :

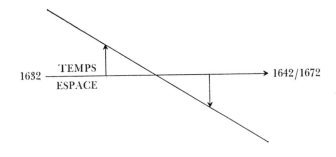

Figure 2

*Représentation simplifiée
du renversement structural des Relations
du déroulement temporel à l'étalement spatial*

Ce modèle s'applique encore à notre sous-ensemble. Dans sa *Brève relation*, Lejeune raconte, dans l'ordre qu'il les a vécus, son départ de France, son voyage, son arrivée à Tadoussac puis à Québec ; on y trouve bien de longues descriptions, par exemple celle des Amérindiens qu'il voit pour la première fois, mais l'organisation du texte est essentiellement chronologique, comme en 1633 où, dit-il, « afin d'éviter la confusion, je suivrai l'ordre du temps » : l'organisation spatiale (la description) est incluse dans le déroulement temporel (le journal, le récit). Dans sa *Relation de 1642*, la structure sera très exactement inversée, l'organisation spatiale présidant à l'ordre temporel fragmenté ; on peut, en effet, regrouper les douze chapitres de cette relation en huit ensembles : état général du pays (I) [8], résultats apostoliques (II-VI), l'hôpital (VII), le séminaire des Ursulines (VIII), la fondation de Montréal (IX), la mission de Tadoussac (X), les fortifications sur la « rivière

---

8. Les chiffres romains entre parenthèses renverront toujours aux chapitres du texte dont il est question.

des Hiroquois » (xi) et enfin quelques notes sur les mœurs des Amérindiens. Cette organisation, qui est aussi thématique et institutionnelle, est d'abord géographique et chacun de ses points d'entrée, ce qui est évident pour l'*histoire* de Montréal, est régi par l'ordre chronologique.

Ici s'arrête l'analogie entre l'ensemble et le sous-ensemble. On retiendra que l'œuvre de Paul Lejeune contient déjà le déroulement de l'ensemble des cinquante *Relations* (d'une présentation simple à complexe) et leur inversion (d'une représentation temporelle à spatiale). La *Relation de 1634* dans le sous-ensemble est, comme celles de 1649 et 1650 dans l'ensemble, le lieu où s'effectue le renversement structural. Dans les relations de Paul Ragueneau, l'ordre spatial et l'ordre temporel se chevauchent et se confondent tragiquement dans la débâcle de la nation huronne et le carnage universel personnalisé dans le massacre des missionnaires de la Huronie ; alors que dans celle de Lejeune, nous le verrons, les mêmes ordres se confondent cette fois dramatiquement dans la débâcle d'un seul homme, le narrateur. Mais le renversement du temps à l'espace dans l'œuvre de Lejeune s'opère à travers deux transformations successives : l'organisation chronologique du journal de 1632 devient thématique en 1634 (au niveau manifeste, puisque nous montrerons justement ici que l'ordre latent est la chronologie du récit sublimée dans une description thématique) : le thème de la vie coloniale, celui de l'édification missionnaire et ceux qui décrivent les mœurs des Amérindiens, la « religion», la chasse, la pêche, l'habillement, etc. ; puis cet ordre thématique est peu à peu remplacé par un ordre « institutionnel » (l'hôpital, le séminaire des Ursulines, celui des Hurons, les missions de Québec, Tadoussac, Trois-Rivières, Montréal, etc.) qui est en même temps et fondamentalement une organisation spatiale où le thème est devenu unique : l'édification missionnaire. Or l'inversion du temps ne conduit pas en 1642 à la même géographie qu'en 1672 : la première est une géographie de l'édification missionnaire (à travers ses institutions) tandis que la seconde est une géographie de l'expansion missionnaire. Nous reprendrons donc une troisième fois notre modèle, ne considérant plus cette fois que l'ensemble des *Relations* dont l'œuvre de Lejeune constitue le premier quart. On montrera que la définition des *Rela-*

tions s'inscrit dans le cadre d'un triple renversement structural : en représentant par des minuscules les états transitoires de la dichotomie espace/temps et par des majuscules les positions essentielles que définissait notre dernier modèle, on dégage la succession des quatre positions caractéristiques suivantes :

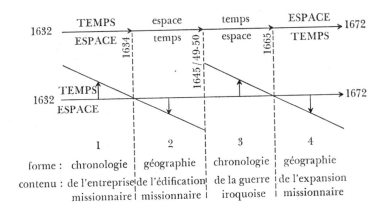

Figure 3

Représentation du triple renversement
structural des Relations du temps à l'espace
et de leurs quatre positions caractéristiques

Le renversement intégral de la structure des *Relations,* de la position 1 (1632) à la position 4 (1672) est celui dont rendait compte notre modèle précédent : on passe d'une chronologie intégrant l'espace (la description *dans* le journal) à une chronologie intégrée par l'espace. La *Relation* de François le Mercier en 1670, par exemple, pourrait être considérée comme « triple » dans la mesure où elle rassemble, à partir d'une organisation géographique (Saint-Laurent, lac Ontario et lac Supérieur), des textes de trois auteurs (François le Mercier, Jean Pierron et Claude Dablon) qui intègrent eux-mêmes des textes extérieurs (ceux de Jacques Bruyas et de Jean-Claude Allouez, par exemple) tous organisés chronologiquement. Cette relation doit être différenciée de la *Relation de 1635* (toujours par exemple) qui juxtapose en un seul livre la *Relation du Saint-Laurent* de Lejeune et la *Relation aux Hurons* de Brébeuf : ce livre contient deux textes, deux relations séparées, tandis que celui de 1670 ne contient qu'un seul texte de douze chapitres régis les uns par rapport aux autres par l'ordre géographique et chacun par l'ordre chronologique. On construit un tel texte en ajustant dans un seul ensemble plusieurs relations comme celle de 1632 ou plusieurs chapitres comme le treizième de la *Relation de 1634* : ce texte théorique définit l'aboutissement des *Relations* dont la structure de la forme est une organisation spatiale intégrant la ou les fragmentations temporelles et la structure du contenu définie dans l'espace par l'expansion missionnaire en Nouvelle-France et dans le temps par ceux des nombreux auteurs de chaque relation.

La deuxième position caractéristique de la structure des *Relations* a exactement la même définition formelle ; elle est cependant fondamentalement différente au niveau de la structure du contenu. La *Relation de 1642* que nous avons déjà décrite est bien organisée sur le modèle spatial comme celles de 1670 et 1672, elle intègre de la même façon des textes d'auteurs différents, quoique beaucoup plus impersonnellement, mais ce qui est organisé sur ce modèle, ce n'est pas le temps de l'expansion, mais celui de l'édification missionnaire. Nous désignons par le thème de l'*édification missionnaire* qui caractérise le contenu des *Relations* de 1637 à 1647 (et que stigmatise brutalement et involontairement la définition de L. Pouliot) le style *reader's digest* des missionnaires de la Nouvelle-France qui décrivent les « bons sentiments des Sauvages chrestiens », les baptêmes et les miracles. La division géographique d'un thème unique, l'édification missionnaire, est déjà amorcée en 1637 (voir p. 192, note 1) et s'accentue en 1639 pour atteindre un sommet en 1645 lorsque Barthelemy Vimont renoncera même à la division géographique :

Nous ne parlerons point en particulier des diverses résidences ni des diverses Missions de nostre Compagnie, de peur d'user de redites ; les choses qui se passent de nouveau ont tant de rapport avec celles qui ont desjà esté escrites, que le danger du dégoust nous rendra succints de plus en plus : si bien que nous ne toucherons en cette relation que quelques sentiments et quelques actions des plus fervens Chrestiens, sans spécifier s'ils sont de Montréal, de Sainct Joseph ou de Tadoussac...

La moitié de la *Relation* déroule ensuite les chapitres suivants :

    II   De quelques bonnes actions et de quelques bons sentimens des Sauvages Chrestiens.

    III   Continuation du mesme sujet.

    IV   Suite du mesme sujet.

    V   De quelques actions plus remarquables.

Ces chapitres rassemblent les marques concrètes de l'apostolat missionnaire ; voici, par exemple, la description du troisième baptême du chapitre II :

> Nous baptisasmes bien-tost après un jeune homme de la mesme Nation, auquel arriva une chose assez notable avant son Baptesme. Il estoit allé à la chasse avec ses compagnons, et avoit couru plusieurs jours dans les bois sans rien trouver ; la faim les pressoit tous vivement, lors que cettui-ci qui n'estoit encore que Catechumène et n'avoit receu quasi aucune instruction se retira à l'escart, se mit à deux genoux dans la neige, et eslevant les yeux et les mains au Ciel : Mon Dieu, dit-il, aie pitié de moi, j'ai bien faim : tu le sçais bien, je voudrois tuer un orignac ; je n'en ai jamais tué, je n'en vois point : si tu veux pourtant, j'en tuerai bien-tost un. C'est toi qui les as faits, et tu les as faits pour nous : si tu ne le veux pas, n'importe ; mais ne me laisse pas mourir, car je ne suis pas encore baptisé, et je veux bien l'estre...

Ce qu'il importe de remarquer, c'est moins le fait lui-même que son indétermination absolue : « bien-tost après un jeune homme de la mesme Nation ». Cette indétermination est en effet la caractéristique essentielle de l'édification missionnaire ; on peut encore l'illustrer à l'aide des débuts de paragraphes du chapitre V de la *Relation* de Vimont :

> Il y en a qui pratiquent de bonne grace les œuvres de miséricorde... *Un certain...*
> *Un autre* leur disoit...
> *Une bonne vieille,* ayant ouï-dire...

Les Sauvages aiment leurs enfans... Il s'est trouvé néantmoins *une femme*...
Cette mesme femme de laquelle nous parlons...
Un de nos Pères ayant tesmoigné à *une fille* fort innocente...
Il y en a *plusieurs... Une Bonne femme...*
Un Chrestiens, d'ailleurs innocent et fort homme de bien...
Etc.

La géographie de l'édification missionnaire est ainsi la structuration spatiale de l'indétermination, l'évacuation du temps et de l'espace du contenu. Or qu'est-ce qu'une structuration dont chaque élément est interchangeable sinon sa négation même ? Si les baptêmes de Québec recouvrent très exactement ceux de Tadoussac, s'il ne se dégage de leur opposition aucune unité distinctive, c'est que leur structuration « géographique » (de Québec, de Tadoussac, etc.) n'a prise sur aucun contenu (un sème qui ferait l'unité distinctive de l'opposition « baptême de Québec »/« baptême de Tadoussac »). Lorsque ce vice de forme s'étire sur quelques milliers de pages, on peut se permettre de traduire cet organigramme par une formule très simple : c'est parler pour ne rien dire. Cette sotte littérature qui ronge plus du tiers des *Relations* mérite une place d'honneur même dans une très petite anthologie mondiale de la niaiserie.

Heureusement, le diable s'en est mêlé : la guerre iroquoise fait rentrer le temps dans un texte dont la trame s'empêtrait dans l'angélisme. En 1645 déjà, mais à partir de 1648 et surtout dans les relations de 1649 et 1650, la structure des *Relations* s'inverse de nouveau ; elle s'organise chronologiquement comme les toutes premières relations de Lejeune. Toutefois, ce temps n'est plus celui du missionnaire, mais celui de la nation iroquoise qui intègre l'espace missionnaire qu'elle ravage ; les relations de Paul Ragueneau organisent la chronologie des missions dévastées : « De la prise des Bourgs de la Mission de S. Joseph, l'Esté de l'année 1648 » (I), « Estat du christianisme en ces Pays, l'hiver de la mesme année 1648 » (II), « De la prise des Bourgs de la Mission de S. Ignace au mois de mars 1649 » (III), etc. Cette troisième position caractéristique des *Relations* prépare un nouveau renversement du temps à l'espace : si l'on peut dire que l'Iroquois est celui qui empêchait la structure des *Relations* de se déployer en la confinant à une géographie de l'édification missionnaire ; si c'est lui qui réintroduit la chronologie dans un espace croupissant, Tracy et son régiment de Carignan sera celui par qui le déploiement sera possible : la géographie de l'expansion missionnaire marque le terme heureux d'un genre où chaque espèce est pourtant malheureuse.

Nous nous contenterons ici de ce modèle définitionnel pourtant bien incomplet du contexte où doit se situer le texte qui nous occupe : les *Relations* sont un renversement structural du temps à l'espace doublement entravé, d'abord par une géographie de l'édification missionnaire, ensuite par une chronologie de la guerre iroquoise, et qui est atteint dans ce que nous avons appelé une géographie de l'expansion missionnaire et illustré par la *Relation* de François le Mercier en 1670. Ce modèle pose encore que cette fin est inscrite dans chacune des relations-occurrences des *Relations* et, en conséquence, que toutes, individuellement, sont « malheureuses ». En effet, qu'est-ce qui distingue les relations de Cartier, Champlain ou même Sagard d'une relation *missionnaire* ? De façon générale, on peut dire que la relation est un récit où le narrateur, explorateur ou voyageur, organise chronologiquement un mémoire qu'il peut ou non mouler dans un ordre thématique, mais jamais dans un ordre géographique puisque l'espace, qui est essentiel au genre (on y rapporte dans un lieu ce qui se passe ou se voit dans un autre), est intégré au récit, au temps (la chronologie du narrateur-explorateur). Il est important de comprendre que les premières *Relations* sont purement et simplement des relations : en particulier la lettre de Charles Lalemant à son frère (1626) ou la *Brève relation* de Lejeune ne se distinguent en rien des relations de Champlain où les notations religieuses sont comparables. Les *Relations* et les *Relations de voyages* ne se distinguent essentiellement ni dans leur « sujet » (l'édification missionnaire, pour prendre un exemple malheureux), ni dans leur destination (au Provincial de Paris), ni dans leur fin (la propagande missionnaire), mais dans la responsabilité ou l'engagement du narrateur. Le découvreur ou le voyageur rapporte ce qu'il voit sans plus ; le missionnaire rapporte ce qu'il voit sur le mode du devrait pas. Le premier est un regard plein ou vide d'angoisse, le second est un regard vide ou plein d'angoisse porté sur ce qu'il voit mais ne devrait pas voir puisque son objectif est de le changer. En empruntant la forme de la relation, du récit de voyage, l'auteur-missionnaire va en transformer la structure, en fait l'inverser complètement ; mais cette inversion se fera sans bouleversement apparent puisque la *Relation de 1670* n'est que la juxtaposition de plusieurs fragments de « récits de voyages », tous malheureux, il est vrai. L'inversion est pourtant totale dans la mesure où le temps malheureux de chaque « voyageur » est par ailleurs récupéré dans une superstructure « missionnaire » contradictoirement heureuse. Or il arrive que ce qui est vrai pour le fragment dans la *Relation de 1670* l'est aussi pour n'importe quelle relation dans l'ensemble des *Relations* qui s'appellent progressivement de 1632 à 1672 ; le texte de Lejeune n'est pas une relation-récitation unique et contingente comme chaque livre de Champlain, il est une relation-subversion malheureuse et ratée qui sera sauvée dans le ciel structural des *Relations* qu'elle inscrit en son cœur même.

La description triomphante

La *Relation de 1634,* comme toutes les *Relations,* est un îlot de mots entouré par le départ et le retour des bateaux qui la rattachent à la relation précédente et la lient à la suivante dans un phrasé qui ne sera interrompu qu'en 1673 par la suppression des *Relations.* Sans nous occuper de cet entourage essentiel (que nous appellerons plus loin le « temps colonial »), nous allons d'abord définir deux positions essentielles de la relation, la description et le récit, et montrer qu'on passe de l'une à l'autre comme du document à son utilisation littéraire. Le contenu manifeste de la *Relation de 1634* est la description de la société montagnaise *déduite* de l'expérience de Paul Lejeune ; son contenu latent est le récit circonstancié d'un échec que la description cache et dévoile à la fois. Cette description s'oppose au récit, le temps (passé), le journal qui constitue le chapitre XIII de la *Relation,* auquel elle renvoie et sur lequel elle s'appuie. Or la fonction des recoupements est la marque de la thèse ; le lecteur est constamment renvoyé à ce qui a été dit ou à ce qui le sera. Ces renvois sont souvent explicites : « Je reproduirai plusieurs exemples de tout ceci dans la suitte du temps que je réserve à la fin de ces Chapitres » (63), « L'on verra dans la suitte de cette Relation que tout ce que j'ai dit en ce Chapitre est très véritable... » (65) ; mais plus souvent encore implicite : le comportement des Montagnais envers leurs malades et la maladie de Lejeune, par exemple, se court-circuitent partout dans le texte. Or ces références ne sont pas innocentes : Lejeune montre, souligne et prouve qu'il *déduit* la description du récit, autrement dit, il prouve qu'il prouve. Le récit, placé derrière la description, est en réalité premier : « Si ce Chapitre estoit le premier de ceste Relation, il donneroit quelque lumière à tous les suivans... » (126) ; il la soutient, la prouve ; mais une fois la description prouvée, le récit est vidé de toute importance : seule reste la description triomphante. C'est bien ce qu'est et ce que dit la *Relation* : une description minutieuse et précieuse du travail et des conditions de travail de la société montagnaise : la production (chasse, pêche et artisanat), la circulation (la traite et l'introduction du capital sous forme de fourrures et de « porcelaine »), la distribution (par les festins entre les familles et les cabanes) des biens, nourriture, vêtement et objets d'artisanat ou d'origine européenne ; l'habitation et l'hygiène liés aux conditions de travail, elles-mêmes déterminées par les conditions climatiques ; l'organisation socio-politique de la cabane à mi-chemin entre la famille où se hiérarchisent les chasseurs, les femmes, les enfants et les vieillards, et la tribu lâchement structurée par les mœurs guerrières et la superstructure culturelle, la mythologie, les rituels (consultes, sueries et festins) et l'art artisanal et féminin ; et au dernier rang, comme cela est normal au siècle classique, la langue. Voilà, comme je la réorganise, la description essentielle de la *Relation de 1634* déduite du récit qui la suit et l'illustre de surcroît.

Un rêve de puissance

Or qu'est-ce que ce récit, et avant, à quoi se réfère-t-il ? Le narrateur nous raconte son hivernement avec une

vingtaine de Montagnais, sa mission volante [9]. Parmi les
techniques missionnaires, la mission volante est fortement
marquée en ce que son objectif est essentiellement linguistique. La moitié d'un chapitre de la *Relation de 1634* décrit
la langue montagnaise (XI) et tous les missionnaires ont
souligné les difficultés de l'apprentissage linguistique (voir,
par exemple, Biard in MA, 530, 534). Certes un problème
de communication existe (TR, 386s.), mais les marchands
et les autorités coloniales s'en arrangent sans trop de difficultés. En réalité, pour l'entreprise missionnaire, cette
difficulté n'est que le signe concret de l'entreprise elle-
même, la conversion, la traduction ou la subversion dont
l'ordre véritable n'est pas celui de la langue, mais du
langage. Les missionnaires croyaient pourtant qu'il s'agis-
sait d'un problème de communication : pour *instruire,* il
faut pouvoir communiquer. Ou bien l'indigène apprend
la langue du missionnaire, ou bien l'inverse. Pierre-
Antoine Pastedechouan est le modèle vivant de la première
solution et Lejeune n'abandonne pas l'idée entièrement
contenue dans le projet de séminaire (28s.). Pourtant ce
projet déjà mis au point par les Récollets donne peu de
résultats (voir p. 29, note 15) : Pastedechouan pourrait servir au commerçant (c'est le cas de Louis Amantacha), mais
n'est d'aucune utilité pour le missionnaire qui n'a pas
besoin d'un interprète ou, en tout cas, pour qui la communication ne suffit pas. Il lui reste à apprendre la langue
et selon deux voies expérimentées par Biard et les Récollets : ou bien avoir un indigène chez soi, ou bien se rendre

9. Enemond Massé (voir INP) était le premier missionnaire à suivre
   des Amérindiens dans leur chasse avec Louis Membertou à la
   rivière Saint-Jean durant l'été 1612 (MA, 555-559 ; TR, 145).
   À Tadoussac, Jean Dolbeau passe deux mois avec des Montagnais ; l'hiver suivant, c'est au tour de Le Caron de les suivre ;
   il y retourne encore l'hiver suivant du 9 novembre 1618 au 11
   mars 1619 ; il renouvelle encore l'expérience près de Québec
   durant l'hiver 1622-1623, prenant la relève du père Piat qui
   revient malade à la fin de décembre (SH, 36, 41, 52, 62 ; TR,
   330s.). Dès son arrivée, Jean de Brébeuf (voir INP) hiverne aussi
   avec des Montagnais du 20 octobre 1625 au 27 mars 1626 (RJ,
   IV, 212). On voit que sans compter l'expérience missionnaire en
   Huronie, la mission volante avec des Montagnais a déjà une
   longue histoire en 1634 et que Lejeune n'est pas « le premier
   qui suivit les sauvages dans les bois durant plusieurs hivers »,
   d'autant plus que l'hivernement de 1633-1634 est la seule mission
   volante qu'il a réalisée.

chez eux. La première formule n'a jamais été, elle non plus, très efficace : Biard, qui n'a pu nourrir un Souriquois que trois semaines (MA, 557) rapporte avec humour le nombre de gestes nécessaire à l'obtention d'un seul mot. La *Relation de 1633* est, à cet égard, le premier volet de celle de 1634 : durant l'hiver 1632-1633, Lejeune avait gardé Pastedechouan auprès de lui à Notre-Dame-des-Anges pour en faire son professeur de montagnais (voir INP à son nom) et c'est pour le suivre qu'il entreprend la mission de 1633-1634. Les interprètes débutants n'ont pas d'autres écoles (TR, 390s.).

Or cette technique est ambiguë sinon contradictoire : instruire suppose s'instruire ; et c'est ici que l'entreprise missionnaire est proprement révolutionnaire : la subversion implique qu'on épouse préalablement la version à détruire ou à convertir. Qu'est-ce qu'apprendre la langue sinon (com)prendre les signes économiques, sociopolitiques et culturels d'une société, son langage ?

> Coucher sur la terre couverte d'un peu de branches de pin, n'avoir qu'une écorce entre la neige et vostre teste, traisner vostre bagage sur des montagnes, ne manger qu'une fois en deux ou trois jours quand il n'y a point de chasse, c'est la vie qu'il faut mener en suivant les Sauvages. Il est vrai que si la chasse est bonne, la chair ne vous est point épargnée : sinon il faut estre en danger de mourir de faim, ou de bien souffrir. [...] Voilà peut estre mon traittement pour l'hiver prochain, car si je veux sçavoir la langue, il faut de nécessité suivre les Sauvages (**RJ, V, 170**).

Apprendre la langue montagnaise, c'est apprendre à vivre la vie que l'on veut convertir. La *Relation* de Lejeune pose en clair que « Des moyens de convertir les Sauvages Montagnais » (III), le premier est de les *arrêter*. Le troisième chapitre décrit les moyens d'atteindre cette fin dans une perspective idéale et futurale ; le journal (XIII) montre la seule voie efficace et actuelle comme contradictoire à la fin qu'elle poursuit : pour sédentariser le missionnaire se fait nomade et par conséquent le récit cherche une fin qu'il nie lui-même. Le missionnaire tente de racheter, ou plutôt de retourner cette contradiction en introduisant le vide au cœur même des signes qu'en même temps il veut apprendre, « leurs représentant la misère de leurs courses

qui les touchoit pour lors assez sensiblement » (25). Or la
course est centre et source de la structuration des signes
montagnais : l'injure ou l'argument suprême de ses frères
contre la conversion de Pastedechouan est, rapporte-t-il,
« que je pourirai demeurant tousjours en un endroict »
(135). Mais la destructuration des signes, la démystification,
touchera d'abord, il fallait s'y attendre, la rhétorique sociale et sera proprement une démythification.

Le projet subversif rend compte aussi bien de la résistance de la cabane de Mestigoït que de la rivalité de
Lejeune et de Carigonan. La résistance des Montagnais
va se manifester d'abord dans le refus de dévoiler [10] qui
conduit au silence et ensuite dans le refus d'être dévoilé
qui déclenche la moquerie. Cette dernière attitude explique la rivalité de Lejeune et de Carigonan qui ne peut pas
se confiner au silence dans la mesure où il représente le
langage montagnais. Claude Lévi-Strauss (*Anthropologie
structurale*, Plon, 1958, 181s.) a analysé l'« efficacité symbolique » aussi bien du sorcier que des mythes (qui le dépas-
sent, mais qu'il personnalise, croyons-nous, comme son
Rhétoricien) que nous prendrons ici comme un fait acquis.
Lejeune a montré du doigt les privilèges de Carigonan, les
plaisirs du ventre et du sexe, mais en réalité, ce ne sont
pas les « bons morceaux » que préserve le sorcier, mais les
signes qu'ils sont au même titre qu'une messe ; et le missionnaire ne s'y trompe pas qui les lui laisse, mais les
vide de leur signification (« Je taschai de lui oster ceste
appréhension, tesmoignant publiquement que je ne vivois
pas pour manger, mais que je mangeois pour vivre, et qu'il
m'importoit peu quoi qu'on me donnast, pourveu que
j'en eusse assez pour ne point mourir », etc. (123). En
effet, si l'être de la confiance est le plein de signification sur
lequel repose l'efficacité symbolique [11], alors la perte de

10. De telle sorte que la connaissance qu'on peut avoir de la mythologie montagnaise est doublement filtrée, d'une part par la
perception de l'observateur européen et d'autre part, parce que
cette perception est contestataire, par la censure de l'Amérindien.
11. « L'efficacité de la magie implique la croyance en la magie, et
[...] celle-ci se présente sous trois aspects complémentaires : il
y a, d'abord, la croyance du sorcier dans l'efficacité de ses techniques ; ensuite, celle du malade qu'il soigne, ou de la victime
qu'il persécute, dans le pouvoir du sorcier lui-même ; enfin, la
confiance et les exigences de l'opinion collective... » (Lévi-Strauss,
op. cit., 184).

confiance sera l'introduction du vide dans les signes : l'angoisse.

Pourtant, le missionnaire ne réussira ni à miner l'efficacité de la mythologie montagnaise, ni à y substituer la mythologie chrétienne. L'échec est comptable au niveau apostolique : le missionnaire n'a baptisé, convaincu ou *instruit* personne ; il est plus profond au niveau psychanalytique. La lutte qui oppose le missionnaire au sorcier n'est rien d'autre que la manifestation d'un conflit d'autorité et la défaite du premier est l'anéantissement d'un rêve de puissance. Lorsque Paul Lejeune a vu pour la première fois des Amérindiens, il a été profondément frappé par leur utilisation de la parole. La langue montagnaise est sûrement très différente des langues européennes, mais la parole montagnaise n'a aucun équivalent en Europe : les Amérindiens parlent peu, jamais deux à la fois, ils n'interrompent jamais leur interlocuteur et ne se laissent pas interrompre ; ils ne dialoguent pas, ils font des discours et il n'est jamais question de leur conversation, mais de leur éloquence (MA, 246 ; RJ, V, 26 ; VI, 206). Tous les Européens ont remarqué cette utilisation de la parole ; Lejeune en a été séduit :

> Il est vrai que celui qui sçauroit leur langue les manieroit comme il voudroit... (RJ, V, 34).
> Ces exemples font voir la confiance qu'ils ont en nous : en vérité qui sçauroit parfaitement leur langue seroit puissant parmi eux (RJ, V, 62).
> [Celui] qui sçauroit parfaitement leur langue, il seroit tout-puissant parmi eux, ayant tant soit peu d'éloquence. Il n'y a lieu au monde où la Rhétorique soit plus puissante qu'en Canadas, et néantmoins elle n'a point d'autre habit que celui que la nature lui a baillé : elle est toute nue et toute simple, et cependant elle gouverne tous ces peuples, car leur Capitaine n'est esleu que pour sa langue, et il est autant bien obéi qu'il l'a bien pendue : ils n'ont point d'autres lois que sa parole... (RJ, V, 194).

Or si la mission volante est en soi, on l'a vu, le seul moyen réaliste d'apprendre le montagnais, elle prend aussi chez Lejeune une valeur initiatique à travers une importante composante du complexe d'Œdipe, l'aspiration à la puissante parole du père rêvée sur le mode de la puissance sexuelle. N'est-il pas remarquable qu'il retrouve toujours, lorsqu'il est question de son impuissance linguistique, la métaphore du balbutiement enfantin ? « Je leur dis pour conclusion que j'estois un enfant et que les enfans faisoient rire leurs pères par leur bégaiement, mais qu'au reste je deviendrois grand dans quelques années... » (136). C'est cette impuissance que le narrateur de la *Relation* tente de peindre : on comprend, dès lors, que le récit se cache derrière la description aussi bien comme un refoulement et un transfert qu'une sublimation.

Le récit malheureux

Il reste que le plus grand échec de Lejeune est la réussite à peu près complète de sa mission volante : il s'est fait « Sauvage parmi les Sauvages », nomade et bon élève ; et il n'en est pas peu fier, ne serait-ce que de l'exploit sportif d'une course de « six mois peu de jours moins ». Il a peut-être appris imparfaitement la langue des Montagnais, mais il en connaît bien le langage : toute la partie descriptive de la *Relation* lui est consacrée. Mais tout cela s'est fait *en vain*. Le missionnaire se retrouve avec un plaisir d'ethnologue sans plus. Lejeune s'est bien démené comme un diable dans l'eau bénite, il y a bien eu plusieurs combats avec le sorcier et quelques mêlées générales, il réussit peut-être même à semer quelquefois le doute et l'angoisse, il reste qu'il n'est pas parvenu à ébranler sérieusement le langage qu'il apprenait. Bien entendu, il ne pouvait en être autrement : en niant la valeur opératoire de ce qu'il apprenait, il pouvait tout apprendre et il a tout appris — la description est là pour le montrer —, sauf la puissance et en particulier celle de changer un seul iota à ce qu'il apprenait — et cela, la description est là pour le cacher. L'angoisse s'est retournée contre celui-là même qui la créait : il se trouve dépourvu et incapable, vaincu et profondément humilié par un sorcier qui dépasse à peine l'âge de la pierre polie. Voilà ce que cache la description : le récit d'un échec humiliant, celui de la sémiologie française du dix-septième siècle inopérante à quarante lieues de Québec, celui de la vérité qui assiste, choquée, à la suerie, à la consulte et, plus simplement, à la chasse de l'orignal qui se fait sans elle (et donc contre elle !). Est-ce bien le

récit d'où est déduite la description ? La « suitte du temps »
qui illustre et démontre la thèse ?

Le chapitre v, où il est question « Des choses bonnes
qui se trouvent dans les Sauvages », décrit les qualités des
Montagnais, mais il se trouve être aussi la critique de
l'Européen et en même temps une autocritique. Quel est
le débile qui est incapable de traîner autre chose que son
manteau ? Qui a manqué de patience ? Qui a reproché à
son prochain de lui enlever le pain de la bouche ? Et le
récit émerge dans la description : « Je coucherai ici un
exemple... Dans les pressures de nostre famine... » (63).
Puis « L'on verra dans la suitte de cette Relation que
tout ce que j'ai dit en ce Chapitre est très véritable » (65). Certes le journal (la suite de cette relation)
illustre bien les qualités des Montagnais, mais il est
bien plus le récit circonstancié de l'autocritique clouée
dans ce chapitre. Et cela est vrai de l'ensemble de la description d'où les personnages émergent peu à peu : déjà, au
tout début, il est question de la « cabane des frères du
défunct » (11), puis de Pastedechouan, « Apostat, renégat,
excommunié, athée, valet d'un Sorcier qui est son frère »
(13), de telle sorte qu'avant même le début du journal tous
les personnages du récit, Mestigoït, Pastedechouan, Carigonan et Lejeune ont déjà tout leur destin écrit en clair ;
exactement comme à la levée du rideau sur la tragédie
classique, le Missionnaire, l'Apostat, le Sorcier, tout le
monde est en place pour un set carré dont la chorégraphie
était inscrite au cœur de la description. Par conséquent, si
le récit est placé en dernier comme preuve et illustration
de la description, il est en réalité commencé par la description qui tente de le cacher en se faisant synthèse alors
qu'elle récite profondément l'échec si bien réussi du
narrateur.

Cette structuration du contenu est aussi inscrite dans
la forme de la *Relation*. Celle-ci se présente comme une
enfilade de douze chapitres qui couvrent un peu plus de la
moitié de la *Relation*, suivie d'un « Journal des choses qui
n'ont peu estre couchées soubs les chapitres précédens ».
L'ordre de la première partie est thématique, celui de la
seconde, chronologique :

> Je distinguerai la Relation de ceste année par Chapi-
> tres à la fin desquels je mettrai un journal des choses

qui n'ont autre liaison que la suitte du temps auquel elles sont arrivées (4).

Mais cette organisation manifeste est en réalité illusoire : comme la description contient le récit, elle en a aussi la forme et ce qui s'y trouve est, aussi bien que le récit, dans la « suitte du temps ».

La lettre d'envoi et la brève description de la vie coloniale (i), en dépit de ce qu'elles ont de convenu dans le genre des *Relations* pourtant naissant, sont une description de la colonie, arrivées et départs des vaisseaux, qui aura une suite à la fin de la *Relation* (à partir du 31 mai, p. 180) après le récit de l'hivernement : c'est le déroulement de ce qui se passe à Québec, le temps colonial, qui ouvre et ferme la *Relation* comme une suite de ce qui a été dit en 1632 et de ce qui le sera dans la *Relation de 1635,* appelant toutes les *Relations* encore à venir. Le premier niveau de la *Relation,* le temps colonial, est suivi d'un second, le temps de l'édification missionnaire, qui décrit les conversions et les baptêmes de l'année (ii). Contrairement au premier qui se partage entre le début et la fin du texte, ce deuxième niveau est rassemblé sur tout un chapitre ; il couvre comme le premier toute l'année, mais il est sans rapport avec lui. Il a toutefois cette caractéristique d'annoncer en creux le troisième niveau qui sera le temps de la mission : il s'ouvre par les baptêmes faits « en mon absence » (8), absence reprise par « J'estois pour lors (moi qui escrit ceci) a quelques quarante lieues de Kébec dans la cabane des frères du défunct (11) ; « Je retournai de mon hivernement d'avec les Sauvages six jours après son baptême » (15). La dernière phrase de ce chapitre nous sort du temps pour nous placer dans un irréel du futur : « S'il y avoit ici un hospital, il y auroit... » (23) ; et c'est dans cet irréel temporel que le troisième chapitre décrit le programme d'évangélisation où le temps de la mission est toujours inscrit en creux [par exemple : « M'entretenant cet hiver avec mes Sauvages... Le Sorcier m'ayant entendu... » (25) ; « Etant guéri je les ai voulu suivre pendant l'hiver... » (26)]. On passe ensuite sans transition à la description de la société montagnaise de la tête aux pieds (v-xi) : il s'agit de la description *extraite* de la « suitte du temps », le temps de la mission qui s'ouvre abruptement au milieu du chapitre sur la langue (xi) pour être résumé dans le chapitre suivant

(XII) et étalé dans le journal (XIII). Remarquons d'abord que ce troisième niveau temporel, déjà compris en creux dans le second, est entièrement enserré dans le premier : il n'existe qu'entre parenthèses. De la même façon que les Montagnais devraient être sédentarisés et christianisés, le temps de la vie coloniale et celui de l'édification missionnaire sont ensemble le temps normatif qui permet de supposer le futur (pour l'instant irréel) que décrit le programme d'évangélisation (III). Or le temps de la mission est celui que les Montagnais calculent en nuits et en lunes et qui, même traduit dans le calendrier grégorien par le missionnaire, est le temps de la réalité sans rapport avec la norme sédentaire et chrétienne. La description de la colonie (I) est suivie d'un écart à la norme coloniale : le méchant Jacques Michel ; celle de l'édification missionnaire (II) d'un écart à la norme apostolique : la méchante Canadienne. L'ensemble des trois premiers chapitres qui décrivent les normes coloniale et apostolique et leur projection est suivi d'un écart gigantesque : les méchants Montagnais. La description n'est *extraite* du temps qu'en apparence : elle est, en réalité, déjà imprégnée du temps de la mission qui s'oppose au temps idyllique qui ouvre et ferme la *Relation*.

C'est l'ironie catholique, apostolique et romaine qui va introduire dans la description le temps d'où elle devrait être extraite et qui, en principe, devrait en être extrait. L'ironie, dans la description de Lejeune, s'organise de plusieurs points de vue. Le premier est indépendant de la volonté du narrateur : c'est l'ironie du sort qui tient à la perception même du missionnaire et qui concourt à la démystification dont nous avons déjà parlé. La vie du nomade montagnais est ainsi traduite en termes de sédentaire chrétien : manger tout pour ne rien perdre devient gourmandise ; les termes chrétiens (déluge, ange, prière ou jeûne) remplacent les conceptions montagnaises comme le diable qui remplace le manitou le juge et le condamne selon une norme qui n'est pas la sienne. La démystification devient volontaire lorsque Lejeune contredit la mythologie montagnaise en termes scientifiques ou logiques et au nom du bon sens (le sien) ; mais dans la plupart des cas, c'est la moquerie ou l'ironie qui aura cette fonction. L'ironie introduit ainsi dans la description le temps du récit comme son contexte : le narrateur n'est pas un ethnologue, mais un personnage du récit, le missionnaire. Cette description s'ouvre par un tableau de la mythologie montagnaise (IV). Le compte rendu du mythe du Messou débute sur un ton neutre ; la mise en rapport de l'« inondation universelle » et du déluge biblique fait partie de la démystification inconsciente ; mais bientôt l'ironie apparaît, imperceptiblement d'abord, dans la suppression du pronom sujet (« ...il fist mille autres merveilles, se vengea de ceux qui avoient arresté ses loups cerviers, espousa une ratte musquée... »), puis brutalement dans l'exclamation finale : « voilà comme le Messou a tout restabli » (32). Par la suite l'ironie ne désempare plus : « le *brave* réparateur de l'Univers est le frère aisné de toutes les bestes » (33) ; plus loin ce sera le « jongleur *faisant du* Génie » (36) ou « le Sorcier *faisant du* prophète » (45) ; les utilisations ironiques de l'adjectif sont très nombreuses : « ce *beau* palais » (35), « ce *beau* mystère » (35, 36), « ces *beaux* oracles » (36), « ce *bel* édifice » (36), « ces *pauvres* âmes » (40), etc. Inutile d'insister : cette description n'est pas neutre : non seulement le narrateur rapporte l'ironie que le missionnaire a manifestée aux Montagnais, mais encore il en apporte, on le voit, par son texte qu'il situe ainsi en opposition au temps colonial et apostolique dans le temps de la mission — en dernière analyse dans celui de l'échec missionnaire.

Finalement la *Relation de 1634* n'a plus rien d'un rapport ou d'un mémoire ; elle n'est même pas essentiellement (mais de surcroît) une description de la société montagnaise : elle est un récit, plus précisément un drame baroque. Un drame parce que l'action se noue autour de personnages qui prennent comme dans les grands romans, comme Bouvard et Pécuchet, des proportions caricaturalement vraies : le missionnaire passionné que la fougue emporte au bord de la colère, de l'ironie, du sarcasme et du désespoir dans le conflit d'autorité qui l'oppose au sorcier ; le sorcier et, plus encore, son tambour auquel le narrateur donne une vie saisissante et symbolique ; l'apostat, divisé entre le sorcier et le missionnaire, attiré et repoussé des deux côtés ; l'hôte enfin, le chef, effacé comme toute sa cabane, ces femmes, ces enfants, ces chasseurs et ce vieillard, figurants secondaires d'un drame où ils ont pris le parti du silence, qui, apparemment, ne prend parti pour ni l'un ni l'autre de ces deux hommes qui se ridiculisent mutuellement et tentent de se discréditer aux yeux de la cabane ; d'un flegme encore qu'envie le missionnaire, soupe au lait et bavard comme un Français, parfois rappelé à l'ordre : seuls se fâchent ceux qui n'ont pas d'esprit ! Ces personnages vont vivre un drame baroque dans ses péripéties — le départ, le vol de la barique de vin, la rencontre du sorcier, les stations de chasse en forêt, la maladie du missionnaire et le tambour du sorcier, le retour foudroyant à Québec en canot sur les glaces du Saint-Laurent — où n'est exclu aucun thème de l'esthétique crispée : l'exotisme et le mouvement, le réalisme sordide et le merveilleux, le grotesque et l'ironie, et par-dessus tout, cette description à double fond, cet appel de signes qui cache l'autocritique sous la critique, la confession qui triomphe comme un acte d'accusation, le puissant aveu d'impuissance.

Mais ne passons pas outre

Mais, et nous rejoignons ainsi notre analyse de la structure des *Relations,* ce récit malheureux caché derrière une description triomphante et cette description elle-même (comme pour plus de sécurité) sont greffés dans le temps colonial qui ouvre et ferme la *Relation* et, par là, perdus et rachetés dans la masse des soixante-treize volumes de l'édition de R. G. Thwaites. Nous avons retenu de ce contexte, dans l'« Epilogue » qui suit la *Relation de 1634,* deux brefs extraits des *Relations* de 1635 et de 1636 qui se terminent par hasard sur l'attendu « Mais passons outre » qu'il faut justement se refuser : en accrochant à la *Relation de 1634* un titre postiche, on espère briser ce contexte rédempteur, couleur de petits Jésus joufflus, qui cache sous son illisibilité le récit circonstancié de ce Français du dix-septième siècle, vaincu et humilié, aux prises avec lui-même à travers les autres, *le Missionnaire, l'apostat, le sorcier.*

ABRÉVIATIONS

ASJP Archives de la Société de Jésus de la Province de Paris.

CH Champlain, *Œuvres,* éd. Laverdière.

DB *Dictionnaire biographique du Canada,* I.

INP Index des noms propres (voir p. 241).

LA Lanctot, *Histoire du Canada,* I.

MA *Mission d'Acadie,* éd. Lucien Campeau.

MS Manuscrit de la *Relation de 1634* (voir p. 225).

PE Première édition de la *Relation de 1634* (voir p. 226).

RJ *Relations des Jésuites de la Nouvelle-France,* éd. Thwaites.

SE Seconde édition de la *Relation de 1634* (voir p. 227).

SH Sagard, *Histoire du Canada...,* éd. Tross.

SV Sagard, *le Grand Voyage,* éd. de 1632.

TR Marcel Trudel, *Histoire de la Nouvelle-France,* II.

* L'astérisque renvoie au glossaire du vocabulaire commun, p. 233.

MS, PE et SE ne sont utilisés que dans les variantes et renvoient aux exemplaires précis que nous décrivons dans notre bibliographie (225s.) ; le texte du MS que nous suivons est transcrit selon les règles que décrit notre premier appendice (213s.).

Comme introduction historique à la *Relation* de Lejeune, on pourra lire d'abord les quatorze articles de l'INP que nous signalons dans le commentaire qui le précède (241).

RELATION

DE CE QUI S'EST PASSÉ
EN LA NOUVELLE FRANCE
SUR LE GRAND FLEUVE
DE SAINCT LAURENT
EN L'ANNÉE 1634

Extraict du Privilège du Roi

Par la Grâce et Privilège du Roi, il est permis à Sébastien Cramoisy, Imprimeur ordinaire du Roi, marchand Libraire Juré en l'Université de Paris, d'imprimer ou faire imprimer un livre intitulé, *Relation de ce qui s'est passé en la Nouvelle France en l'année mil six cens trente-quatre, Envoyée au Révérend Père Barthelemy Jaquinot, Provincial de la Compagnie de Jésus en la Province de France, Par le P. Paul le Jeune* a de la mesme *Compagnie, Supérieur de la Résidence de Kébec :* et cependant le temps et espace de neuf années consécutives. Avec défenses à tous Libraires et Imprimeurs d'imprimer ou faire imprimer ledit livre, sous prétexte de desguisement ou changement qu'ils y pourroient faire, à peine de confiscation et de l'amende portée par ledit Privilège. Donné à Paris, le 8 Décembre mil six cens trente-quatre.

Par le Roi en son Conseil,

VICTON

MON R. PERE[1]*,*
Pax Christi.

Les lettres de vostre Révérence, les tesmoignages de son affection pour la conversion de ces peuples, les effects de son amour en nostre endroict, la venue de nos Pères[2] *qu'il lui a pleu nous envoyer pour renfort cette année, les désirs qu'ont un si grand nombre des nostres de venir en ces contrées sacrifier leurs vies et leurs travaux pour la gloire de Nostre Seigneur ; tout cela joinct avec le bon succès qu'eurent les vaisseaux l'an passé et leur retour*[3]*, et l'heureuse arrivée de ceux qui sont venus cette année*[4]*, avec le zèle que tesmoignent Messieurs les associés de la Compagnie de la nouvelle France*[5] *pour la conversion de ces peuples barbares*[a] *; tous ces biens joincts ensemble venans fondre tout à coup dans nos grands bois par l'arrivée de Monsieur du Plessis*[6] *Général de la flotte qui nous met dans la jouissance des uns, et nous apporte les bonnes nou-*

1. La lettre d'envoi adresse la *Relation* au R.P. Barthelemy Jaquinot, Provincial de France (voir INP à son nom). Cette destination est toutefois formelle puisque Lejeune écrira plus loin : « Mon cœur a plus parlé que mes lèvres, et n'estoit la pensée qu'en escrivant à une personne, je parle à plusieurs, il se respandroit bien davantage » (188). Contrairement à la *Brève relation de 1632,* cette relation, comme la précédente et celles qui suivront, est destinée à la publication.
2. Les pères Charles Lalemant et Jacques Buteux accompagnés du frère Jean Ligeois.
3. Depuis le départ des bateaux, jusqu'à leur retour au printemps suivant, toute communication est interrompue entre la colonie et sa métropole. Le moyen de transport et, en dernière analyse, le climat imposent le découpage temporel des *Relations* : cela se remarque dans le titre qu'elles prendront souvent et que devrait avoir celle de 1634 : *Relation de ce qui s'est passé en 1633 et en 1634.* La flotte équipée par la Compagnie de la Nouvelle-France et conduite par Champlain était arrivée le 22 mai et repartie sous la direction d'Émery de Caen le 16 août 1633 (voir p. 126).
4. Sur l'arrivée de la flotte conduite par du Plessis-Bochart, voir plus loin p. 181s.
5. Voir INP à Compagnie de la Nouvelle-France.
6. Charles du Plessis-Bochart, voir INP.

velles des autres, nous comblent d'une consolation si
grande, qu'il me seroit bien difficile de la pouvoir bien
expliquer : Dieu en soit béni à jamais ; si sa bonté continue
à se respandre sur ces Messieurs, comme nous l'en prions
de toute l'estendue de nostre cœur, tant d'âmes plongées
dans une nuict d'erreur qui dure depuis un si long temps,
verront en fin le jour des vérités Chrestiennes : et nostre
bon Roi [7], Monseigneur le Cardinal [8], Messieurs les Associés, Monsieur le Marquis de Gamache grand appui de
nostre Mission [9] et quantité d'autres, par la faveur desquels
le Sang du Fils de Dieu leur sera un jour appliqué, auront
la gloire et le mérite d'avoir contribué à une si saincte
œuvre.

Je distinguerai* la Relation de ceste année par Chapitres à la fin desquels je mettrai un journal des choses qui
n'ont autre liaison que la suitte du temps auquel elles sont
arrivées [10]. Tout ce que je dirai touchant les Sauvages*,
ou je l'ai veu de mes yeux, ou je l'ai tiré [a] de la bouche de
ceux du pays, nommément d'un vieillard fort versé dans
leur doctrine, et de quantité d'autres avec lesquels j'ai
passé six mois peu de jours moins, les suivant dans les bois
pour apprendre leur langue [11]. Il est bien vrai que ces
peuples n'ont pas tous une mesme pensée touchant leur
créance, ce qui fera paroistre un jour de la contrariété*
entre ceux qui traicteront de leurs façons de faire [12].

---

7. Louis XIII (1601-1643), roi de France à partir de 1610 et qui
   suit depuis 1624 la politique de celui qui a créé son pouvoir,
   le cardinal de Richelieu.
8. Armand Jean Du Plessis (1585-1642) cardinal de Richelieu, entre
   au Conseil du roi en 1624 et devient rapidement chef du Conseil
   (TR, 432s.). Voir INP à Compagnie de la Nouvelle-France.
9. Voir INP à Gamache.
10. Sur la structure des *Relations* et sur l'originalité de la *Relation
    de 1634*, voir l'*Introduction*, p. xx-xxx, xxxviis.
11. Cette proclamation d'authenticité (significativement appuyée sur
    le regard) est très fréquente chez Lejeune et, en général, dans
    toutes les *Relations*, mais on doit souligner qu'elle est une loi
    du genre et qu'elle se rencontre, au moins implicitement, dans
    toute Relation quelle qu'elle soit.
12. Il veut dire « auront traité » : à mon avis, il s'agit ici d'une
    dénégation polie des passages des livres de Champlain qui traitent
    des « mœurs et de la religion » des Montagnais. Cette phrase
    constitue d'avance un démenti catégorique à l'*Histoire* de Sagard
    qui puisera sans vergogne dans ces passages. Voir p. 30, note 1.

1

Des bons déportemens des [a] François

Nous avons passé cette année dans une grande paix et dans une très bonne intelligence* avec nos François. La sage conduitte et la prudence de Monsieur de Champlain Gouverneur de Kébec [b] et du fleuve sainct Laurent qui nous honore de sa bienveillance, retenant un chacun dans son devoir, a fait que nos paroles et nos prédications aient esté bien receues, et la Chappelle qu'il a fait dresser proche du fort [1], à l'honneur de nostre Dame, a donné une belle commodité aux François de fréquenter les Sacremens de l'Eglise, ce qu'ils ont fait aux bonnes festes de l'année, et plusieurs tous les mois avec une grande satisfaction de ceux qui les ont assistés. Le fort a paru une Académie* bien réglée, Monsieur de Champlain faisant faire lecture à sa table le matin de quelque bon historien, et le soir de la vie des Saincts. Le soir se fait l'examen de conscience en sa chambre, et les prières en suitte qui se récitent à genoux. Il fait sonner la salutation Angélique au commencement, au milieu et à la fin du jour, suivant la coustume de l'Eglise. En un mot nous avons subject de nous consoler voyans un chef si zélé pour la gloire de Nostre Seigneur et pour le bien de ces Messieurs.

Croiroit on bien qu'il s'est trouvé un de nos François en Canada qui, pour contrecarrer les dissolutions qui se font ailleurs en Carnaval, est venu le Mardi gras dernier, pieds et teste nuds [c] sur la neige et sur la glace depuis Kébec jusques en nostre Chappelle, c'est à dire une bonne demie lieue*, jeusnant le mesme jour pour accomplir un vœu

---

1. Après la reddition de la colonie, Champlain fait construire une chapelle de bois de 30 pieds sur 40 : Notre-Dame-de-la-Recouvrance (LA, 202).

qu'il avoit fait à Nostre Seigneur, et tout cela sans autres tesmoings que Dieu et nos Pères qui le rencontrèrent.

Pendant le sainct temps du Caresme, non seulement l'abstinence des viandes défendues et le jeusne s'est gardé, mais aussi tel s'est trouvé qui a fait plus de trente fois la discipline, dévotion bien extraordinaire aux soldats et aux artisans tels que sont ici la pluspart de nos François.

Un autre a promis d'employer en œuvres pies* la dixiesme partie de tous les profits qu'il pourra faire pendant tout le cours de sa vie. Ces petits eschantillons font voir que l'Hiver n'est pas si rude en la nouvelle France qu'on y puisse recueillir des fleurs du Paradis.

Je mettrai en ce lieu, ne sçachant où le mieux placer ailleurs, ce qu'un de nos François très digne de foi et recogneu pour tel, nous a raconté de Jacques Michel Huguenot qui amena les Anglois en ce pays ci [2]. Ce misérable la veille de sa mort ayant vomi contre Dieu et contre nostre Sainct Père Ignace mille blasphèmes, et s'estant donné cette imprécation* qu'il vouloit estre pendu s'il ne donnoit une couuple de soufflets avant la nuict du jour suivant à un de nos Pères [3] qui estoit pris de l'Anglois, vomissant contre lui des injures fort messéantes, il fut surpris bien tost après d'une maladie qui lui osta toute cognoissance et le fit mourir le lendemain comme une beste Quatre circonstances de ce rencontre donnèrent de l'estonnement aux Huguenots mesmes : la maladie qui le prit quelques heures après ses blasphèmes, l'erreur des Chirurgiens qui estoient en nombre, lesquels donnèrent des remèdes soporifères à un létargique, son trespas si soudain et sans cognoissance, expirant sans qu'aucun s'en apperceut quoi qu'il y eust six hommes auprès de lui, la fureur des Sauvages envers son corps qui le déterrèrent et le pendirent selon son imprécation, puis le jettèrent aux chiens. Les Anglois qui estoient dans le fort de Kébec ayans sçeu cette histoire tragique, dirent, tous estonnés, que si les Jésuites sçavoient tout cela qu'ils en feroient des miracles. Or nous le sçavons maintenant et cependant nous n'en ferons ni prodiges ni miracles : mais nous dirons seulement

2. Sur la prise de Québec le 19 juillet 1629, voir INP à Kirke.
3. Il s'agit de Jean de Brébeuf ; voir INP à Michel.

qu'il ne fait pas bon blasphèmer contre son Dieu, ni contre ses saincts, ni se bander contre son Roi trahissant sa patrie [4]. *Mais venons maintenant à nos Sauvages.*

4. Paul Lejeune avait déjà commencé d'en faire un *miracle* en 1632 (RJ, V, 40). Le seul élément nouveau de la version qu'on vient de lire est la querelle de Jacques Michel avec le P. Jean de Brébeuf. Or cette querelle est longuement rapportée par Champlain dans ses *Voyages de la Nouvelle France, dicte Canada* (CH, VI, 283-290), relation publiée en 1632 et que n'a pas dû connaître Lejeune avant l'arrivée de Champlain en 1633. Cela me porte à croire que le « François très digne de foi et recogneu pour tel » dont il est question ici n'est autre que Champlain et sûrement l'auteur des *Voyages.* Voir INP à Jacques Michel.

2

De la conversion, du Baptesme
et de l'heureuse mort de quelques Sauvages [1]

Quelques Sauvages se sont faits [a] Chrestiens cette année ; trois ont esté baptisés cest hiver [b] en mon absence : en voici les particularités toutes pleines de consolation que nos Pères m'ont raconté [c] à mon retour.

Le premier estoit un jeune homme nommé Sasousmat [2] âgé de 25 à 30 ans ; les François le surnommoient Marsolet [d]. Le jeune homme entendant un jour un Truchement* parler des peines d'Enfer et des récompenses du Paradis, lui dit [e], mène moi en France pour estre instruict, autrement tu respondras de mon âme. Donc estant tombé malade il fut plus aisé de l'induire à se faire Chrestien. Le Père Brébeuf [3] m'a donné de lui ce mémoire [f].

1. On a déjà dit ailleurs (*Introduction*, p. xxxviii) ce qu'il fallait penser de l'hégémonie du thème de l'édification missionnaire dans les *Relations* et de la place stratégique qu'il tient ici dans la *Relation* de Lejeune. La conversion est l'objectif premier mais non immédiat de l'activité missionnaire : de ce point de vue, Lejeune est tributaire d'une solide tradition, même si l'on ne considère que l'expérience acquise en Nouvelle-France aussi bien par les Jésuites que par les Récollets. Marcel Trudel a minutieusement compilé les résultats du travail de ces derniers (TR, 317-351) et en 1627, en tenant compte de l'arrivée des Jésuites depuis deux ans, il tire le trait suivant : « Ce qui nous donne, pour une période de douze ans d'apostolat, un total de 54 baptisés, dont 39 meurent après leur baptême et 2 (Patetchouan et Napagabiscou) ne persévèrent pas. Qui reste-t-il pour constituer cette première chrétienté ? un petit groupe de 15 indigènes ! » (TR, 351). Pourtant, à cause de son objectivité, ce bilan est injuste : une entreprise de subversion ne peut s'estimer à ses résultats immédiats. Déjà en 1614, Pierre Biard, dans le chapitre x de sa *Relation*, « De la nécessité qu'il y a de bien catéchiser ces peuples avant de les baptiser », critiquera sévèrement l'entreprise spectaculaire et malheureuse de Jessé Flesché qui avait baptisé en quelques semaines une centaine de Souriquois dont la plupart ne savait même pas faire le signe de

« *Ayant appris la maladie de ce jeune homme, je le fus*
« *visiter, et le trouvai si bas qu'il avoit perdu le jugement ;*
« *nous voilà donc dans un regret de ne le pouvoir secourir,*
« *ce qui fit prendre résolution à nos Pères et à moi de*
« *présenter à Dieu le lendemain le Sacrifice de la Messe à*
« *l'honneur du glorieux sainct* [a] *Joseph, Patron de cette*
« *nouvelle France, pour le salut et conversion de ce pauvre*
« *Sauvage : à peine avions nous quitté l'Autel qu'on nous*
« *vint advertir qu'il estoit rentré en son bon sens ; nous le*
« *fusmes voir et l'ayans sondé nous le trouvasmes rempli*
« *d'un grand désir de recevoir le sainct Baptesme ; nous*
« *différasmes néantmoins quelques jours pour lui donner*
« *une plus grande instruction. En fin il m'envoya prier*
« *par nostre Sauvage nommé Manitougatche* [4], *et surnom-*
« *mé de nos François la Nasse, que je l'allasse baptiser,*
« *disant que la nuict précédente il m'avoit veu en dormant*
« *venir en sa cabane pour lui conférer ce Sacrement, et*

---

croix (MA, 62s, 139-140) : « Les Jésuites donc, appercevants tout
ceci, se résolurent de ne point baptiser aucun adulte, sinon
après que, selon les saincts canons, il auroit esté bien initié et
catéchisé. Car le faire autrement ils recognoissoient fort bien
estre non seulement une prophanation du christianisme, ains
aussi une injustice envers les sauvages. Car puis que c'est injustice d'induire quelqu'un à signer une promesse ou serment
obligatoire sans lui donner à entendre les conditions ausquelles
il s'astraint, combien plus le sera-il de pousser un homme de
sens et d'aage compétent à faire profession solemnelle de la loi
de Dieu — ce qui se faict par le baptesme — sans qu'il ait esté
jamais au paravant novice » (MA, 514). Dix ans plus tard,
Charles Lalemant écrira à son frère : « La conversion des Sauvages demande du temps. Les premières six ou sept années sem-
bleront stériles à quelques-uns. Et si j'adjoutois jusqu'à dix ou
douze, possible ne m'éloignerois je pas de la vérité » (RJ, IV,
222 ; repris par Lejeune en 1633 : RJ, V, 190). Si je compte
bien, il n'y a que trois baptêmes à ajouter depuis le retour des
Jésuites : trois enfants, un Montagnais (RJ, V, 72), un Algonquin (226) et un petit esclave noir amené à Québec par les
Kirke (198). Par conséquent, même si les sept baptêmes qui sont
décrits ici se réduisent à ceux de trois moribonds et de quatre
enfants en danger de mort, ils triplent les résultats des années
précédentes et sont le début d'une progression géométrique qui
ne s'arrêtera plus : 22 en 1635, 115 en 1636, 300 en 1637, 1 200
en 1640, etc.

2. Voir INP à ce nom.
3. Jean de Brébeuf remplacera Lejeune à Québec durant son hivernement avec les Montagnais. Voir INP à son nom.
4. Voir INP à ce nom.

« *qu'aussi tost que je m'estois assis auprès de lui que tout*
« *son mal s'en estoit allé ; ce qu'il me confirma quand je*
« *le fus voir. Je lui refusai néantmoins ce qu'il demandoit*
« *pour animer davantage son désir, si bien qu'un autre*
« *Sauvage qui estoit présent ne pouvant souffrir ce retar-*
« *dement, me demanda pourquoi je ne le baptisois point*
« *puis qu'il ne falloit que jetter un peu d'eau sur lui et*
« *que s'en estoit fait ; mais lui ayant reparti que je me*
« *perdrois moi mesme si je baptisois un infidelle et un*
« *mécréant mal instruict, le malade se tournant vers un*
« *François, lui dit, Matchounon n'a point d'esprit (c'est*
« *ainsi que s'appelloit cet autre Sauvage), il ne croit pas*
« *ce que dit le Père, pour moi je le crois entièrement. Sur*
« *ces entrefaites les Sauvages voulans décabaner et tirer*
« *plus avant dans les bois, Manitougatche, qui commençoit*
« *à se trouver mal, nous vint prier de le recevoir et le*
« *pauvre malade aussi en nostre maison. Nous prisme réso-*
« *lution d'avoir soing* ᵃ *des corps, pour aider les âmes que*
« *nous voyons bien disposées pour le Ciel. On met donc*
« *sur une traisne* ᵇ *de bois ce bon jeune homme, et on nous*
« *l'amène sur la neige. Nous le recevons avec amour et*
« *l'accommodons le mieux qu'il nous est possible ; lui tout*
« *rempli d'aise et de contentement de se voir avec nous,*
« *tesmoigna un grand désir d'estre baptisé, et de mourir*
« *Chrestien. Le lendemain qui estoit le 26 de Janvier,*
« *estant tombé dans une grande syncope, nous le baptisas-*
« *mes, croyans qu'il s'en alloit mourir, lui donnans le nom*
« *de François en l'honneur de sainct François Xavier. Il*
« *revint à soi, et ayant appris ce qui s'estoit passé, il se*
« *montra plein de joie d'estre fait Enfant de Dieu, s'entre-*
« *tenant tousjours jusques à la mort, qui fut deux jours*
« *après, en divers actes que je lui faisois exercer, tantost de*
« *Foi et d'Espérance, tantost d'Amour de Dieu et de regret*
« *de l'avoir offencé. Il prenoit en cela un plaisir fort sensi-*
« *ble, et récitoit tout seul avec de grands sentimens ce qu'on*
« *lui avoit enseigné. Demandant un jour pardon à Dieu*
« *de ses péchés, il s'accusoit tout haut soi mesme comme*
« *s'il se fust confessé, puis la mémoire lui manquant, ensei-*
« *gne moi (me disoit-il) je suis un pauvre ignorant, je n'ai*
« *point d'esprit, suggère moi ce que je dois dire. Une autre*
« *fois il me pria de lui jetter de l'eau bénite pour l'aider à*
« *avoir douleur de ses péchés ; cela m'estonna* ᶜ*, car nous ne*
« *lui avions pas encores parlé de l'usage de cette eau. Nous*

« *ayant invités à chanter auprès de lui quelques prières de*
« *l'Eglise, nous le voyons pendant ce sainct exercice les*
« *yeux eslevés au Ciel avec une posture si dévote que nous*
« *estions tous attendris, admirans les grandes miséricordes*
« *que Dieu opéroit dedans cette âme qui, en fin, quitta son*
« *corps fort doucement le 28 de Janvier pour aller jouir*
« *de Dieu.* »

Quand la nouvelle de sa conversion et de sa mort fut
sçeue de nos François à Kébec, il y en eut qui jettèrent
des larmes de joie et de contentement, bénissans Dieu de
ce qu'il acceptoit les prémices d'une terre qui n'a presque
porté que des espines depuis la naissance des siècles.

Il arriva une chose bien remarquable peu d'heures
après sa mort : une grande lumière parut aux fenestres de
nostre maison, s'élevant et s'abbaissant par trois fois. L'un
de nos Pères vid cet esclat, et plusieurs de nos hommes [5]
qui sortirent incontinent, les uns pour voir si le feu n'estoit
point pris en quelque endroict de la maison, les autres pour
voir s'il esclairoit, n'ayans trouvé aucun vestige de cette
flamme, ils creurent que Dieu déclaroit par ce prodige la
lumière dont jouissoit cette âme qui nous venoit de quitter.
Les Sauvages de la cabane du défunct virent dans les bois
où ils s'estoient retirés cette lumière, ce qui les espovanta [a]
d'autant plus qu'ils creurent que ce feu estoit un présage
d'une future mortalité en leur famille.

J'estois pour lors (moi qui escris ceci) à quelques
quarante lieues de Kébec dans la cabane des frères du
défunct ; cette lumière s'y fit voir à mesme temps et à
mesme heure, comme nous l'avons remarqué depuis le
Père Brébeuf et moi confrontans nos mémoires [6], et mon
hoste frère du trespassé l'ayant apperceue sortit dehors tout
espouvanté, et la voyant redoubler s'escria d'une voix si
estonnante [7] que tous les Sauvages et moi avec eux sortismes de nos cabanes. Ayant trouvé mon hoste tout esperdu*,

---

5. Sur le collectif « nos hommes », voir INP à hommes.
6. Le mémoire de Lejeune est la source du journal qu'on lira au
   chapitre XIII où les « frères du défunct », Mestigoït (son hôte,
   dont il rapporte les paroles plus bas), Carigonan et Pastedechouan, seront décrits avec un relief saisissant.
7. C'est-à-dire : *cria* d'une voix si *forte* que... Rapprocher l'adjectif
   verbal du verbe simple *tonner* qu'on trouve quelques lignes plus
   bas.

*je lui voulus dire que ce feu n'estoit qu'un esclair et qu'il
ne falloit pas s'espouvanter ; il me repartit fort à propos que
l'esclair paroissoit et disparoissoit en un moment, mais que
cette flamme s'estoit pourmenée devant ses yeux quelque
espace de temps ; de plus, as tu jamais veu, me dit-il, esclai-
rer ou tonner dans un froid si cuisant comme est celui que
nous ressentons maintenant ? Il est vrai qu'il faisoit fort
froid. Je lui demandai ce qu'il croyoit donc de ces feux,
c'est, me fit-il, un mauvais augure, c'est un signe de mort ;
il m'adjousta que le Manitou ou le diable* [8] *se repaissoit de
ces flammes.*

*Pour retourner à nostre bien heureux défunct, nos
Pères l'enterrèrent le plus solemnellement qu'il leur fut
possible, nos François s'y trouvans avec beaucoup de dévotion. Manitougatche, nostre Sauvage, ayant veu tout ceci,
en outre, considérant que nous ne voulions rien prendre
des hardes ou des robbes du trespassé, lesquelles il nous
offroit, il resta si édifié et si estonné qu'il s'en alloit par les
cabanes des Sauvages, qui vindrent bien tost après à Kébec,
raconter tout ce qu'il avoit veu, disant que nous avions
donné toute la meilleure nourriture que nous eussions à ce
pauvre jeune homme, que nous en avions eu un soing comme s'il eust esté nostre frère, que nous nous estions incom-
modés pour le loger, que nous n'avions rien voulu prendre
de ce qui lui appartenoit, que nous l'avions enterré avec
beaucoup d'honneur. Cela en toucha si bien quelques-uns,
notamment de sa famille, qu'ils nous amenèrent sa fille
morte en travail d'enfant pour l'enterrer à nostre façon ;
mais le Père Brébeuf les rencontrant leur dit que, n'ayant
pas esté baptisée, nous ne la pouvions mettre dans le cimetière des enfans de Dieu. De plus, sçachant qu'ils font
ordinairement mourir l'enfant quand la mère le laisse si
jeune, croyans qu'il ne fera que languir après son décèds, le
Père pria Manitougatche d'obvier à cette cruauté, ce qu'il
fit volontiers, quoi que quelques-uns de nos François
estoient desjà résolus de s'en charger au cas qu'on lui
voulust oster la vie.*

*Le second Sauvage baptisé a esté nostre Manitougat-
che* [a], *autrement la Nasse. J'en ai parlé dans mes Relations*

---

8. Il sera longuement question du Manitou au chapitre IV. Notons
seulement que cette première apparition le pose en équivalence avec le diable.

précédentes [9], *il s'estoit comme habitué auprès de nous avant la prise du pays par les Anglois, commençant à défricher et à cultiver la terre. Le mauvais traictement qu'il receut de ces nouveaux hostes l'ayant esloigné de Kébec, il tesmoignoit par fois à Madame Hébert* [10] *qui resta ici avec toute sa famille qu'il souhaittoit grandement nostre retour. Et de fait si tost qu'il sceut nostre venue il nous vint voir, et se cabana tout auprès de nostre maison, disant qu'il se vouloit faire Chrestien, nous asseurant qu'il ne nous quitteroit point si nous ne le chassions. Aussi ne s'est-il pas beaucoup absenté depuis que nous sommes ici : cette communication* lui a fait concevoir quelque chose de nos mystères. Le séjour qu'a fait en nostre maison Pierre Antoine* [11]*, le Sauvage son parent, lui a servi, d'autant que nous lui avons déclaré par sa bouche les principaux articles de nostre créance. O que les jugemens de Dieu sont pleins d'abismes ! Ce misérable jeune homme qui a esté si bien instruict en France s'estant perdu parmi les Anglois, comme j'escrivis l'an passé* [12]*, est devenu apostat, renégat, excommunié, athée, valet d'un Sorcier* qui est son frère : ce sont les qualités que je lui donnerai ci après parlant de lui* [13] *; et ce pauvre vieillard, qui a tiré de sa bouche infectée les vérités du Ciel, a trouvé le Ciel, laissant l'Enfer pour par-*

9. Dès sa *Brève relation de 1632* : « Voici une chose qui m'a consolé : un certain Sauvage, nommé la Nasse, qui demeuroit auprès de nos Pères et cultivoit la terre, voyant que les Anglois le molestoient, s'estoit retiré dans les Isles où il avoit continué à cultiver la terre ; entendant que nous estions de retour, nous est venu voir, et nous a promis qu'il reviendra à se cabaner auprès de nous, qu'il nous donnera son petit fils ; ce sera nostre premier pensionnaire, nous lui apprendrons à lire et à écrire ; ce bon homme dit que les Sauvages ne font pas bien, qu'il veut estre nostre frère et vivre comme nous ; madame Hébert nous a dit qu'il y a long temps qu'il souhaittoit nostre retour » (RJ, V, 56). Voir INP à son nom.

10. Voir INP à Hébert.

11. Pastedechouan (voir INP), baptisé Pierre-Antoine, est nommé une seule fois, ici, au cours de la *Relation*. Le mot *Apostat*, qui le surnommera toujours par la suite, agira non seulement comme pronom, mais encore comme pro-adjectif, désignant explicitement les attributs qui lui sont donnés ici : « Apostat, renégat, excommunié, athée, valet d'un sorcier. »

12. Au printemps 1633, arès avoir fait ses Pâques, Pastedechouan quitte Lejeune pour rejoindre ses frères à Tadoussac. Énemond Masse qui en revient en juin n'en raporte pas de trop bonnes nouvelles (voir RJ, V, 214-216).

13. Au chapitre XIII, tout au long du journal.

*tage à ce renégat, si Dieu ne lui fait de grandes miséricordes.
Mais suivans nostre route, après la mort de François Sasousmat dont nous venons de parler, ce bon homme ennuyé de
n'avoir avec qui s'entretenir, car pas un de nous ne sçait
encores parfaictement la langue, se retira avec sa femme
et avec ses enfans ; mais la maladie, dont il estoit desjà
attaqué, s'augmentant, il presse sa femme et ses enfans de
le ramener avec nous, espérant la mesme charité qu'il avoit
veu exercer envers son compatriote. On le receut à bras
ouverts, ce qu'ayant apperceu, il s'escria, je mourrai maintenant content puis que je suis avec vous. Or comme ses
erreurs avoient vieilli avec lui, nos Pères recogneurent qu'il
pensoit autant et plus à la santé de son corps qu'au salut
de son âme, tesmoignant un grand désir de vivre, remet-
tans ª son baptesme jusques à mon retour ; néantmoins
comme il s'alloit affoiblissant, ils souhaittèrent de le voir
un petit plus affectionné à nostre créance, ce qui les incita
d'offrir à Dieu une neufvaine à l'honneur du glorieux
Espoux de la saincte Vierge pour le bien de son âme : le
commencement de cette dévotion fut le commencement
de ses volontés plus ardantes : il se monstra fort désireux
d'estre instruict, commençant à mespriser ses superstitions,
il ne voulut plus dormir qu'il n'eust au préalable prié Dieu,
ce qu'il faisoit encores devant et après sa réfection, si bien
qu'il différa une fois plus de demie-heure à manger ce
qu'on lui avoit présenté pource qu'on ne lui avoit pas fait
faire la bénédiction, demandant au Père Brébeuf qu'il lui
fist dire douze ou treize fois de suitte pour la graver en sa
mémoire. C'estoit un contentement plein d'édification, de
voir un vieillard de plus de soixante ans apprendre d'un
petit François que nous avons ici à faire le signe de la Croix
et autres prières qu'il lui demandoit. Le Père Brébeuf
voyant que ses forces se diminoient, et que d'ailleurs il
estoit assez instruict, lui dit que sa mort approchoit et que,
s'il vouloit mourir Chrestien et aller au Ciel, qu'il falloit
estre baptisé. A ces paroles il se monstra si joyeux qu'il se
traisna lui mesme comme il peut en nostre Chappelle, ne
pouvant attendre ᵇ que les Pères qui préparoient ce qu'il
falloit pour conférer ce Sacrement le vinssent quérir. Un
de nos François, son parrain, lui donna le nom de Joseph.
Devant et pendant son baptesme, qui fut le troisiesme
d'Avril. le Père l'interrogeant sommairement sur tous les
articles du Symbole et sur les commandemens de Dieu, il*

respondit nettement et courageusement qu'il croyoit les uns et s'efforceroit de garder les autres si Dieu lui rendoit la santé, monstrant de grands regrets de l'avoir offencé. Sa femme et l'une de ses filles estoient présentes, celle là ne pouvoit tenir les larmes et l'autre se monstroit toute estonnée, admirant la beauté des sainctes cérémonies de l'Eglise.

Je retournai de mon hivernement d'avec les Sauvages six jours après son baptesme [14] *; je le trouvai bien malade, mais bien content d'estre Chrestien. Je l'embrassai comme mon frère, bien resjoui de le voir enfant de Dieu. Nous continuasmes à l'instruire et à lui faire exercer des actes de vertus, notamment Théologales* [15], *pendant l'espace de douze jours qu'il survescut après son baptesme* [a].

Les Sauvages désirans le penser [16] *à leur mode avec leurs chants, avec leurs tintamarres et avec leurs autres* [b] *superstitions, taschèrent plusieurs fois de nous l'enlever, jusques là qu'ils amenèrent une traisne pour le reporter et* [17] *l'un de leurs sorciers ou jongleurs le vint voir exprès pour le débaucher de nostre créance : mais le bon Néophyte tint ferme, respondant qu'on ne lui parlast plus de s'en aller et qu'il ne nous quitteroit point que nous ne l'envoyassions. Ce n'est pas une petite marque de l'efficacité de la grâce du sainct Baptesme de voir un homme, nourri depuis soixante ans et plus dedans la barbarie, habitué aux façons de faire des Sauvages, imbu de leurs erreurs et de leurs resveries*, résister à sa propre femme, à ses enfans, et à ses gendres, et à ses amis, et à ses compatriotes, à ses Manitousiouets, sorciers ou jongleurs, non une fois, mais plusieurs, pour se jetter entre les bras de quelques estrangers, protestant qu'il veut embrasser leur créance, mourir en leur Foi et dedans leur maison. Cela fait voir que la grâce peut donner du poids à l'âme d'un Sauvage naturellement inconstante* [c].

---

14. Paul Lejeune écrira plus loin (p. 179) qu'il est revenu de son hivernement le « Dimanche de Pasques fleurie », 9 avril 1634 ; or on vient de lire que Manitougatche est baptisé le 3 avril : il arrive donc bien six jours plus tard, mais si Manitougatche meurt douze jours après son baptême, le samedi saint, Pâques doit se situer non pas le 9, mais le 16 avril.
15. Celles qui ont Dieu pour objet : la foi, l'espérance et la charité.
16. C'est-à-dire « s'occuper de lui » ; sens étymologique du doublet *panser.*
17. Il faut lire : « et *que* l'un de leurs sorciers... »

Enfin, après avoir instruict nostre bon Joseph du Sacrement de l'Extrême-Onction, nous lui conférasmes, et justement le Samedi Sainct, son âme partit de son corps pour s'en aller célébrer la feste de Pasques au Ciel. L'un de ses gendres, l'ayant veu fort bas, estoit demeuré auprès de lui pour voir comme nous l'ensevelirions [a] *après sa mort, désirant qu'on lui donnast une Castelogne* et son pétunoir* pour s'en servir en l'autre monde ; mais comme il alloit porter la nouvelle de cette mort à la femme du défunct, nous l'ensevelismes à la façon de l'Eglise Catholique, honorans ses obsèques le mieux qu'il nous fut possible. Monsieur de Champlain, pour tesmoigner l'amour et l'honneur que nous portons à ceux qui meurent Chrestiens, fist quitter le travail à ses gens, et nous les envoya pour assister à l'office. Nous gardasmes le plus exactement qu'il nous fut possible les cérémonies de l'Eglise* [18], *ce qui agréa infiniment aux parens de ce nouveau Chrestien. Une chose néantmoins leur dépleut : quand on vint à mettre le corps dans la fosse, ils s'apperceurent qu'il y avoit un peu d'eau au fond* [b], *à raison que les neiges se fondoient pour lors et dégouttoient là dedans ; cela leur frappa l'imagination, et comme ils sont superstitieux, les attrista un petit. Cet erreur* [19] *ne sera pas difficile à combatre quand on sçaura leur langue. Voilà à mon advis les premiers des Sauvages adultes baptisés et morts constans en la foi dans ces contrées.*

Le troisiesme Sauvage baptisé cette année estoit un enfant âgé de trois à quatre mois seulement. Son père estant en cholère [c] *contre sa femme, fille de nostre bon Joseph, soit pource qu'elle le vouloit quitter, ou qu'il estoit touché de quelque jalousie, il prit l'enfant et le jetta contre terre pour l'assommer. Un de nos François survenant là dessus, et se souvenant que nous leurs* [d] *avions recommandé de conférer le baptesme aux enfans qu'ils verroient en danger*

18. Cette redondance n'est pas innocente : Lejeune se cache mal d'un certain malaise et on verra plus loin (p. 17-18) qu'il n'a pas empêché certains rites de l'inhumation montagnaise de se mêler à celui de l'Église catholique. Le texte n'est pas non plus très clair ici : on ne saurait dire si la femme de Manitougatche assiste aux obsèques et le départ de son gendre laissait plutôt prévoir une cérémonie hâtive. Sur l'inhumation montagnaise, voir p. 53.

19. *Erreur* est masculin en français classique.

de mort, au cas qu'ils ne nous peussent appeller, il prit de l'eau et le baptisa ; ce pauvre petit néantmoins ne mourut pas du coup : sa mère le reprit et l'emporta avec soi dans les Isles, quittant son mari qui nous a dit depuis qu'il croit que son fils est mort, sa mère estant tombée dans une maladie qu'il juge mortelle.

Le quatriesme estoit fils d'un Sauvage nommé Khiouirineou, sa mère s'appeloit Onitapimoneou [a], ils avoient donné nom à leur petit Itaouabisisiou ; ses parens me promirent qu'ils nous l'apporteroient pour l'enterrer en nostre cimetière au cas qu'il mourut, et qu'ils nous le donneroient pour l'instruire s'il guérissoit, car il estoit malade, faisans ainsi paroistre le contentement qu'ils avoient que leur petit fils receut le sainct baptesme. Je le baptisai donc et lui donnai le nom de Jean Baptiste, ce jour estant l'octave de ce grand Sainct. Le sieur du Chesne [20], Chirurgien de l'habitation, qui vient [b] volontiers avec moi par les cabanes pour nous advertir de ceux qu'il juge [c] en danger de mort, fut son parrain.

Le cinquiesme fut baptisé le mesme jour ; son père avoit tesmoigné au sieur Olivier [21], truchement, qu'il eut [d] bien voulu qu'on eust fait à son fils ce qu'on fait aux petits enfans François, c'est à dire qu'on l'eust baptisé. Le sieur Olivier m'en ayant donné advis, j'allai voir l'enfant ; je différai le baptesme pour quelques jours, le trouvant encore plein de vie. En fin le Père Buteux [22] et moi l'estans retournés voir, nous appellasmes Monsieur du Chesne qui nous dit que l'enfant estoit bien mal. Je demandai à son père s'il seroit content qu'on le baptisast, très content (fit-il), s'il meurt je le porterai en ta maison, s'il retourne en santé il sera ton fils et tu l'instruiras. Je le nommai Adrian, du nom de son Parrain ; il se nommoit auparavant Pichichich, son père est surnommé des François Baptiscan, il s'appelle en Sauvage Tchimaouirineou, sa mère Matouetchiouanouecoueou [e]. Ce pauvre petit âgé [f] d'environ huict mois, s'envola au Ciel la nuict suivante. Son père ne manqua pas d'apporter son corps, amenant avec soi dix-huict ou vingt Sauvages, hommes, femmes et enfans. Ils l'avoient enveloppé dans des peaux de Castor, et pardessus d'un grand drap

20. Adrien du Chesne, voir INP.
21. L'interprète Olivier Letardif, voir INP.
22. Jacques Buteux, voir INP.

de toile qu'ils avoient achepté au magasin[23]*, et encore pardessus d'une grande escorce redoublée. Je développai ce pacquet pour voir si l'enfant estoit dedans, puis je le mis dans un cercueil que nous lui fismes faire, ce qui agréa merveilleusement aux Sauvages car ils croyent que l'âme de l'enfant se doit servir en l'autre monde de l'âme de toutes les choses qu'on lui donne à son départ : je leur dis bien que cette âme estoit maintenant dedans le Ciel et qu'elle n'avoit que faire de toutes ces pauvretés, néantmoins nous les laissasmes faire de peur que si nous les eussions voulu empescher, ce que j'aurais peu faire (car le père chanceloit desjà), les autres ne nous permissent pas de baptiser leurs enfans quand ils seroient malades ou du moins ne les apportassent point après leur mort. Ces pauvres gens furent ravis, voyans cinq Prestres revestus de surplis honorer ce petit ange Canadien, chantans* [a] *ce qui est ordonné par l'Eglise, couvrans son cercueil d'un beau parement* et le parsemans de fleurs : nous l'enterrasmes avec toute la solemnité qui nous fut possible* [b].

Tous les Sauvages assistoient à toutes les cérémonies. Quand ce vint à le mettre en la fosse, sa mère y mit son berceau avec lui et quelques autres hardes selon leur coustume, et bien tost après tira [c] *de son laict dans une petite escuelle d'escorce qu'elle brusla sur l'heure mesme. Je demandai pourquoi elle faisoit cela : une femme me repartit qu'elle donnoit à boire à l'enfant dont l'âme beuvoit l'âme de ce laict* [d]. *Je l'instruisis là dessus, mais je parle encores si peu qu'à peine me put elle entendre.*

Après l'enterrement nous fismes le festin des morts, donnans à manger de la farine de bled d'Inde meslée de quelques pruneaux à ces bonnes gens, pour les induire à nous appeller quand eux ou leurs enfans seront malades. Bref ils s'en retournèrent avec fort grande satisfaction, comme ils firent paroistre pour lors, et particulièrement deux jours après.

Le Père Buteux retournant de dire la Messe de l'habitation, comme il visitoit les cabanes des Sauvages, il rencontra le corps mort du petit Jean Baptiste qu'on enveloppait comme l'autre ; ses parens, quoi que malades, lui promirent

---

23. Ils ont dû le troquer contre de la fourrure au magasin de la Compagnie de la Nouvelle-France à Québec.

de l'apporter chez nous. On m'a desjà fait le récit (dit la mère) de l'honneur et du bon traictement que vous faites à nos enfans, mais je ne veux point qu'on développe le mien. Là dessus le père du premier trespassé lui dit, on ne fait point de mal à l'enfant, on ne lui oste point ses robbes, on regarde seulement s'il est dedans le pacquet, et si nous ne sommes point trompeurs. Elle acquiesça et présenta son fils pour estre porté dans nostre Chappelle, dans laquelle le Père Buteux nous l'amena en la compagnie de ses parens et des autres Sauvages. Nous l'enterrasmes avec les mesmes cérémonies que l'autre, et eux lui donnèrent aussi ses petits meubles* pour passer en l'autre monde. Nous fismes encores le festin qu'ils font à la mort de leurs gens, bien joyeux de voir ce peuple s'affectionner petit à petit aux sainctes actions de l'Eglise Chrestienne et Catholique.

Le quatorziesme de Juillet je baptisai le sixiesme, c'estoit une petite Algonquine âgée d'environ un an[a]. Je ne l'eusse pas si tost fait Chrestienne, n'estoit que ses parens s'en vouloient aller vers leur pays. Or jugeant avec Monsieur du Chesne que cette[b] enfant, travaillée d'une fièvre éthique, estoit en danger de mort, je lui conférai ce sacrement. Elle fut appellée Marguerite, on la nommoit en Sauvage Memichtigou chionisconeou[c], c'est à dire femme d'un Européan, son père se nomme en Algonquain Pichibabis[d], c'est à dire Pierre, et sa mère Chichip, c'est à dire un Canard. Ils m'ont promis que si cette pauvre petite recouvre sa santé qu'ils me l'apporteroient pour la mettre entre les mains de l'une de nos Françoises. Comme ce peuple est errant, je ne sçai maintenant où elle est ; je crois qu'elle n'est pas loing du Paradis, si elle n'y est desjà[24].

La septiesme personne que nous avons mis au nombre des enfans de Dieu par le sacrement de baptesme, c'est la mère du petit Sauvage que nous avions nommé Bienvenu[25]; elle s'appelloit en Sauvage Ourontinoucoueou[e], et maintenant on l'appelle Marie. Ce beau nom lui a esté donné suivant le vœu qu'avoit fait autrefois le R. Père Charles Lalemant, que la première Canadienne que nous baptiserions porteroit le nom de la saincte Vierge, et le premier

---

24. Lejeune apprendra en effet sa mort au printemps suivant : voir INP à Memichtigou chionisconeou.
25. Voir INP à Ourontinoucoueou.

*Sauvage celui de son glorieux Espoux sainct Joseph. Nous
n'avions point cognoissance de ce vœu, quand les autres
ont esté baptisés. J'espère que dans fort peu de jours il
sera entièrement accompli. Mais pour retourner à nostre
nouvelle Chrestienne, l'ayant trouvée proche du fort de
nos François, abandonnée de ses gens pource qu'elle estoit
malade, je lui demandai qui la nourrissoit, elle me respondit que les François lui donnoient quelque morceau de
pain, et que quelques-uns, revenans de la chasse, lui
jettoient par fois en passant une tourterelle. Si vous vous
voulez cabaner, lui dis-je, proche de nostre maison, nous
vous nourrirons et vous enseignerons le chemin du Ciel.
Elle me repartit d'une voix languissante, car elle estoit
fort mal, hélas ! j'y voudrois bien aller, mais je ne sçaurois
plus marcher, aie pitié de moi, envoie moi quérir dans un
canot. Je n'y manquai pas : le lendemain matin 23 juillet,
je la fis apporter proche de nostre maison. La pauvre femme
me demandoit bien si elle n'entreroit point chez nous : elle
s'attendoit que nous lui ferions la mesme charité que nous
avions fait aux deux premiers baptisés ; mais je lui respondis qu'elle estoit femme, et que nous ne pouvions pas la
loger dans nostre maisonnette qui est fort petite, que
néantmoins nous lui porterions à manger dans sa cabane,
et que tous les jours je l'irois voir pour l'instruire. Elle fut
contente* quand je commencai à lui parler de la saincte
Trinité, disant que le Père, et le Fils, et le Sainct Esprit
n'estoient qu'un Dieu qui a tout fait : je le sçai bien, me
fit-elle, je le crois ainsi. Je fus tout estonné à cette repartie,
mais elle me dit que nostre bon Sauvage Joseph lui rappor-
toit par fois ce que nous lui disions. Cela me consola fort,
car en peu de temps elle fut suffisamment instruicte pour
estre baptisée. J'estois seulement en peine de lui faire
concevoir une douleur de ses péchés ; les Sauvages n'ont
point en leur langue, si bien en leurs mœurs, ce mot de
péché : le mot de meschanceté et de malice signifie parmi
eux une action contre la pureté, à ce qu'ils m'ont dit²⁶.
J'estois donc en peine de lui faire concevoir un déplaisir
d'avoir offencé Dieu : je lui leus par plusieurs fois les Commandements, lui disant que celui qui a tout fait haïssoit
ceux qui ne lui obéissoient pas, et qu'elle lui dit qu'elle*

---

26 Le chapitre xi sera consacré à la langue montagnaise ; sur le
    lexique, voir p. 107, note 1.

*estoit bien marrie de l'avoir offencé. La pauvre femme qui
avoit bien retenu les défences que Dieu a fait à tous les
hommes de mentir, de paillarder, de désobéir à ses parens,
s'accusa toute seule* [a] *de toutes ses offences par plusieurs
fois, disant de soi mesme, celui qui a tout fait, aie pitié de
moi, Jésus, Fils de celui qui peut tout, fais moi miséricorde : je te promets que je ne m'enivrerai plus, que je ne
paillarderai plus* [b], *que je ne dirai plus de paroles deshonnestes, que je ne mentirai plus, je suis marrie de t'avoir
fasché, j'en suis marrie de tout mon cœur, je ne mens point,
aie pitié de moi : si je retourne en santé, je croirai toujours
en toi, je t'obéirai tousjours, si je meurs aie pitié de mon
âme. L'ayant donc veue ainsi disposée, craignant d'ailleurs
qu'elle ne mourust subitement, car elle estoit fort malade,
je lui demandai si elle ne vouloit pas bien estre baptisée,
je voudrois bien encore vivre, me dit-elle. Je cogneu qu'elle
s'imaginoit que nous ne donnions point le baptesme qu'à
ceux qui devoient mourir incontinent après* [27]. *Je lui fist
entendre que nous estions tous baptisés et que nous
n'estions pas morts, que le baptesme rendoit plustost la
santé du corps qu'il ne l'ostoit. Baptise moi donc au plustost, me fit-elle. Je la voulus esprouver : il estoit arrivé
quelques canots de Sauvages à Kébec, je lui dis, voilà une
compagnie de tes gens qui vient d'arriver, si tu veux t'en
aller avec eux, ils te recevront, et je te ferai porter en leurs
cabanes. La pauvre créature se mit à pleurer et à sanglotter
si fort qu'elle me toucha, me tesmoignant par ses larmes
qu'elle vouloit estre Chrestienne, et que je ne la chassasse
point. Enfin, voyans son mal redoubler, nous prismes résolution de la baptiser promptement. Je lui fis entendre
qu'elle pourroit mourir la nuict, et que son âme s'en iroit
dans les feux si elle n'estoit baptisée, que si elle vouloit
recevoir ce sacrement en nostre Chappelle, que je l'y ferois
apporter dans une couverture : elle tesmoigna qu'elle en
estoit contente. Je m'en vai, lui dis-je, préparer tout ce qu'il
faut, prends courage, je t'envoyerai bien tost quérir. La
pauvre femme n'eut pas la patience d'attendre : elle se
traisna comme elle peut, se reposant à tous coups, en fin*

27. Cette association du baptême et de la mort dans l'esprit des
    Amérindiens n'est pas nouvelle (voir TR, 348-349), mais elle
    prendra en Huronie une tournure beaucoup plus tragique lors-
    que, lors d'épidémies, on accusera les missionnaires de sorcellerie
    (voir la *Relation* de François le Mercier en 1638).

elle arriva à nostre maison esloignée de plus de deux cens pas de sa cabane, et se jetta par terre n'en pouvant plus. Estant revenue à soi, je la baptisai en présence de nos Pères et de tous nos hommes : elle me respondit bravement à toutes les demandes que je lui fis, suivant l'ordre de conférer ce sacrement aux personnes qui ont l'usage de raison. Nous la reportasmes dans sa cabane toute pleine de joie, et nous remplis de consolation voyans la grâce de Dieu opérer dans une âme où le diable avoit fait sa demeure si long temps. Ceci arriva le premier jour d'Aoust [a].*

Le lendemain, quelques François nous estans venu voir, l'allans visiter, ils la trouvèrent tenant un Crucifix en main et l'apostrophant* fort doucement : Toi qui es mort pour moi, fais moi miséricorde, je veux croire en toi toute ma vie, aie pitié de mon âme. Je rapporte expréssement toutes ces particularités pour faire voir que nos Sauvages ne sont point si barbares qu'ils ne puissent estre faits enfans de Dieu : j'espère que là où le péché a régné, que la grâce y triomphera. Cette pauvre femme vit encores, plus proche du Ciel que de la santé [28].*

Je concluerai ce Chapitre par un chastiment assez remarquable d'une autre Canadienne qui, ayant fermé l'oreille à Dieu pendant sa maladie, semble avoir esté rejettée à sa mort. Le Père Brébeuf l'ayant esté voir, pour lui parler de recevoir la foi, elle se mocqua de lui et mesprisa ses paroles. Sa maladie l'ayant terrassée, et les Sauvages voulans décabaner, la portèrent à cette honneste famille habituée ici depuis un assez long temps ; mais n'ayant pas où la loger, ces Barbares la traisnèrent au fort. Si nous n'eussions esté si esloignés, asseurément ils nous l'auroient amenée, car je me doute qu'ils la présentoient à nos François voyans que nous avions receu avec beaucoup d'amour les deux Sauvages morts Chrestiens [b]. *Monsieur de Champlain, voyant qu'il estoit desjà tard, lui fist donner le couvert pour une nuict. Ceux qui estoient dans la chambre où on la mit furent contraints d'en sortir, ne pouvans supporter l'infection* de cette femme* [c].*

Le jour venu, Monsieur de Champlain fist appeler quelques Sauvages, et leur ayant reproché leur cruauté

---

28. Ourontinoucoueou mourra dans quelques mois. Voir INP à son nom.

d'abandonner cette créature qui estoit de leur nation, ils la reprirent et la traisnèrent vers leurs cabanes, la rebutans comme un chien, sans lui donner le couvert. Cette misérable, se voyant délaissée des siens, exposée à la rigueur du froid, demanda qu'on nous fist appeller, mais comme il n'y avoit point là de nos François, les Sauvages ne voulurent pas prendre la peine de venir jusques en nostre maison, esloignée d'une bonne lieue de leurs cabanes, si bien que la faim, le froid, la maladie, et les enfans des Sauvages, à ce qu'on dit, la tuèrent. Nous ne fusmes advertis de cette histoire tragique que quelques jours après sa mort. S'il y avoit ici un hospital, il y auroit tous les malades du pays, et tous les vieillards [29] *; pour les hommes nous les secourerons selon nos forces, mais pour les femmes, il ne nous est pas bien séant de les recevoir en nos maisons.*

---

29. Il est question ici pour la première fois d'un projet d'hôpital en Nouvelle-France. Ce projet ne commencera toutefois à prendre forme qu'en 1636 (avec l'aide de Mme de Combalet), mais il se précisera l'année suivante sous l'instigation de la duchesse d'Aiguillon (RJ, XIV, 126). La *Relation de 1639* raconte l'arrivée des trois premières Hospitalières (XVI, 8-34) ; après l'arrivée de six autres religieuses, on soignera 68 malades durant l'année 1640-1641 (XX, 242s.).

3

Des moyens de convertir les Sauvages

Le grand pouvoir que firent paroistre les Portugais au commencement dedans les Indes Orientales et Occidentales jetta l'admiration bien avant dedans l'esprit des Indiens, si bien que ces peuples embrassèrent quasi sans contreditte la créance de ceux qu'ils admiroient [1]. *Or voici à mon advis les moyens d'acquérir cet ascendant* pardessus nos Sauvages.*

Le premier est d'arrester les courses de ceux qui ruinent la Religion [a] *et de se rendre redoutables aux Hiroquois qui ont tué de nos hommes* [2], *comme chacun sçait, et qui tout fraischement ont massacré deux cens Hurons et en ont pris plus de deux cens* [b] *prisonniers. Voilà selon ma pensée la porte unique par laquelle nous sortirons du mespris où la négligence de ceux qui avoient ci-devant la traicte du pays* [3] *nous ont jetté* [4] *par leur avarice.*

Le second moyen de nous rendre recommandables aux Sauvages, pour les induire à recevoir nostre saincte foi, seroit d'envoyer quelque nombre d'hommes bien entendus à défricher et cultiver la terre, lesquels se joignans avec ceux qui sçauroient la langue travailleroient pour les Sauvages à condition qu'ils s'arresteroient et mettroient eux

1. En effet, les Portugais, au milieu du xvie siècle, et particulièrement au Brésil, ont été d'une cruauté exemplaire. Voir E. Lavisse et A. Rambaud, *Histoire générale du IVe siècle à nos jours*, V (1559-1648), 2e éd., Paris, A. Colin, 1905, 982 p., 937s.
2. Le 2 juin 1633, plus d'une trentaine d'Iroquois tuent et scalpent deux Français et en blessent quatre dont un meurt (RJ, V, 212 ; source mal citée de SH, 748). Voir. p. 181s.
3. Et au premier chef, Guillaume de Caen ; voir INP.
4. Accord doublement fautif puisqu'on attend : ...nous a jettés par leur avarice.

mesmes la main à l'œuvre, demeurans dans quelques mai-
sons qu'on leur feroit dresser pour leur usage, par ce moyen
demeurans sédentaires et voyans ce miracle de charité en
leur endroict, on les pourroit instruire et gaigner plus faci-
lement [5]*. M'entretenant cet hiver avec mes Sauvages, je*
leurs communiquois ce dessein, les asseurant que quand je
sçaurois parfaictement leur langue, je les aiderois à cultiver
la terre, si je pouvois avoir des hommes, et s'ils se vouloient
arrester, leurs représentant la misère de leurs courses qui
les touchoit pour lors assez sensiblement. Le Sorcier [6]
m'ayant entendu, se tourna vers ses gens et leurs dit, voyez
comme cette robbe noire ment hardiment en nostre pré-
sence ; je lui demandai pourquoi il se figuroit que je
mentois, pource, dit-il, qu'on ne voit point d'hommes au
monde si bons comme tu dis qui voudroient prendre la
peine de nous secourir sans espoir de récompense, et d'em-
ployer tant d'hommes pour nous aider sans rien prendre de
nous : si tu faisois cela, adjousta-il, tu arresterois la plus-
part des Sauvages, et ils croiroient tous à tes paroles.

Je m'en rapporte, mais si je puis tirer quelque conclu-
sion des choses que je vois, il me semble qu'on ne doit pas
espérer grande chose des Sauvages tant qu'ils seront errans :
vous les instruisez aujourd'hui, demain la faim vous enlè-
vera vos auditeurs, les contraignant d'aller chercher leur
vie dans les fleuves et dans les bois. L'an passé je faisois le
Catéchisme en bégayant à bon nombre d'enfans [7] *; les*

---

5. Ce projet prendra forme peu à peu sous le nom de Réductions
dont la première et la plus connue sera Sillery (sous la dépen-
dance de la Résidence de Saint-Joseph à Québec). En 1638, elle
réunira deux familles montagnaises, celles de Noël Negabamat
et de François-Xavier Nenaskoumat (RJ, XIV, 204-216) qui
seront installées l'année suivante (XVI, 740). En 1640 on y
organisera des élections aux votes secrets et on y comptera 1 200
baptêmes, surtout d'adultes (XVIII, 90-118). L'organisation s'y
corsera un peu en 1641 lorsque les chefs montagnais décideront
de punir le péché d'emprisonnement (XX, 144s.).

6. Première apparition du sorcier Carigonan.

7. Le catéchisme de l'été 1633 avait eu assez de succès ; au mois
de mai, la clochette du Supérieur réunissait une vingtaine
d'écoliers qui pouvaient chanter le *Pater*, l'*Ave* et le *Credo* en
leur langue ; ces chants devenaient même le *hit parade* montagnais : « C'est un plaisir de les entendre chanter dans les bois
ce qu'ils ont appris : les femmes mesmes le chantent, et me
viennent par fois escouter par la fenestre de ma classe » (RJ,
V, 186-190, 212).

vaisseaux partis, mes oiseaux s'envolèrent qui d'un costé qui de l'autre ; cette année que je parle un petit mieux, je les pensois revoir, mais s'estans cabanés de là le grand fleuve de Sainct Laurent, j'ai esté frustré de mon attente. De les vouloir suivre, il faudroit autant de Religieux qu'ils sont de cabanes, encor n'en viendroit on pas à bout car ils sont tellement occupés à quester leur vie parmi ces bois qu'ils n'ont pas le loisir de se sauver, pour ainsi dire. De plus je ne crois point que de cent Religieux il y en ait dix qui puissent résister aux travaux qu'il faudroit endurer à leur suitte. Je voulus demeurer avec eux l'Automne dernier : je n'y fus pas huict jours qu'une fièvre violente me saisit et me fist rechercher nostre petite maison pour y trouver ma santé. Estant guéri [a] je les ai voulu suivre pendant l'hiver : j'ai esté fort malade la pluspart du temps. Ces raisons et beaucoup d'autres que je déduirois, n'estoit que je crains d'estre long, me font croire qu'on travaillera beaucoup et qu'on avancera fort peu si on n'arreste ces Barbares. De leur vouloir persuader de cultiver d'eux mesmes sans estre secourus, je doute fort si on le pourra obtenir de long temps car ils n'y entendent rien. De plus où retireront ils ce qu'ils pourront recueillir ? Leurs cabanes n'estans faites que d'escorce, la première gelée gastera toutes les racines et les citrouilles qu'ils auroient ramassées. De serrer [b] des pois et du bled d'Inde, ils n'ont point de place dans leurs todis. Mais qui les nourrira pendant qu'ils commanceront à défricher ? Car ils ne vivent quasi qu'au jour la journée [8], n'ayans pour l'ordinaire au temps qu'il faut défricher aucunes provisions. En fin quand ils se tueroient de travailler, ils ne pourroient pas retirer de la terre la moitié de leur vie jusques à ce qu'elle soit défrichée et qu'ils soient bien entendus à la faire profiter.*

Or avec le secours de quelques braves ouvriers de bon travail, il seroit aisé d'arrester quelques familles, veu que quelques-unes [c] m'en ont desjà parlé, s'accoustumans d'eux mesmes petit à petit à tirer quelque chose de la terre.

---

8. Lejeune insistera plus loin sur l'absence de thésaurisation des nomades montagnais qui impressionnait grandement les Européens. Biard, par exemple, écrira : « Cette nation est fort peu soucieuse de l'avenir, ainsi que tous les autres Américains, qui jouissent du présent et ne sont poussés au travail que par la nécessité présente. Tandis qu'ils ont dequoi, ils font tabagie perpétuelle, chants, danses et harrangues ; et s'ils sont en troupe,

Je sçai bien qu'il y a des personnes de bon jugement [9]
qui croient qu'encor que les Sauvages soient errans, que la
bonne semence de l'Evangile ne laissera pas de germer et
de fructifier en leur âme, quoi que plus lentement, pource
qu'on ne les peut instruire que par reprises. Ils se figurent*
encor que s'il passe ici quelques familles, comme on a desjà
commencé d'en amener, que les Sauvages prendront exem-
ple sur nos François et s'arresteront pour cultiver la terre.
Je fus frappé de ces pensées au commencement que nous
vinsmes ici, mais la communication que j'ai eue avec ces
peuples, et les difficultés qu'ont des hommes habitués dans
l'oisiveté d'embrasser un fort travail comme est la culture*
de la terre, me font croire maintenant que s'ils ne sont
secourus, ils perdront cœur, notamment les Sauvages de
Tadoussac. Car pour ceux des Trois Rivières, où nos Fran-
çois font faire une nouvelle habitation cette année, ils ont
promis qu'ils s'arresteront là et qu'ils sèmeront du bled
d'Inde, ce qui me semble n'est pas tout à fait asseuré, mais

n'attendez pas autre chose ; il y a lors belles trèves par les bois.
Parler de réserve, s'ils ne sont en guerre, sont propos de sédi-
tion » (MA, 495-496). Voir aussi SH, 367-368 ; CH, I, 13, 43-45,
162, etc.
9. Sur « les moyens de convertir les Sauvages », Paul Lejeune est
   encore tributaire de la tradition, mais cette fois, il s'en écarte
   de façon radicale. Pierre Biard avait nettement posé au chapitre
   ix de sa *Relation de 1616*, « Quel moyen il y peut avoir d'aider
   ces nations à leur salut éternel » (MA, 509), le raisonnement qui
   lie la conversion des Amérindiens à leur sédentarisation et
   celle-ci à la colonie de peuplement : l'exemple d'un peuplement
   chrétien conduira progressivement l'Amérindien vers l'agri-
   culture. Biard termine sa *Relation* en reprenant le même raisonnement : « Raisons pour lesquelles on devroit entreprendre à
   bon escient le cultivage de la Nouvelle France » (MA, 611). On
   ne sauroit assez insister sur l'originalité de Lejeune ici : au moment même où, par l'arrivée du groupe de Robert Giffard de
   Moncel (voir INP), la colonie de peuplement cesse d'être un
   espoir pour devenir au moins un début de réalité, il se rend
   compte que l'*exemple* ne sera pas suffisant et place l'objectif
   de sédentarisation sous le ressort d'une activité purement missionnaire : la Réduction (voir p. 25, note 5). Les institutions
   pédagogiques, le séminaire et le couvent, comme l'hôpital dont
   il a déjà été question (p. 23, note 29) relèvent encore de l'esprit
   missionnaire. Il n'est plus demandé à la colonie que... la paix.
   Cette demande se fera toutefois de plus en plus pressante avec
   l'intensification de la guerre iroquoise et l'apport métropolitain
   n'est pas écarté puisque le chapitre iii de la *Relation de 1635*
   reprendra la thèse « Que c'est un bien pour l'une et l'autre
   France d'envoyer ici des colonies ».

probable, pour autant que leurs prédécesseurs ont eu autre fois une bonne bourgade en cet endroict, qu'ils ont quittée pour les invasions des Hiroquois leurs ennemis [a].

Le Capitaine* de ce quartier là m'a dit que la terre y estoit bonne, et qu'ils l'aimoient fort. S'ils deviennent sédentaires, comme ils en ont maintenant la volonté, nous prévoyons là une moisson plus féconde des biens du Ciel que des fruicts de la terre.

Le troisiesme moyen d'estre bien voulu de ces peuples seroit de dresser ici un séminaire de petits garçons, et avec le temps un de filles [10], *soubs la conduitte de quelque brave maistresse que le zèle de la gloire de Dieu et l'affection au salut de ces peuples fera passer ici avec quelques compagnes animées de pareil courage. Plaise à la divine Majesté d'en inspirer quelques-unes pour une si noble entreprise et leur fasse perdre l'appréhension que la foiblesse de leur sexe leur pourroit causer pour avoir à traverser tant de mers et vivre parmi les Barbares* [b].

A ce dernier voyage des femmes enceintes sont venues [11] *et ont aisément surmonté ces difficultés, comme avoient fait d'autres auparavant. Il y a aussi du plaisir d'apprivoiser des âmes Sauvages et les cultiver pour recevoir la semence du Christianisme. Et puis l'expérience nous rend certains que Dieu qui est bon et puissant envers tous, au respect néantmoins de ceux qui s'exposent généreusement et souffrent volontiers pour son service, il a des caresses assaisonnées de tant de suavités, et les secourt parmi leurs dangers d'une si prompte et paternelle assistance que souvent ils ne sentent point leurs travaux, ains leurs peines leur tournent à plaisir et leurs périls à consolation singulière. Mais je voudrois tenir ici où nous sommes les enfans des Hurons. Le Père Brébeuf nous fait espérer que nous en pourrons avoir s'il entre avec nos Pères dans ces pays*

10. Dans sa relation précédente il avait été plus explicite : « Je prévois qu'il est tout à fait nécessaire d'instruire les filles aussi bien que les garçons, et que nous ne ferons rien ou fort peu si quelque bonne famille n'a soin de ce sexe ; car les garçons que nous aurons élevés en la cognoissance de Dieu venans à se marier à des filles ou femmes Sauvages accoustumées à courre dans les bois, leurs maris seront obligés de les suivre, et ainsi retomber dans la barbarie, ou de les quitter, qui seroit un autre mal fort dangereux.

11. Il y en avait au moins une, Marie Giffard ; voir INP.

bien peuplés [12]*, et si on trouve de quoi fonder ce séminaire.*
La raison pourquoi je ne voudrois pas prendre les enfans
du pays dans le pays mesme [13]*, mais en un autre endroict,*
c'est pour autant que ces Barbares ne peuvent supporter
qu'on chastie leurs enfans, non pas mesme de paroles, ne
pouvans rien refuser à un enfant qui pleure, si bien qu'à
la moindre fantaisie ils nous les enlèveroient devant qu'ils
fussent instruicts [14]*; mais si on tient ici les petits Hurons,*
ou les enfans des peuples plus esloignés, il en arrivera
plusieurs biens : car nous ne serons pas importunés ni
destournés des pères en l'instruction des enfans ; cela
obligera ces peuples à bien traitter ou du moins à ne faire
aucun tort aux François qui seront en leur pays ; et en
dernier lieu nous obtiendrons, avec la grâce de Dieu nostre
Seigneur, la fin pour laquelle nous venons en ce pays si
esloigné, sçavoir est la conversion de ces peuples [15]*.*

12. Sur les missions huronnes, voir plus loin, p. 181s.
13. « Les enfans du pays dans le pays mesme », les Montagnais.
14. Lejeune a déjà illustré ce trait remarquable des mœurs amé-
    rindiennes : au printemps 1633, un homme de la nation des
    Sorciers est blessé par un petit Français d'un coup de baguette
    de tambour ; il exige réparation. On châtiera l'enfant devant
    lui ; comme on s'y apprête, tout le monde s'y oppose — un autre
    se présente même à sa place. « Toutes les nations Sauvages de
    ces quartiers, et du Brasil, à ce qu'on nous témoigne, ne sçau-
    roient chastier ni voir chastier un enfant : que cela nous donnera
    de peine dans le dessein que nous avons d'instruire la jeu-
    nesse ! » (R.J. V, 220). Voir aussi RJ, V, 196, CH, IV, 85.
15. Ce projet de séminaire huron a déjà été élaboré par Lejeune
    dans ses deux relations précédentes (RJ, V, 32, 136, 144, 218)
    et avait d'ailleurs été conçu par les Récollets, mais ceux-ci, de
    1617 à 1629, n'auront que huit écoliers, jamais plus de deux par
    année et chaque fois pour très peu de temps (TR, 325-326). Le-
    jeune a déjà hébergé durant quelques mois en 1632 deux petits
    écoliers, Fortuné et Bienvenu (voir INP). Malgré de nombreux
    efforts, ce projet ne sera jamais réalisé. En 1637, Antoine Daniel
    revient de la Huronie afin de s'occuper de ce séminaire qui
    devait retenir à Québec une douzaine de jeunes Hurons ; mais
    dès la fin de la traite, ils veulent à peu près tous s'en retourner ;
    on réunit alors un conseil qui en décide six à rester. De ces
    six, cinq seulement resteront à Québec et deux mourront au
    cours de l'hiver (RJ, XII, 38-58). L'année suivante, sur six pen-
    sionnaires, un s'en retourne encore dès l'automne et les cinq
    autres s'enfuient en canot après avoir volé des vivres (RJ, XIV,
    230s.). En 1639, le séminaire ne comprend plus qu'un Huron,
    un vieillard qui meurt après avoir été baptisé (XVI, 168s.). Le
    projet sera alors abandonné et l'effort missionnaire portera
    désormais sur les Réductions.

4

De la créance [1], des superstitions et des erreurs des Sauvages Montagnais

J'ai desjà mandé* que les Sauvages croyoient [a] qu'un certain nommé Atahocam avoit créé le monde et qu'un nommé Messou l'avait réparé [2]. J'ai interrogé là dessus ce fameux Sorcier et ce vieillard, avec lesquels j'ai passé l'hiver ; ils m'ont respondu qu'ils ne sçavoient pas qui estoit le premier Autheur du monde, que c'estoit peut estre Atahocam, mais que cela n'estoit pas certain, qu'ils ne parloient d'Atahocam que comme on parle d'une chose si esloignée qu'on n'en peut tirer aucune asseurance, et de fait le mot Nitatahokan *en leur langue signifie, je raconte une fable, je dis un vieux conte fait à plaisir.*

1. Nous possédons très peu de documents sur les anciens mythes montagnais, de sorte que ce chapitre est un important document ethnologique. Il y a bien un chapitre de l'*Histoire* de Sagard qui porte en entier sur cette mythologie : « De la créance et vaines opinions des Montagnais, de diverses déités. De la création du monde, et du flux et reflux de la mer » (SH, 463-473), mais ce texte est trop bien structuré pour représenter la perception authentique qu'a pu en avoir un Européen (à le lire, en effet, on croirait que les Montagnais avaient un corps de doctrines aussi bien élaboré que les mythologies européennes — voire une théologie) et il reprend mot pour mot plusieurs paragraphes du texte de Lejeune : l'existence d'Atahocam, le mythe du Messou, les aînés des animaux et les principes des saisons ; or il réussit à intégrer ces éléments avec un récit de la création du monde et celui des cinq survivants du « déluge » qui n'est pas sans analogies avec celui que rapportait Champlain (CH, I, 14-15) et qu'il recopiait lui-même dans *le Grand Voyage* de 1632 (SV, 226-227). Tout cela est bien compréhensible : Gabriel Sagard est arrivé en Nouvelle-France le 28 juin 1623 et, après avoir passé un mois à Québec, il partait pour la Huronie le 2 août ; à son retour au printemps suivant, le 16 juillet 1624, il est rappelé en France et quitte Québec le 15 août (CH, IV, 58-59, 66, 80) : il n'a donc pu passer que deux mois avec des Montagnais et il ne parle pas leur langue. *Le Grand Voyage*, qui paraît en 1632,

*Pour le Messou, ils tiennent qu'il a réparé le monde
qui s'estoit perdu par le déluge d'eau, d'où appert qu'ils
ont quelque tradition de cette grande innondation universelle qui arriva du temps de Noé, mais ils ont rempli
cette vérité de mille fables impertinentes. Ce Messou allant
à la chasse, ses loups cerviers dont il se servoit au lieu de
chiens estans entrés dans un grand lac, ils y furent arrestés.
Le Messou les cherchant par tout, un oiseau lui dit qu'il
les voyoit au milieu de ce lac ; il y entre pour les retirer,
mais ce lac venant à se desgorger* couvrit la terre et abis-
ma* le monde. Le Messou, bien estonné, envoya le corbeau
chercher un morceau de terre pour rebastir cet eslément,
mais il n'en peut trouver ; il fist descendre une Loutre
dans l'abisme des eaux, elle n'en peut rapporter ; enfin
il envoya un rat musqué qui en rapporta un petit morceau
duquel se servit le Messou pour refaire cette terre où nous
sommes. Il tira des flesches aux troncs des arbres, lesquelles*

rend compte de son expérience d'une année chez les Hurons
et de ses lectures ; l'*Histoire* qui paraît quatre ans plus tard sous
son nom ne peut être qu'une œuvre de seconde main.

C'est à Champlain que revient l'honneur d'avoir parlé le
premier des « mœurs et de la religion » des Montagnais : il y
consacre en effet quelques pages dans *Des Sauvages* qu'il publie
en 1603 (CH, I, 13-20). Comme il tente à l'aide d'un interprète
de retracer les schémas de la mythologie chrétienne, il rapporte
peu de chose de leur croyance : leur foi en un seul Dieu, son
fils et sa mère, les attributs divins qu'ils prêtent au soleil et
les deux mythes que nous appellerons « Les cinq hommes qui
vont à Dieu » et le « Pétunoir sacré ». Or il est remarquable
que tous ces éléments mythologiques, qui seront souvent repris
par la suite (par Sagard, mais aussi par Lescarbot, *Histoire de
la Nouvelle-France*, 302-308), ne le seront pas par Champlain
lui-même, ni dans *les Voyages* de 1613, ni dans *les Voyages de
la Nouvelle-France, dicte Canada* de 1632. Par ailleurs, c'est sûrement ce texte que contredit Lejeune dans sa *Relation* : « Tout
ce que je dirai touchant les Sauvages, dit-il, ou je l'ai veu de
mes yeux, ou je l'ai tiré de la bouche de ceux du pays, nommément d'un vieillard fort versé dans leur doctrine. [...] Il est
bien vrai que ces peuples n'ont pas tous une même pensée
touchant leur créance, ce qui fera paroistre un jour de la contrariété entre ceux qui traicteront de leurs façons de faire »
(voir p. 4). On remarquera qu'il n'est pas autrement question
de ce vieillard en dehors du chapitre qui traite de leur « créance » et que les seuls qui en avaient déjà parlé étaient Champlain
et Lescarbot qui le citait.

Il ne reste plus que les Récollets auxquels on ne saurait,
sans mauvaise foi, dénier une expérience supérieure à celle de
Lejeune qui n'est que depuis trois ans en Nouvelle-France et

*se convertirent en branches ; il fist mille autres merveilles,
se vengea de ceux qui avoient aresté ses loups cerviers,
espousa une ratte musquée de laquelle il eut des enfants
qui ont repeuplé le monde* [a] *: voilà comme le Messou a
tout restabli. Je touchai l'an passé cette fable, mais désirant rassembler tout ce que je sçai de leur créance, j'ai
usé de redittes* [3]*. Nostre Sauvage racontoit au Père Brébeuf
que ses compatriotes croient qu'un certain Sauvage avoit
receu du Messou le don d'immortalité dans un petit pacquet, avec une grande recommandation de ne le point
ouvrir ; pendant qu'il le tint fermé, il fut immortel ; mais
sa femme, curieuse et incrédule, voulut voir* [b] *ce qu'il y*

qui n'a hiverné avec des Amérindiens qu'une seule fois ; mais
par malheur nous ne possédons plus aucun texte d'eux, sinon
deux fragments de Joseph Le Caron publiés par Chrestien
Le Clercq (*Premier établissement de la foi dans la Nouvelle-
France*, 2 vol.) : une *Lettre au R. P. Provincial de Paris*, Tadoussac, 7 août 1618 (132-140) et des *Fragments de Mémoires
du Père Joseph le Caron addressez en France, touchant le génie,
l'humeur, les superstitions, les bonnes et mauvaises dispositions
des Sauvages* (263-288) qui confirment, si on en accepte l'authenticité, les croyances à Atahocam, créateur du monde, et au
Messou, son réparateur, mais qui n'apportent aucun détail sup-
plémentaire au récit de Lejeune (sinon : « Ils croient commu-
nément une espèce de création du monde : disant que le Ciel,
la terre et les hommes ont esté fait par une femme qui gouverne
le monde avec son fils. Que ce fils est le principe de toutes les
choses bonnes, et que cette femme est le principe de tout le
mal. Ils croient que l'un et l'autre jouissent de tous les plaisirs ;
que cette femme est tombée du Ciel enceinte, et qu'elle fut
reçue sur le dos d'une Tortue qui la sauva du naufrage »,
ibid., 270-271), de sorte que je me demande si les *Fragments*
n'auraient pas été composés à partir du texte de Lejeune.
   À moins que d'autres textes existent ou soient trouvés, on
en est donc réduit aux relations que Lejeune écrira jusqu'en
1642. Il parlera encore de la mythologie montagnaise (en 1636,
RJ, IX, 126-130 ; 1637 : XI, 250s. ; XII, 24s. ; 1639 : XVI, 190-
208 ; et 1642 : XXII, 24s.), mais il n'ajoutera jamais rien d'essentiel (si ce n'est le mythe du Grand Lièvre, RJ, XII, 24s.),
se contentant d'apporter quelques précisions mineures à la
Relation de 1634 à laquelle il renverra toujours.
2. Dans sa *Relation de 1633* : « Ils disent qu'il y a un certain
   qu'ils nomment *Atahocan*, qui a tout fait : parlant un jour
   de Dieu dans une cabane, ils me demandèrent que c'étoit que
   Dieu, je leur dis que c'estoit celui qui pouvoit tout et qui avoit
   fait le Ciel et la terre : ils commencèrent à se dire les uns aux
   autres, *Atahocan, Atahocan*, c'est *Atahocan* » (RJ, V, 154).
3. RJ, V, 154-158, repris et développé ici.

avoit dans ce présent ; l'ayant déployé, tout s'envola, et depuis les Sauvages ont esté sujects à la mort.

Ils disent en outre que tous les animaux de chaque espèce ont un frère aisné qui est comme le principe et comme l'origine de tous les individus, et ce frère aisné est merveilleusement grand et puissant. L'aisné des castors, me disoient-ils, est peut estre aussi gros que nostre cabane, quoi que ses cadets (j'entends les castors ordinaires) ne soient pas tout à fait si gros que nos moutons ; or ces aisnés de tous les animaux sont les cadets du Messou ; le voilà bien apparenté : le brave réparateur de l'Univers est le frère aisné de toutes les bestes. Si quelqu'un void en dormant l'aisné ou le principe de quelques animaux, il fera bonne chasse, s'il void l'aisné des castors, il prendra des castors, s'il void l'aisné des eslans, il prendra des eslans, jouissans des cadets par la faveur de leur aisné qu'ils ont veu en songe. Je leur demandai où estoient ces frères aisnés, nous n'en sommes pas bien asseurés, me dirent-ils, mais nous pensons que les aisnés des oiseaux sont au ciel et que les aisnés des autres animaux sont dans les eaux. Ils recognoissent deux principes des saisons, l'un s'appelle Nipinoukhe, c'est celui qui ramène [a] *le Printemps et l'Esté : ce nom vient de* nipin *qui en leur langue signifie le Printemps. L'autre s'appelle Pipounoukhe, du nom de* pipoun *qui signifie l''Hiver, aussi ramène il la saison froide. Je leurs demandois si ce Nipinoukhe et [ce] Pipounoukhe estoient hommes ou animaux de quelque autre espèce, et en quel endroict ils demeuroient ordinairement ; et ils me respondirent qu'ils ne sçavoient pas bien comme ils estoient faits, encor qu'ils fussent bien asseurés qu'ils estoient vivans, car ils les entendent, disent-ils, parler ou bruire, notamment à leur venue, sans pouvoir distinguer ce qu'ils disent. Pour leur demeure, ils se partagent le monde entre eux, l'un se tenant d'un costé, l'autre de l'autre, et quand le temps de leur station aux deux bouts du monde est expiré, l'un passe en la place de l'autre, se succédans mutuellement. Voilà en partie la fable de Castor et de Pollux* [4]. *Quand Nipinoukhe revient, il ramène avec*

---

4. Dans la mythologie grecque, Pollux, après avoir vengé son frère Castor assassiné par Lyncée, partage avec lui son immortalité : ils passent alternativement six mois sur la terre et six mois aux Enfers.

*soi la chaleur, les oiseaux, la verdure, il rend la vie et la
beauté au monde, mais Pipounoukhe ravage tout, estant
accompagné de vents froids, de glaces, de neiges et des
autres appanages de l'hiver. Ils appellent cette succession
de l'un à l'autre* Chitescatoueth, *c'est à dire ils passent mutuellement à la place l'un de l'autre* [a].

De plus, ils croient qu'il y a de certains Génies [b] *de
l'air : ils les nomment* Khichikouai [5], *du mot* Khichikou
*qui veut dire le jour et l'air. Les Génies, ou Khichikouai,
cognoissent les choses futures, ils voient fort loing : c'est
pourquoi les Sauvages les consultent, non pas tous mais
certains jongleurs qui sçavent mieux bouffonner et amuser
ce peuple que les autres. Je me suis trouvé avec eux quand
ils consultoient ces beaux Oracles, voici ce que j'en ai
remarqué* [c].

*Sur l'entrée de la nuict, deux ou trois jeunes hommes
dressèrent un tabernacle* [6] *au milieu de nostre cabane :
ils plantèrent en rond six pieux fort avant dans [la] terre
et, pour les tenir en estat, ils attachèrent au haut de ces
pieux un grand* [d] *cercle qui les environnoit tous ; cela fait,
ils entourèrent cet édifice de castelognes, laissans le haut
du tabernacle ouvert. C'est tout ce que pourroit faire un
grand homme, d'atteindre de la main au plus haut de cette
tour ronde capable de tenir cinq ou six hommes debout.
Cette maison estant faite, on esteint entièrement les feux
de la cabane, jettant dehors les tisons, de peur que la
flamme ne donne de l'espouvante à ces Génies ou Khichikouai qui doivent entrer en ce tabernacle, dans lequel
un jeune jongleur se glissa par le bas, retroussant à cet*

5. Pigarouïch « Nous estant venu voir une autre fois, et nous
ayant dit que dans peu de jours il devoit consulter *ka-khichigou
khetikhi*, ceux qui font le jour. Dans mes relations j'ai appellé
ceux qu'ils invoquent dans leurs tabernacles *khichikouekhi*, que
j'interprétois, génies du jour. Il me semble que je les entendois
nommer ainsi, mais ce sorcier et ses gens le nomment du mot que
je viens de dire, ou d'un autre approchant, qui signifie ceux
qui font le jour » (Lejeune, *Relation de 1637*, RJ, XI, 254).
6. « *Apitouagan*, c'est ainsi qu'ils nomment ce Tabernacle » (Lejeune, *Relation de 1637*, RJ, XII, 20). Sur ces *consultes*, voir
Joseph Le Caron in Le Clercq, *op. cit.*, 136 ; CH, III, 187-188 ;
SH, 100-104 ; RJ, XII, 6-22. Lejeune nous apprendra plus loin
(voir p. 145) que celle qu'il décrit ici a eu lieu au début de son
hivernement, entre le 12 et le 17 novembre.

*effect la couverture qui l'environnoit, puis la rabattant
quand il fut entré, car il faut bien donner de garde qu'il
n'y ait aucune ouverture en ce beau palais, sinon par le
haut. Le jongleur entré, commença doucement à frémir,
comme se plaignant, il esbranloit ce tabernacle sans violence au commencement, puis s'animant petit à petit, il
se mit à siffler d'une façon sourde et comme de loing, puis
à parler comme dans une bouteille, à crier comme un
chat-huant de ce pays ci, qui me semble avoir la voix plus
forte que ceux de France, puis à hurler, chanter, variant
de ton à tous coups, finissant par ces syllabes,* ho ho, hi hi,
gui gui nioué, *et autres semblables, contrefaisant sa voix,
en sorte qu'il me sembloit ouir ces marionnettes que quelques bateleurs font voir en France. Il parloit tantost Montagnais, tantost Algonquain, retenant tousjours l'accent
Algonquain qui est gai comme le Provençal. Au commencement, comme j'ai dit, il agitoit doucement cet édifice,
mais comme il s'alloit tousjours animant, il entra dans
un si furieux enthousiasme que je croyois qu'il deust tout
briser, esbranlant si fortement et avec de telles* [a] *violences
sa maison, que je m'estonnois qu'un homme eust tant de
force : car comme il eut une fois commencé à l'agiter, il
ne cessa point que la consulte ne fut faite, qui dura environ trois heures. Comme il changeoit de voix, les Sauvages s'escrioient au commencement* moa, moa, escoute,
escoute ; *puis invitans ces Génies, ils leurs disoient,* Pitoukhecou, Pitoukhecou, *entrez, entrez. D'autres fois,
comme s'ils eussent respondu aux hurlements du jongleur,
ils tiroient ceste aspiration du fond de la poitrine,* ho, ho.
*J'estois assis comme les autres, regardant ce beau mystère
avec défence de parler, mais comme je ne leur avois point
voué d'obéissance, je ne laissois pas de dire un petit mot
à la traverse : tantost je les priois d'avoir pitié de ce pauvre
jongleur qui se tuoit dans ce tabernacle, d'autres fois je
leur disois qu'ils criassent plus haut et que leurs Génies
estoient endormis.*

*Quelques-uns de ces Barbares s'imaginent que ce jon-
gleur n'est point là dedans, qu'il est transporté sans sçavoir
ni où, ni comment. D'autres disent que son corps est couché
par terre, que son âme est au haut de ce tabernacle où
elle parle au commencement, appelant ces Génies et jettant
par fois des estincelles de feu. Or pour retourner à nostre*

consultation, les Sauvages ayans oui certaine voix que contrefit le jongleur, poussèrent un cri d'allégresse, disans qu'un de ces Génies estoit entré ; puis s'addressans à lui, s'escrioient, Teponachi, Teponachi, appelle, appelle, sça-voir est tes compagnons. Là dessus, le jongleur faisant du Génie, changeant de ton et de voix, les appeloit. Cependant nostre Sorcier qui estoit présent prit son tambour, et chan-tant avec le jongleur qui estoit dans le tabernacle, les autres respondoient [a]. *On fist dancer quelques jeunes gens, entre autres l'Apostat qui n'y vouloit point entendre, mais le Sorcier le fist bien obéir.*

En fin après mille cris et hurlements, après mille chants, après avoir dancé et bien esbranlé ce bel édifice, les Sau-vages croyans que les Génies ou Khichikouai estoient en-trés, le Sorcier les consulta. Il leur demanda de sa santé, car il est malade, de celle de sa femme qui l'estoit aussi. Ces Génies, ou plustost le jongleur qui les contrefaisoit, respondit que pour sa femme elle estoit desjà morte, que c'en estoit fait : j'en eusse bien dit autant que lui, car il ne falloit estre ni prophète, ni sorcier pour deviner cela, d'autant que la pauvre créature avoit la mort entre les dents ; pour le Sorcier, ils dirent qu'il verroit le Prin-temps. Or cognoissant sa maladie qui est une douleur de reins, ou pour mieux dire, un appanage de ses lubricités* et paillardises*, car il est sale au dernier poinct, je lui dis, voyant qu'il estoit sain d'ailleurs et qu'il beuvoit et man-geoit fort bien [b], *que non seulement il verroit le Prin-temps, mais encore l'Esté, si quelque autre accident ne lui survenoit : je ne me suis pas trompé.*

Après ces interrogations, on demanda à ces beaux oracles s'il y auroit bien tost de la neige, s'il y en auroit beaucoup, s'il y auroit des eslans ou orignaux, et en quel endroict ils estoient. Ils repartirent, ou plustost le jongleur contrefaisant toujours sa voix, qu'ils voyoient peu de neige et des orignaux fort loing, sans déterminer le lieu, ayans bien cette prudence de ne se point engager.

Voilà comme se passa cette consulte, après laquelle se voulut arrester le jongleur ; mais comme il estoit nuict, il sortit de son tabernacle et de nostre cabane si vistement qu'il fut dehors avant quasi que je m'en apperçeusse. Lui et tous les autres Sauvages qui estoient venus des autres cabanes à ces beaux mystères, estans partis, je demandai

à *l'Apostat s'il estoit si simple de croire que ces Génies*
entrassent et parlassent dans ce tabernacle : il se mit à
jurer sa foi qu'il a perdue et reniée, que ce n'estoit point
le jongleur qui parloit, ains ces Khichikouai ou Génies
du jour ; et mon hoste me dit, entre toi mesme dans le
tabernacle, et tu verras que ton corps demeurera en bas
et ton âme montera en haut. J'y voulu entrer, mais comme
j'estois seul de mon parti, je préveu qu'ils m'auroient fait
quelque affront, et comme il n'y avoit point de tesmoings,
ils se seroient vantés que j'aurois recogneu et admiré la
vérité de leurs mystères[7].

Or *j'avois grande envie de sçavoir de quelle nature*
ils faisoient ces Génies : l'Apostat n'en sçavoit rien. Le
Sorcier voyant que j'esvantois ses mines et que j'improu-
vois* ses niaiseries, ne me vouloit point enseigner, si bien
qu'il fallut que je me servisse d'industrie : je laissai es-
couler quelques sepmaines, puis le jettant sur ce discours,
je lui parlois comme admirant sa doctrine, lui disant qu'il
avoit tort de m'esconduire puisque à toutes les questions
qu'il me faisoit de nostre croyance [a], *je lui respondois ingé-*
nument, sans me faire tirer l'oreille. En fin il se laissa
gagner à ses propres louanges et me descouvrit les secrets
de l'escole : voici la fable qu'il me raconta, touchant la
nature et l'essence de ces Génies.

Deux Sauvages consultans ces Génies en mesme temps,
mais en deux divers tabernacles, l'un d'eux, homme très
meschant qui avoit tué trois hommes à coups de hache

7. En 1637, il pariera avec Pigarouïch qu'il ne peut faire branler
   son tabernacle s'il laisse ses pieds et ses mains dehors : cette
   fois, ce sera le Sorcier qui se dérobera (RJ, XI, 254). Champlain,
   lors de sa première expédition contre les Iroquois en 1609 a
   aussi assisté à une *consulte* montagnaise, et il est du même avis
   que Lejeune : « Ils me disoient souvent que le branlement que
   je voyois de la cabane, estoit le Diable qui la faisoit mouvoir,
   et non celui qui estoit dedans, bien que je veisse le contraire :
   car c'estoit, comme j'ai dit ci dessus, le Pilotois qui prenoit un
   des bastons de sa cabane, et la faisoit ainsi mouvoir. Ils me
   dirent aussi que je verrois sortir du feu par le haut : ce que je
   ne vei point » (CH, III, 187-188). En 1637, devant les affirmations
   de Pigarouïch et de Makheabichtichiou, Lejeune finira par
   douter de ce qu'il aura vu ici et se demandera si le diable n'était
   pas pour quelque chose dans les mouvements du tabernacle :
   (« Comme je n'esprouvai point si cette tour ronde estoit fortement plantée, je me figurai que c'estoit le Jongleur qui l'esbranloit » (RJ, XII, 18) : il ne tranchera jamais la question.

par trahison, fut mis à mort par les Génies, lesquels se
transportans dans le tabernacle de l'autre Sauvage pour
lui oster la vie, aussi bien qu'à son compagnon, ils se trouvèrent eux mesmes surpris, car le jongleur se défendit si
bien qu'il tua l'un de ces Khichikouai ou Génies, et ainsi
l'on a sçeu comme ils estoient faits, car ce Génie demeura
sur la place. Je lui demandai donc de quelle forme il estoit,
il estoit gros comme le poing, me fit-il, son corps est de
pierre, et un peu longuet. Je conceu qu'il estoit fait en
cône, gros par un bout, s'allant tousjours appetissant vers
l'autre. Ils croient que dans ce corps de pierre il y a de
la chair et du sang, car la hache dont ce Génie fut tué resta
ensanglantée. Je m'enquestai s'ils avoient des pieds et des
aisles, et m'ayant dit que non, et comment donc, lui ᵃ fis-je,
peuvent ils entrer ou voler dans ces tabernacles s'ils n'ont
ni pieds ni aisles? Le Sorcier se mit à rire, disant pour
solution, en vérité ceste robbe noire n'a point d'esprit :
voilà comme ils me payent quand je leurs fais quelque
objection à laquelle ils ne peuvent respondre.

Comme ils faisoient grand cas du feu que jettoit ce
jongleur ᵇ hors de son tabernacle, je leur dis, nos François
en jetteroient mieux que lui, car il ne faisoit voler que
des estincelles de quelque bois pourri qu'il porte avec soi,
comme je me persuade, et si j'eusse eu de la résine, je leur
eusse fait sortir des flammes. Ils me contestoient qu'il estoit
entré sans feu dans cette maison, mais de bonne fortune,
je lui avois veu donner un gros charbon ardant qu'il demanda pour pétuner.

Voilà leur créance touchant les principes des choses
bonnes. Ce qui m'estonne, c'est leur ingratitude ᶜ, car quoi
qu'ils croient que le Messou a réparé le monde, que Nipinoukhe et Pipounoukhe ramènent les saisons, que leur
Khichikouai leurs apprennent où il y a des eslans ou orignaux, et leurs rendent ᵈ mille autres bons offices, si est ce
que je n'ai peu jusques ici recognoistre qu'ils leur rendent
aucun honneur : j'ai seulement remarqué que dans leurs
festins, ils jettent par fois quelques cuillérées de gresse
dans le feu, prononçans ces paroles, Papeonekou, Papeonekou, faites nous trouver à manger, faites nous trouver à
manger. Je crois que cette prière s'addresse à ces Génies
ausquels ils présentent cette gresse comme la chose la meilleure qu'ils aient au monde.

Outre ces principes des choses bonnes, ils recognoissent un Manitou que nous pouvons appeller le diable [8] *; ils le tiennent comme le principe des choses mauvaises, il est vrai qu'ils n'attribuent pas grande malice au Manitou, mais à sa femme qui est une vraie diablesse. Le mari ne hait point les hommes, il se trouve seulement aux guerres et aux combats, et ceux qu'il regarde sont à couvert, les autres sont tués : voilà pourquoi mon hoste me disoit qu'il prioit tous les jours ce Manitou de ne point jetter les yeux sur les Hiroquois leurs ennemis et de leur en donner tousjours quelques-uns en leurs guerres* [a]. *Pour la femme du Manitou, elle est cause de toutes les maladies qui sont au monde, c'est elle qui tue les hommes, autrement ils ne mourroient pas, elle se repaist de leur chair, les rongeant intérieurement, ce qui fait qu'on les voit amaigrir en leurs maladies ; elle a une robbe des plus beaux cheveux des hommes et des femmes qu'elle tue* [b], *elle paroist quelque fois comme un feu, on l'entend bruire comme une flamme, mais on ne sçauroit distinguer son langage : d'ici procèdent à mon advis ces cris et ces hurlemens, et ces batements de tambours qu'ils font alentour de leurs malades, voulans comme empescher cette diablesse de venir donner le coup de la mort, ce qu'elle fait si subtilement qu'on ne s'en peut défendre, car on ne la voit pas.*

De plus, les Sauvages se persuadent que non seulement les hommes et les autres animaux, mais aussi que toutes les autres choses sont animées, et que toutes les âmes sont immortelles. Ils se figurent les âmes comme une ombre de la chose animée ; n'ayans jamais oui parler d'une chose purement spirituelle, ils se représentent l'âme de l'homme comme une image sombre et noire ou comme une ombre de l'homme mesme, lui attribuans des pieds, des mains, une bouche, une teste et toutes les autres parties du corps

---

8. En 1633, il avait écrit : « Il me semble que par ce mot de Manitou ils entendent, comme entre nous, un Ange ou quelque nature puissante. Je croi qu'ils pensent qu'il y en a de bons et de mauvais : j'en parlerai plus asseurément quelque jour » (RJ, V, 156). Il corrigera en 1637 la présentation monolithique qu'il en donne ici : « Les Sauvages Montagnets donnent le nom de Manitou à toute Nature supérieure à l'homme, bonne ou mauvaise. C'est pourquoi, quand nous parlons de Dieu, ils le nomment par fois le bon Manitou, et quand nous parlons du Diable ils l'appellent le méchant Manitou » (RJ, XII, 6).

*humain. Voilà pourquoi ils disent que les âmes boivent et
mangent, aussi leurs donnent ils à manger quand quelqu'un meurt, jettans la meilleure viande qu'ils aient dans
le feu ; et souvent, ils m'ont dit qu'ils avoient trouvé le
matin de la viande rongée la nuict par les âmes. Or m'ayans
déclaré ce bel article de leur croyance, je leurs fis plusieurs
interrogations* [a].

*Premièrement, où alloient ces âmes après la mort de
l'homme et des autres créatures ; elles vont, dirent-ils, fort
loing en un grand village situé où le soleil se couche. Tout
vostre pays, leur dis-je, sçavoir est l'Amérique, est une
grande isle, comme vous tesmoignez l'avoir appris : comment est ce que les âmes des hommes, des animaux, des
haches, des cousteaux, des chaudières, bref les âmes de tout
ce qui meurt ou qui s'use, peuvent passer l'eau pour s'en
aller à ce grand village que vous placez où le soleil se
couche ? Trouvent elles des vaisseaux tous prests pour
s'embarquer et traverser les eaux ? Non pas, mais elles
vont à pied, me dirent-ils, passans les eaux à guai* [b] *en
quelque endroict. Et le moyen, leur fis-je, de passer à guai* [c]
*le grand Océan que vous sçavez estre si profond, car c'est
cette grande mer qui environne vostre pays ; tu te trompe,
respondent-ils, ou les terres sont conjointes en quelques
endroicts, ou bien il y a quelque passage guayable par où
passent nos âmes, et de fait, nous apprenons que l'on n'a
peu encore passer du costé du Nord. C'est à cause, leur
repartis-je, des grands froids qui sont en ces mers ; que si
vos âmes prennent cette route elles seront* [d] *glacées et toutes
roides de froid devant qu'elles arrivent en leur village* [e].

*Secondement, je leur demande que mangeoient ces
pauvres âmes, faisans un si long chemin. Elles mangent
des escorces, dirent-ils, et du vieux bois qu'elles trouvent
dans les forests. Je ne m'estonne pas, leur respondis-je, si
vous avez si peur de la mort et si vous la fuyez tant : il n'y
a guère de plaisir d'aller manger du vieux bois et des
escorces en l'autre vie.*

*Tiercement, que font ces âmes étans arrivées au lieu de
leur demeure ? Pendant le jour, elles sont assises, tenans
leurs deux coudes sur leurs deux genoux et leurs testes
entre leurs deux mains, posture assez ordinaire aux Sauvages malades ; pendant la nuict, elles vont et viennent, elles*

*travaillent, elles vont à la chasse. Oui, mais, repartis-je,
elles ne voient goutte la nuict. Tu es un ignorant, tu n'as
point d'esprit, me firent-ils, les âmes ne sont pas comme
nous, elles ne voient goutte pendant le jour, et voient fort
clair pendant la nuict, leur jour est dans les ténèbres de la
nuict et leur nuict dans la clarté du jour.*

*En quatriesme lieu, à quoi chassent ces pauvres âmes
pendant la nuict ? Elles chassent aux âmes des castors, des
porcs épics, des eslans et des autres animaux, se servans de
l'âme des raquettes pour marcher sur l'âme de la neige qui
est en ce pays là, bref elles se servent des âmes de toutes
choses comme nous nous servons ici des choses mesmes.
Or quand elles ont tué l'âme d'un castor ou d'un autre
animal, ceste âme meurt elle tout à fait, ou bien a elle une
autre âme qui s'en aille en quelque autre village ? Mon
Sorcier demeura court à cette demande, et comme il a de
l'esprit, voyant qu'il s'alloit enferrer s'il me respondoit
directement, il esquiva le coup : car s'il m'eust dit que l'âme
mouroit entièrement, je lui aurois dit que quand on tuoit
premièrement l'animal, son âme mouroit à mesme temps ;
s'il m'eust dit que ceste âme avoit une âme qui s'en alloit
en un autre village, je lui eusse fait voir que chaque animal
auroit selon sa doctrine plus de vingt, voire plus de cent
âmes et que le monde devoit estre rempli de ces villages
où elles se retirent, et que cependant on n'en voyoit ᵃ aucun.
Cognoissant donc qu'il s'alloit engager*, il me dit, tais toi,
tu n'as point d'esprit, tu demande des choses que tu ne
sçais pas toi mesme : si j'avois esté en ces pays là, je te
respondrois.*

*En fin je lui dis que les Européans navigoient par tout
le monde, je leur déclarai et leur fis voir par une figure
ronde quel estoit le pays où le soleil se couche à leur regard,
l'asseurant qu'on n'avoit point trouvé ce grand village, que
tout cela n'estoit que resveries, que les âmes des hommes
seulement estoient immortelles, et que si elles estoient
bonnes, elles s'en alloient au ciel, que si elles estoient mes-
chantes, elles descendoient dans les enfers pour y estre
bruslées à jamais, et que chacun recevroit selon ses œuvres.
En cela, dit-il, vous mentez vous autres d'assigner divers
endroicts pour les âmes : elles vont en un mesme pays, du
moins les nostres, car deux âmes de nos compatriotes sont
revenues autre fois de ce grand village, et nous ont appris*

*tout ce que je t'ai dit, puis elles s'en retournèrent en leur
demeure. Ils appellent la voie lactée, tchipai meskeuan, le
chemin des âmes, pource qu'ils pensent que les âmes se
guident par cette voie pour aller en ce grand village* [9].

Ils ont en outre une grande croyance à leurs songes [10],
*s'imaginans que ce qu'ils ont veu en dormant doit arriver,
et qu'ils doivent exécuter ce qu'ils ont resvé, ce qui est un
grand malheur, car si un Sauvage songe qu'il mourra s'il
ne me tue, il me mettra à mort à la première rencontre à
l'escart. Nos Sauvages me demandoient quasi tous les ma-
tins, n'as tu point veu de castors ou d'orignaux en dormant,
et comme ils voyoient que je me mocquois des songes, ils
s'estonnoient, et me demandoient, à quoi crois tu donc si
tu ne crois à tes songes? Je crois en celui qui a tout fait et
qui peut tout. Tu n'as point d'esprit, comment peus tu
croire en lui si tu ne le vois pas? Je serois trop long de
rapporter toutes les badineries sur ces subjects. Revenons
à leurs superstitions qui sont sans nombre.*

*Les Sauvages sont grands chanteurs : ils chantent com-
me la pluspart des nations de la terre par récréation et par
dévotion, c'est à dire en eux par superstition. Les airs qu'ils
chantent par plaisir sont ordinairement graves et pesants,
il me semble qu'ils ont par fois quelque chose de gai,
notamment les filles, mais pour la pluspart, leurs chansons
sont massives, pour ainsi dire, sombres et malplaisantes :
ils ne sçavent que c'est d'assembler des accords pour com-
poser une douce harmonie. Ils profèrent peu de paroles
en chantant, varians les tons et non la lettre. J'ai souvent
oui mon Sauvage faire une longue chanson de ces trois
mots :* kaie mir khigataotaorint, *et tu feras aussi quelque
chose pour moi. Ils disent que nous imitons les gazouillis
des oiseaux en nos airs, ce qu'ils n'improuvent pas, prenans*

9. Sagard avait dit des Hurons : « Ils croient les âmes immortelles,
et partans de ce corps, qu'elles s'en vont aussi-tost dancer et
resjouir en la présence *Dioscaha*, et de sa Mère-grand' *Ataensiq*,
tenans la route et le chemin des Estoiles qu'ils appellent
Atiskein andahatey, le chemin des âmes, que nous appellons
la voie lactée » (SV, 233).
10. Lejeune a déjà illustré cette croyance : le 31 mai 1633, Manitougatche avait rêvé la mort des deux Français qui seront tués
le 2 juin suivant (RJ, V, 212s.) ; voir : MA, 506 ; RJ, IV, 202,
V, 158s. ; CH, I, 18, 56 ; Joseph Le Caron in Le Clercq, *op cit.*,
269.

plaisir quasi tous tant qu'ils sont à chanter ou à ouir chanter, et quoi que je leur die que je n'y entendois rien, ils m'invitoient souvent à entonner quelque air ou quelque prière.

Pour leurs chants superstitieux, ils s'en servent en mille actions. Le Sorcier et ce vieillard dont j'ai parlé m'en donnèrent la raison : deux Sauvages, disoient-ils, estans jadis fort désolés, se voyans à deux doigts de la mort faute de vivre, furent advertis de chanter et qu'ils seroient secourus, ce qui arriva, car ayans chanté, ils trouvèrent à manger ; de dire qui leur donna cest advis, et comment, ils n'en sçavent rien : quoi qu'il en soit, depuis ce temps là toute leur religion consiste quasi à chanter, se servans des mots les plus barbares qu'ils peuvent rencontrer. Voici une partie des paroles qu'ils chantèrent en une longue superstition qui dura plus de quatre heures [11] *:* Ajasé Manitou, ajasé Manitou, ajasé Manitou, ahiham hehinham heuinokhé hosé heuinokhé, euigouano bahano cruihe, onihini nauinaonai, nanahonai, nanahonai aonihé ahahé aonihé [a], *pour conclusion, ho ! ho ! ho ! Je demandai que vouloit dire ces paroles, pas un ne m'en peut donner l'interprétation, car il est vrai que pas un d'eux n'entend ce qu'il chante, sinon dans leurs airs qu'ils chantent pour se recréer.*

Ils joignent leurs tambours à leurs chants, je demandai l'origine de ce tambour, le vieillard me dit que peut estre quelqu'un avoit eu [12] *en songe qu'il estoit bon de s'en servir et que de là l'usage s'en estoit ensuivi. Je croirois plustost qu'ils auroient tiré cette superstition des peuples voisins, car on me dit (je ne sçai s'il est vrai) qu'ils imitent fort les Canadiens qui habitent vers Gaspé, peuple encore plus superstitieux que celui-ci.*

Au reste, ce tambour est de la grandeur d'un tambour de basque [13]*, il est composé d'un cercle large de trois ou quatre doigts, et de deux peaux roidement estendues de part et d'autre. Ils mettent dedans de petites pierres ou*

---

11. Selon nos témoins, le texte qui suit n'est pas du montagnais, mais probablement de l'iroquois.
12. Il faut sûrement lire : ...avait *veu* en songe...
13. Le tambour basque, fait d'une seule peau, est battu avec le pouce et la paume de la main, ou seulement agité pour en faire sonner les grelots qui l'entourent.

*petits cailloux pour faire plus de bruit ; le diamètre des
plus grands tambours est de deux palmes ou environ ; ils
le nomment* chichgouan, *et le verbe* nipagahiman *signifie,
je fais jouer ce tambour. Ils ne le battent pas comme font
nos Européans, mais ils le tournent et remuent pour faire
bruire les cailloux qui sont dedans, ils en frappent la terre,
tantost du bord, tantost quasi du plat. Pendant que le
Sorcier fait mille singeries avec cest instrument, souvent
les assistans ont des bastons en mains, frappans tous ensemble sur des bois ou manches de haches qu'ils ont devant
eux, ou sur leurs* ouragans [a], *c'est à dire sur leurs plats
d'escorce renversés. Avec ces tintamarres, ils joignent leurs
chants et leurs cris, je dirois volontiers leurs hurlements,
tant ils s'efforcent par fois. Je vous laisse à penser la belle
musique. Ce misérable Sorcier avec lequel mon hoste et le
Renégat m'ont fait hiverner contre leurs promesses, m'a
pensé faire perdre la teste avec ses tintamarres, car tous les
jours à l'entrée de la nuict, et bien souvent sur la minuict,
d'autres fois sur le jour, il faisoit l'enragé. J'ai esté un assez
long temps malade parmi eux, mais quoi que je le priasse
de se modérer, de me donner un peu de repos, il en faisoit
encore pis, espérant trouver sa guérison dans ces bruits qui
augmentoient mon mal.*

*Ils se servent de ces chants, de ce tambour et de ces
bruits ou tintamarres en leurs maladies, je le déclarai assez
amplement l'an passé* [14], *mais depuis ce temps là, j'ai veu
tant faire de sottises, de niaiseries, de badineries, de bruits,
de tintamarres à ce malheureux Sorcier pour se pouvoir
guérir, que je me lasserois d'escrire et ennuyerois Vostre
Révérence si je lui voulois faire lire la dixiesme partie de ce
qui m'a souvent lassé quasi jusques au dernier poinct.
Par fois cest homme entroit comme en furie, chantant,
criant, hurlant, faisant bruire son tambour de toutes ses
forces ; cependant les autres hurloient comme lui et faisoient un tintamarre horrible avec leurs bastons, frappans
sur ce qui estoit devant eux : ils faisoient dancer des jeunes
enfans, puis des filles, puis des femmes ; il baissoit la teste,
souffloit sur son tambour, puis vers le feu, il siffloit comme
un serpent, il ramenoit son tambour soubs son menton,*

---

14. En juillet 1633, il assiste deux fois au *soufflement* d'un enfant
   malade (RJ, V, 226-238). Sur cette pratique, voir aussi CH,
   IV, 86-87.

*l'agitant et le tournoyant, il en frappoit la terre de toutes
ses forces, puis le tournoyoit sur son estomach, il se fermoit
la bouche avec une main renversée, et de l'autre, vous
eussiez dit qu'il vouloit mettre en pièces ce tambour tant
il en frappoit rudement la terre : il s'agitoit, il se tournoit
de part et d'autre, faisoit quelques tours à l'entour du feu,
sortoit hors la cabane, tousjours hurlant et bruyant : il se
mettoit en mille postures, et tout cela pour se guérir. Voilà
comme ils traictent les malades. J'ai quelque croyance
qu'ils veulent conjurer la maladie, ou espouvanter la femme du Manitou qu'ils tiennent pour le principe et la cause
de tous les maux, comme j'ai remarqué ci dessus.*

Ils chantent encore et font ces bruits en leurs sueries [15] *:
ils croiroient que cette médecine, qui est la meilleure de
toutes celles qu'ils ont, ne leur serviroit de rien s'ils ne
chantoient en suant. Ils plantent des bastons en terre,
faisans une espèce de petit tabernacle fort bas, car un grand
homme estant assis là dedans toucheroit de la teste le haut
de ce todis, qu'ils entourent et couvrent de peaux, de
robbes, de couvertures. Ils mettent dans ce four quantité
de grosses pierres qu'ils ont fait chauffer et rougir dans un
bon feu, puis se glissent tous nuds dans ces estuves ; les
femmes suent par fois aussi bien que les hommes, d'autres
fois ils suent tous ensemble, hommes et femmes pesle et
mesle : ils chantent, ils crient, ils hurlent dans ce four, ils
haranguent, par fois le Sorcier y bat son tambour. Je
l'escoutois une fois comme il faisoit du prophète là dedans,
s'escriant qu'il voyoit des Orignaux, que mon hoste son
frère en tueroit : je ne peus me tenir que je ne lui dise, ou
plustost à ceux qui estoient présens et qui lui prestoient
l'oreille comme à un oracle, qu'il estoit bien croyable qu'on
trouveroit quelque masle, puisque on avoit desjà trouvé
et tué deux femelles ; lui cognoissant où je visois, me dit
en grondant, il est croyable que cette robbe noire n'a point
d'esprit. Ils sont tellement religieux en ces crieries et autres
niaiseries, que s'ils font sueries pour se guérir, ou pour
avoir bonne chasse, ou pour avoir beau temps, rien ne se
feroit s'ils ne chantoient et s'ils ne gardoient ces superstitions. J'ai remarqué que quand les hommes suent, ils ne*

---

15. La *suerie* se fait pour toutes sortes de raisons, avoir bon vent,
bonne chasse ou bonne guerre : voir, RJ, V, 102 ; SH, 112-113,
615s.

se veulent point servir des robbes des femmes pour entourer leur sueries, s'ils en peuvent avoir d'autres. Bref quand ils ont crié trois heures ou environ dans ces estuves, ils en sortent tous mouillés et trempés de leur sueur.

Ils chantent encore et battent le tambour en leurs festins, comme je déclarerai au chapitre de leurs banquets [16] *; je les ai veu faire le mesme en leurs conseils, y entremeslans d'autres jongleries. Pour moi, je me doute que le Sorcier en invente tous les jours de nouvelles pour tenir son monde en haleine et pour se rendre recommandable : je lui vis un certain jour prendre une espée, la mettre la pointe en bas, le manche en haut (car leurs espées sont emmanchées en un long baston) ; il mit une hache proche de cette espée, se leva debout, fit jouer son tambour, chanta [et] hurla à son accoustumée, il fit quelques mines de dancer, tourna à l'entour du feu, puis se rasséant* [a]*, il tira un bonnet de nuict dans lequel il y avoit une pierre à aiguiser : il la met dans une cuiller de bois qu'on essaya* [b] *exprès pour cest effect, il fit allumer un flambeau d'escorce, puis donna de main en main le flambeau, la cuiller et la pierre qui estoit marquée de quelques raies, la regardans tous les uns après les autres, philosophans à mon advis sur cette pierre, touchant leur chasse qui estoit le subject de leur conseil ou assemblée.*

Ces pauvres ignorants chantent aussi dans leurs peines, dans leurs difficultés, dans leurs périls et dangers : pendant le temps de nostre famine, je n'entendois par ces cabanes, notamment la nuict, que chants, que cris, batements de tambours et autres bruits ; et demandant ce que c'estoit, mes gens me disoient qu'ils faisoient cela pour avoir bonne chasse et pour trouver à manger. Leurs chants et leurs tambours passent encore dans les sortilèges que font les sorciers.

Il faut que je couche ici ce que je leurs vis faire le douziesme Février. Comme je récitois mes heures sur le soir, le Sorcier se mit à parler de moi, aiamiheou, *il fait ses prières, dit-il, puis prononçant quelques paroles que je n'entendis pas, il adjousta,* niganipahau, *je le tuerai aussi tost : la pensée me vint qu'il parloit de moi, veu qu'il me haïssoit pour plusieurs raisons, comme je le dirai en son*

16. Au chapitre VIII, p. 85.

*lieu, mais notamment pource que je taschois de faire voir
que tout ce qu'il faisoit n'estoit que badinerie et puérilité.
Sur cette pensée qu'il me vouloit oster la vie, mon hoste
me va dire, n'as tu point de poudre qui tue les hommes?
Pourquoi? lui dis-je, je veux tuer quelqu'un, me
respond-il. Je vous laisse à penser si j'achevai mon office
sans distraction, veu que je sçavois fort bien qu'ils n'avoient
garde de faire mourir aucun de leurs gens et que le Sorcier
m'avoit menacé de mort quelques jours auparavant, quoi
qu'en riant, me dit-il après, mais je ne m'y fiois pas beaucoup. Voyant donc ces gens en action, je rentre dans moi
mesme, suppliant Nostre Seigneur de m'assister et de
prendre ma vie au moment et en la façon qu'il lui plairoit.
Néantmoins pour me mieux disposer à ce sacrifice, je
voulus voir s'il pensoit en moi. Je leur demandai donc où
estoit l'homme qu'ils vouloient faire mourir, ils me repartirent ᵃ qu'il estoit vers Gaspé, à plus de cent lieues de nous.
Je me mis à rire, car en vérité je n'eusse jamais pensé qu'ils
eussent entrepris de tuer un homme de cent lieues loing.
Je m'enquis pourquoi ils lui vouloient oster la vie. On me
respondit que cest homme estoit un Sorcier Canadien,
lequel ayant eu quelque prise avec le nostre, l'avoit menacé
de mort et lui avoit donné la maladie qui le travailloit
depuis un long temps et qui l'alloit estouffer dans deux
jours s'il ne prévenoit le coup par son art : je leurs dis que
Dieu avoit deffendu de tuer, et que nous autres ne faisions
mourir personne. Cela n'empescha point qu'ils ne pour-
suivissent leur pointe. Mon hoste prévoyant le grand bruit
qui se devoit faire, me dit, tu auras ᵇ mal à la teste, va t'en
en l'autre cabane voisine ; non, dit le Sorcier, il n'y a point
de mal qu'il nous voie faire. On fist sortir tous les enfans
et toutes les femmes, horsmis une qui s'assit auprès du
Sorcier. Je demeurai donc spectateur de leurs mystères
avec tous les Sauvages des autres cabanes qu'on fist venir.
Estans tous assis, voici un jeune homme qui apporte deux
paux ou pieux fort pointus ; mon hoste prépare le sort
composé de petits bois formés en langue de serpent des
deux costés, de fers de flesches, de morceaux de cousteaux
rompus, d'un fer replié comme un gros hameçon et d'autres
choses semblables : on enveloppa tout cela dans un morceau
de cuir. Cela fait, le Sorcier prend son tambour, tous se
mettent à chanter et hurler, et faire le tintamarre que j'ai
remarqué ci dessus. Après quelques chansons, la femme qui*

*estoit demeurée se lève et tourne tout à l'entour de la caba-
ne par dedans, passant par derrière le dos de tous tant que
nous estions. S'estant rassise, le magicien prend ce deux
pieux, puis désignant certain endroict, commence à dire,
voilà sa teste (je crois qu'il entendoit de l'homme qu'il
vouloit tuer), puis de toutes ses forces, il plante ces pieux
en terre, les faisant regarder vers l'endroict où il croyoit
qu'estoit ce Canadien. Là dessus, mon hoste va aider son
frère, il fait une assez grande fosse en terre avec ces pieux ;
cependant les chants et autres bruits continuoient incessamment. La fosse faite, les pieux plantés, le valet du
Sorcier, j'entends l'Apostat, va quérir une espée, et le
Sorcier en frappe l'un de ces paux, puis descend dans la
fosse, tenant la posture d'un homme animé qui tire de
grands coups d'espée et de poignard, car il avoit l'un et
l'autre dans cette action d'homme furieux et enragé. Le
Sorcier prend le sort enveloppé de peau, le met dans la
fosse et redouble les coups d'espée à mesme temps qu'on
redoubloit le tintamarre.*

En fin ce mystère cessa [17], *il retire l'espée et le poignard
tout ensanglantés, les jette devant les autres Sauvages. On
recouvre viste la fosse, et le magicien tout glorieux dit que
son homme est frappé et qu'il mourra bien tost, demande
si on n'a point entendu ses cris : tout le monde dit que non,
horsmis deux jeunes hommes ses parens qui disent avoir
oui des plaintes fort sourdes et comme de loing. O qu'ils le
firent aise ! Se tournant vers moi, il se mit à rire, disant,
voyez cette robbe noire qui nous vient dire qu'il ne faut
tuer personne. Comme je regardois attentivement l'espée
et le poignard, il me les fist présenter, regarde, dit-il, qu'est
cela ? C'est du sang, repartis-je, de qui ? de quelque Orignac
ou d'autre animal. Ils se mocquèrent de moi, disans que
c'estoit du sang de ce Sorcier de Gaspé ; comment, dis-je,*

17. Irénée Piat aurait assisté, selon Sagard, a un fait semblable
lorsqu'il a hiverné à Tadoussac avec des Montagnais ; mais il
s'agit plutôt d'une *consulte* où le Sorcier découvre seulement
l'auteur de la maladie : « À la fin après avoir encore bien
tintamarré et faict des invocations à ce démon, il fut conclud
par le Pirotois que le mal avoit esté donné par un Sauvage fort
esloigné de là, sur quoi résolution fut prise qu'on l'envoyeroit
tuer par l'un des frères du malade [...] afin de tirer par ceste
mort, la vengeance de sa maladie et la guérison du malade
comme j'ai dit » (SH, 101).

*il est à plus de cent lieues d'ici ! il est vrai, font-ils, mais
c'est le Manitou, c'est à dire le diable, qui apporte son sang
par dessous la terre. Or si cest homme est vraiment magicien, je m'en rapporte ; pour moi j'estime qu'il n'est ni
sorcier ni magicien, mais qu'il le voudroit bien estre. Tout
ce qu'il fait, selon ma pensée, n'est que badinerie, pour
amuser les Sauvages : il voudroit bien avoir communication avec le diable ou Manitou, mais je ne crois pas qu'il
en ait ; si bien me persuadai-je qu'il y a eu ici quelque
sorcier ou quelque magicien s'il est vrai ce qu'ils disent
des maladies et des guérisons dont ils me parlent. C'est
chose estrange que le diable qui apparoist sensiblement
aux Amériquains Méridionaux, et qui les bat et les tour-
mente de telle sorte qu'ils se voudroient bien deffaire d'un
tel hoste, ne se communique point visiblement ni sensiblement à nos Sauvages, selon ce que je crois. Je sçai qu'il y a
des personnes d'opinion contraire, croyans aux rapports
de ces Barbares, mais quand je les presse, ils m'advouent
tous qu'ils n'ont rien veu de tout ce qu'ils disent, mais
seulement qu'ils l'ont oui dire à d'autres* [18].

*Ce n'est pas le mesme des Amériquains Méridionaux :
nos Européans ont oui le bruit, la voix et les coups que rue
le diable sur ces pauvres esclaves, et un François digne de
créance m'a asseuré l'avoir oui de ses oreilles* [19] *; sur quoi*

18. Le diable est la figure dominante des *Relations*. On le rencontre partout dans la littérature du Moyen Âge, et encore au
XVIIe siècle, mais il est lié ici au personnage du Sorcier et inter-
fère souvent avec le Manitou. Pourtant ses manifestations seront
assez rares. Biard écrivait déjà en 1616 : « On nous donnoit
aussi à entendre, devant qu'arriver là, que le malin esprit
tourmentoit sensiblement le corps de ces pauvres gents avant le
baptesme et non après. Je n'ai rien veu de tout cela... » (MA,
506). Pour sa part, Lejeune ne donnera jamais de réponse
tranchée à la question : « Des Sorciers, et s'ils ont communication avec le diable » (titre du chapitre X de sa *Relation de
1637*, RJ, XII, 6s.) : il saura toujours rapporter ses observations
ou les affirmations des Amérindiens avec une prudence exemplaire.

19. Paul Lejeune, qui parle souvent du Brésil, a pu aussi lire dans
la *Relation* d'André Thévet : « Ainsi ces pauvres Amériques
voient souvent un mauvais esprit tantost en une forme, tantost
en une autre, lequel ils nomment en leur langue Agnan, et les
persécute bien souvent jour et nuit, non seulement l'âme, mais
aussi le corps, les bastant et outrageant excessivement. [...]
Et pensois quand premièrement l'on m'en faisoit le récit, que

on me rapporte [a] *une chose très remarquable, c'est que le diable s'enfuit et ne frappe point ou cesse de frapper ces misérables quand un Catholique entre en leur compagnie, et qu'il ne laisse point de les battre en la présence d'un Huguenot, d'où vient qu'un jour, se voyans battus en la compagnie d'un certain François, ils lui dirent, nous nous estonnons que le diable nous batte, toi estant avec nous, veu qu'il n'oseroit le faire quand tes compagnons sont présents. Lui se douta incontinent que cela pouvoit provenir de sa religion (car il estoit Calviniste), s'adressant donc à Dieu, il lui promit de se faire Catholique si le diable cessoit de battre ces pauvres peuples en sa présence. Le vœu fait, jamais plus aucun démon ne molesta Amériquain en sa compagnie, d'où vient qu'il se fist Catholique, selon la promesse qu'il en avoit faite. Mais retournons à nostre discours. J'ai veu deux autres fois faire les mesmes sortilèges à nostre magicien prétendu : il garda toutes les cérémonies susdites, horsmis qu'il changea de sort, car une fois il se servit de quatre bastons faits en forme de fuseaux à filer, sinon qu'ils estoient plus gros et qu'ils avoient comme des dents en certains endroicts ; il se servit encore du bout de la queue et du pied d'un porc épic et quelques poils d'orignac ou de porc épic liés ensemble en petit faisseau ; l'autre fois, il se servit encore de ces fuseaux, d'un pied de porc épic ou d'un autre animal, d'os de quelque beste, d'un fer semblable à celui qu'on attache à une porte pour la tirer, et de quelques autres badineries : son valet le renégat lui tenant tout cela prest et battant le tambour pendant que son maistre estoit occupé dans la fosse. Voilà une partie des actions esquelles se retrouvent leurs chants, leurs cris, hurlements et tintamarres.*

Leur religion, ou plustost superstition, consiste encore à prier : mais, ô mon Dieu ! quelles oraisons font ils ? Le matin les petits enfans sortans de la cabane, s'escrient à pleine teste, caronakhi pakhais amisconakhi pakhais mou-

---

ce fust fable, mais j'ai veu par expérience cest esprit avoir esté chassé par un Chrestien en invoquant et prononçant le nom de Jésus Christ. » (*Les Singularitez de la France Antartique*, Paris, 1558, 64), mais il aurait pu lire le même récit dans la *Relation* de Jean de Léry, *Histoire d'un voyage fait en la terre du Brésil, autrement dite Amérique* (1578, p. 263) que cite Lescarbot (*op. cit.*, 674).

sonakhi pakhais, *venez porcs épics, venez castors, venez eslans, voilà toutes leurs prières.*

    Les Sauvages éternuans, et quelque fois mesme en autre temps, disent pendant l'hiver, crians tout haut, ecouetain miraoninam an mirouscamikhi, *je serois bien aise de voir le printemps.*

    D'autres fois je leur ai oui demander le printemps, ou la délivrance du mauvais, et autres choses semblables ; et tout cela se fait par désirs qu'ils expriment, crians tant qu'ils peuvent, je serois bien aise que ce jour continuast, que le vent se changeast ª, *etc. De dire à qui ces souhaits s'adressent, je ne sçaurois, car eux mesmes ne le sçavent pas, du moins ceux à qui je l'ai demandé ne m'en ont peu instruire.*

    J'ai remarqué ci dessus qu'ils prient le Manitou de ne point jetter les yeux sur leurs ennemis, afin qu'ils les puissent tuer. Voilà toutes les prières et oraisons que j'ai oui faire aux Sauvages ; je ne sçai s'ils en ont d'autres, je ne le crois pas. O que je me sentois riche et heureux parmi ces Barbares d'avoir un Dieu à qui je peusse adresser mes souhaits, mes prières et mes vœux ; et qu'ils sont misérables de n'avoir point d'autres désirs que pour la vie présente ! J'oubliois à dire ici, mais je l'ai couché ci dessus, qu'ils ont une image ou espèce de sacrifice, car ils jettent au feu de la gresse qu'ils recueillent sur la chaudière où cuit la viande, faisans cette prière, Papeonekou, Papeonekou, *faites nous trouver à manger, faites nous trouver à manger : je crois qu'ils adressent cette oraison à leur Khichikouai, et peut estre encore les autres. Voici une superstition qui m'a bien ennuyé.*

    Le vingt-quatriesme de Novembre, le Sorcier assembla les Sauvages, et se retrancha avec des robbes et des couvertures en un quartier de la cabane, en sorte qu'on ne le pouvoit voir, ni ses compagnons : il se trouva une femme avec eux qui marquoit sur un baston triangulaire long de demie picque toutes les chansons qu'ils disoient. Je priai une femme de me dire ce qu'ils faisoient dans ces retranchemens : elle me respondit qu'ils prioient, mais je croi qu'elle me fist cette response pource que quand je faisois oraison, eux me demandans ce que je faisois, je leurs disois, nitaiamihian aissi ca khichitai, *je prie celui qui a tout fait,* *et ainsi quand ils chantoient, quand ils hurloient, battans leurs tambours et leurs bastons, ils me disoient qu'ils fai- soient leurs prières, sans me pouvoir expliquer à qui ils les adressoient. Le renégat m'a dit que ceste superstition qui dura plus de cinq heures se faisoit pour un mort, mais comme il ment plus souvent qu'il ne dit vrai, je m'en rap- porte à ce qui en est. Ils appellent cette superstition One- chibouan. En suitte de ces longues oraisons, le Sorcier donna le patron d'un petit sac coupé en forme de jambe à une femme pour en faire un de cuir qu'elle remplit, à mon advis, de poil de castor, car je maniai cette jambe qui me sembla molasse et pleine d'un poil assez doux. Je demandai prou ce que c'estoit, et pourquoi on faisoit ce petit sac tortu*, mais jamais on ne me le voulut dire. Je sçeu seule- ment qu'ils l'appelloient* manitoukaechi, c'est à dire, jambe du Manitou, ou du diable. Elle fut long temps pendue dans la cabane au lieu où s'asseoit le Sorcier ; depuis on la donna à un jeune homme pour la porter pendue au col. Elle estoit des appartenances de ces longues prières que je viens de cotter*, mais je n'ai peu sçavoir à quel dessein cela se faisoit.*

Ils gardent par fois encore [a] *un jeusne fort rigoureux, non pas tous, mais quelques-uns qui ont envie de vivre long temps. Mon hoste voyant que je ne mangeois qu'une fois pendant le Caresme, me dit que quelques-uns d'entre eux jeusnoient pour avoir une longue vie, mais m'adjousta qu'ils se retiroient tous seuls dans une petite cabane à part et que là, ils ne beuvoient ni mangeoient quelque fois huict jours, quelque fois dix jours durant. D'autres m'ont dit qu'ils sortent comme des squelettes* [b] *de cette cabane, et que par fois on en rapporte à demi morts. Je n'ai point veu de ces grands jeusneurs, si bien* de grands disneurs : vrai est* [c] *que je n'ai point de peine à croire cet excès, car toutes les fausses religions sont pleines de puérilités, ou d'excès, ou de saletés.*

J'ai veu faire une autre dévotion au Sorcier, laquelle, comme je crois, n'appartient qu'à ceux de sa profession. On lui dresse une petite cabane esloignée d'un jet de pierre ou de deux des autres, il se retire là dedans pour y demeurer seul huict jours, dix jours, ou plus ou moins. Or vous l'entendez jour et nuict crier, hurler et battre son tambour ; mais il n'est pas tellement solitaire que d'autres ne lui aillent aider à chanter et que les femmes ne le visitent, c'est là où il se commet de grandes saletés.

Les Sauvages sont encore fort religieux envers leurs morts. Mon hoste et le vieillard dont j'ai souvent fait mention m'ont confirmé ce que j'ai desjà escrit une autre fois [20], que le corps mort du défunct ne sort point par la porte ordinaire de la cabane, ains on lève l'escorce de l'endroict où l'homme est mort pour faire passer son cadavre.

De plus, disent-ils, l'âme sort par la cheminée ou par l'ouverture qu'ils font au haut de leurs todis. Ils frappent à coups de bastons sur leurs cabanes afin que cette âme ne tarde point, et qu'elle ne s'accoste de quelque enfant, car elle le feroit mourir. Ils enterrent les robbes, les chaudières et autres meubles avec le trespassé, pource qu'ils l'aiment, et afin aussi qu'il se serve de l'âme de toutes ces choses en l'autre vie. Ils jettent, comme j'ai desjà dit, la meilleure viande qu'ils aient au feu pour en donner à manger à l'âme du défunct qui mange l'âme de ces viandes. Ils n'estendent point les corps de leur long comme nous faisons les ensevelissans, mais ils les accroupissent et les accourcissent comme une personne qui est assise sur les talons ; ils coupent un petit touffet de cheveux du défunct pour présenter à son plus proche parent. Je n'en sçai pas la raison. Mais faisons une autre liste de leurs superstitions et de leur ignorance. Celles que je viens de rapporter concernent en quelque façon leur religion ridicule ; les suivantes se peuvent proprement appeller superstitions.

Les Sauvages ne jettent point aux chiens les os des castors, porcs épics femelles, du moins certains os déterminés, bref ils prennent garde très soigneusement que les chiens ne mangent aucun os des oiseaux et des autres animaux qui se prennent au lacets*, autrement ils n'en prendront plus qu'avec des difficultés incomparables : encore y a il là dedans mille observations, car il n'importe que les vertèbres ou le croupion de ces animaux soient donnés aux chiens, pour le reste, il faut le jetter au feu. Toutefois, pour le castor pris à la rets, c'est le meilleur de jetter les os dans

---

20. Dans sa *Relation de 1633* (RJ, V, 130, repris par SH, 645-646), Charles Lalemant avait déjà parlé des rites de l'inhumation montagnaise : RJ, IV, 200 ; voir aussi CH, I, 19-20.

un fleuve. C'est chose estrange qu'ils recueillent et ramas-
sent ces os, et les conservent avec tant de soing que vous
diriez que leur chasse seroit perdue s'ils avoient contrevenu
à leurs superstitions. Comme je me mocquois d'eux et que
je leurs disois que les castors ne sçavoient pas ce que l'on
faisoit de leurs os, ils me respondirent, tu ne sçais pas
prendre les castors et tu en veux parler : devant que le
castor soit mort tout à fait, me dirent-ils, son âme vient
faire un tour par la cabane de celui qui le tue [21] *et remar-*
que fort bien ce qu'on fait de ses os, que si on les donnoit
aux chiens, les autres castors en seroient advertis, c'est
pourquoi ils se rendroient difficiles à prendre, mais ils sont
bien aises qu'on jette leurs os au feu ou dans un fleuve, la
rets notamment qui les a pris en est bien contente. Je leur
dis que les Hiroquois au rapport de celui qui estoit avec
nous jettoient les os de castor aux chiens et cependant qu'ils
en prenoient fort souvent, et que nos François prenoient
du gibier plus qu'eux sans comparaison et que néantmoins
nos chiens en mangeoient les os. Tu n'as point d'esprit, me
firent-ils, ne vois tu pas que vous et les Hiroquois cultivez
la terre et en recueillez les fruicts, et non pas nous, et
partant que ce n'est pas la mesme chose ? Je me mis à rire
entendant cette response impertinente ; le mal est que je
ne fais que bégayer, que je prends un mot pour l'autre, que
je prononce mal, et ainsi tout s'en va le plus souvent en
risée. Que c'est une grande peine de parler à un peuple
sans l'entendre. De plus, en leurs festins à manger tout,
il faut bien prendre garde que les chiens n'en goustent [a]
tant soit peu, mais de ceci en un autre chapitre [22].

Ils croient que la gresle a de l'esprit et de la cognois-
sance. Comme mon hoste faisoit festin pendant cet hiver,
il dit à un jeune homme, va t'en advertir les Sauvages de
l'autre cabane qu'ils viennent quand ils voudront, que

---

21. À partir d'ici (MS, f° 27, verso, numéroté p. 54), la calligraphie du manuscrit change sensiblement : voir bibliographie, 225.

22. Paul Lejeune est le seul (si on écarte la brève mention qu'en fait Joseph Le Caron in Le Clercq, *op. cit.*, 278-279) à rapporter les prohibitions alimentaires des Montagnais ; on verra plus loin qu'il a pensé un moment qu'on le mettrait à mort pour ne pas s'y être conformé (voir p. 162). Les Amérindiens connaissent aussi des prohibitions linguistiques : on sait qu'ils ne nommaient jamais les morts (voir par exemple, RJ, V, 92, 134 ; VIII, 26 ; et ici p. 148).

*tout est prest, mais ne porte point de flambeau. Il estoit
nuict et il gresloit fort et ferme. J'entends aussi les Sauvages
sortans de leurs cabanes s'escrier à leurs gens, ne nous
esclairez point car il gresle. Je demandai par après la raison
de cela, on me respondit que la gresle avoit de l'esprit
et qu'elle haïssoit la lumière, ne venant ordinairement que
sur la nuict, que si on portoit des flambeaux dehors, elle
cesseroit, dont ils seroient bien marris, car elle sert à prendre l'orignac. Voilà des gens bien entendus aux météores!
Je leur dis que la gresle n'estoit autre chose que l'eau de la
pluie qui se congeloit par la froidure, laquelle s'augmentant sur la nuict par l'éloignement du soleil, il gresloit
plustost [la nuict] qu'en plein midi; ils me repartirent à
l'ordinaire, tu es un ignorant, ne vois tu pas qu'il a fait
froid tout le jour, et que la gresle a attendu la nuict pour
venir? Je voulus repartir que la nuée n'estoit pas encore
disposée, mais on me dit, eca titou, eca titou, nama khitirinisin, tais toi, tais toi, tu n'as pas d'esprit: voilà la monnoie
dont ils me payent et dont ils payent bien souvent les autres
sans s'altérer* [a].*

*Mon hoste coupoit par superstition le bout de la queue
de tous les castors qu'il prenoit et les enfiloit ensemble. Je
demandai pourquoi, le vieillard me dit, c'est une résolution
ou une promesse qu'il a fait afin de prendre beaucoup de
castors. De sçavoir à qui il a fait ce vœu, ni lui ni moi ne le
sçaurions dire.*

*Ils mettent au feu un certain os plat de porc épic puis
ils regardent à la couleur s'ils feront bonne chasse de ces
animaux.*

*Quand quelqu'un de leurs gens s'est égaré dans les bois,
voyans qu'il ne retourne point en la cabane, ils pendent un
fusil à une perche pour le redresser; et cela fait, me
disoient-ils, qu'il voit du feu et qu'il reconnoit son chemin:
quand un esprit s'est une fois égaré du chemin de la vérité,
il donne bien avant dans l'erreur.*

*Mais à propos de leur fusil, je dirai ici qu'il n'est pas
fait comme les nostres: ils ont pour mesche* la peau d'une
cuisse d'un aigle* [b] *avec le duvet qui prend feu aisément;
ils battent deux pierres de mine ensemble, comme nous
faisons une pierre à fusil avec un morceau de fer ou d'acier;
au lieu d'allumettes, ils se servent d'un petit morceau de*

*tondre, c'est un bois pourri et bien séché qui brusle aisé-
ment et incessamment jusques à ce qu'il soit consommé :
ayant pris feu, ils le mettent dans l'escorce de cèdre pulvé-
risée, et soufflans doucement, cette escorce s'enflamme.
Voilà comme ils font du feu. J'avois porté un fusil françois
avec moi et cinq ou six allumettes : ils s'estonnoient de la
promptitude avec laquelle j'allumois du feu ; le mal fut
que mes allumettes furent bien tost usées, ayant manqué
d'en porter un peu davantage.*

*Ils ont encore une autre espèce de fusil : ils tournent
un petit baston de cèdre, de ce mouvement sort du feu qui
allume du tondre ; mais comme je n'ai point veu l'usage
de ce fusil plus familier aux Hurons qu'aux Montagnais,
je n'en dirai pas davantage* [23].

*Quand quelqu'un d'eux a pris un ours, il y a bien des
cérémonies devant qu'il soit mangé. Un de nos gens en
prit un. Voici ce qu'on observa.*

*Premièrement l'ours estant tué, celui qui l'a mis à mort
ne l'apporte point, mais il s'en revient à la cabane en
donner la nouvelle, afin que quelqu'un aille voir la prise
comme chose précieuse, car les Sauvages préfèrent la chair
d'ours à toutes leurs autres viandes : il me semble que le
jeune castor ne lui cède en rien, mais l'ours a plus de
gresse, voilà pourquoi il est plus aimé des Sauvages.*

*Secondement l'ours apporté, toutes les filles nubiles
et les jeunes femmes mariées qui n'ont point encore eu
d'enfans, tant celles de la cabane où l'ours doit estre mangé
que des autres voisines, s'en vont dehors et ne rentrent
point tant qu'il y reste aucun morceau de cet animal dont
elles ne goustent point. Il neigeoit* [a] *et faisoit un temps fort
fascheux, il estoit quasi nuict quand* [b] *cet ours fut apporté
en nostre cabane : tout à l'heure, les femmes et les filles
sortirent et s'en allèrent cabaner ailleurs le mieux qu'elles
peurent, non sans pâtir beaucoup, car ils n'ont pas tousjours
des escorces à leur commandement* pour dresser leur
maison qu'ils couvrent, en tel cas, de branches de sapin.*

*En troisiesme lieu, il faut bien esloigner les chiens de
peur qu'ils ne lèchent le sang ou ne mangent les os, voire*

23. Sur le fusil huron, voir SH, 180-181.

les excrémens de cette beste, tant elle est chérie. On enterre
ceux ci soubs le foyer, et on jette ceux là au feu. Voilà ce
que j'observai en cette superstition. On fist deux banquets
de cet ours, l'ayant fait cuire en deux chaudières, quoi
qu'en mesme temps. On invita les hommes et les femmes
âgées au premier festin, lequel achevé, les femmes sortirent,
puis on dépendit l'autre chaudière dont on fist festin à
manger tout entre les hommes seulement. Cela se fist le soir
de la prise. Le lendemain sur la nuict, ou le second jour,
je ne m'en souviens pas bien, l'ours estant entièrement
mangé, les jeunes femmes et les filles retournèrent.

Si l'oiseau qu'ils nomment ouichcatechan, *qui est quasi*
de la grosseur d'une pie et qui lui ressemble (car il est gris
aux endroicts que la pie est noire, et blanc où elle est
blanche), se présente pour entrer dans leur cabane, ils le
chassent fort soigneusement, pource, disent-ils, qu'ils
auroient mal à la teste : ils n'en donnent point de raison,
ils l'ont, si on les croit, expérimenté. Je les ai veu prendre
le gésier de cet animal, le fendans et regardans dedans fort
attentivement ; mon hoste me dit, si je trouve dedans un
petit os d'orignac (car cet oiseau mange de tout), je tuerai
un orignac, si je trouve un os d'ours, je tuerai un ours, et
ainsi des autres animaux.

Dans la famine que nous avons enduré, nos Sauvages
ne voulurent point manger leurs chiens pource que si on
tuoit un chien pour le manger, un homme seroit tué à
coups de hache, disoient-ils.

Mon hoste jettant quelques branches de pin dans le
feu, il prestoit l'oreille au bruit qu'elles feroient en se
bruslant, prononçant quelques paroles ; je lui demandai
pourquoi il faisoit cette cérémonie, pour prendre des porcs
épics, me respondit-il. De dire quel rapport il y a de ces
branches bruslées avec leur chasse, c'est ce qu'ils ne sçavent
pas, et ne sçauroient sçavoir.

Ils ne mangent point la moelle des vertèbres ou de
l'espine du dos de quelque animal que ce soit, car ils au-
roient mal au dos, et s'ils fourroient un baston dans ces
vertèbres, ils sentiroient une douleur comme si on le
fichoit dans les leurs. Je le faisois exprès devant eux pour
les désabuser, mais un mal d'esprit si grand, comme est

*une superstition invétérée depuis tant de siècles, et succée
avec le laict de la nourrice, ne se guérit pas en un moment.*

*Ils ne mangent point les petits embrions d'orignac
qu'ils tirent du ventre de leurs mères, sinon à la fin de
la chasse de cet animal : la raison est que leurs mères les
aiment et qu'elles s'en rendroient fascheuses et difficiles
à prendre si on mangeoit leur fruict si jeune.*

*Ils ne recognoissent que dix Lunes en l'année, j'entends
la pluspart des Sauvages, car j'ai fait advouer au Sorcier
qu'il y en avoit douze* [a].

*Ils croient que la Lune de Février est plus longue de
plusieurs jours que les autres, aussi la nomment ils la
grande Lune. Je leur ai demandé d'où venoit l'éclypse de
lune et de soleil, ils m'ont respondu que la lune s'éclypsoit
ou paroissoit noire à cause qu'elle tenoit son fils entre
ses bras, qui empeschoit que l'on ne vist sa clarté. Si la
lune a un fils, elle est mariée* [b] *leur dis-je, oui dea ! me
dirent-ils, le soleil est son mari qui marche tout le jour,
et elle toute la nuict ; et s'il s'éclypse ou s'il s'obscurcit,
c'est qu'il prend aussi par fois le fils qu'il a eu de la
lune entre ses bras. Oui, mais ni la lune ni le soleil n'ont
point de bras, leur disois-je* [c] *; tu n'as point d'esprit : ils
tiennent toujours leurs arcs bandés devant eux, voilà pourquoi leurs bras ne paroissent point. Et sur qui veulent ils
tirer ? Hé ! qu'en sçavons nous* [24] *! Je leur demandai que
vouloient dire ces taches qui se font voir en la lune : tu
ne sçais rien du tout, me disoient-ils, c'est un bonnet* [d] *qui*

---

24. Lejeune écrira dans sa *Relation de 1637* : « Voici une admirable
raison de l'Eclipse du Soleil : ils disent qu'il y a un certain
soit homme, soit autre créature, qui aime fort les hommes ; il
est très fasché contre une très-méchante femme, et par fois
mesme il lui prend envie de la tuer : mais il en est retenu
pource qu'il tueroit le jour, et introduiroit sur la terre une
nuit éternelle : ceste meschante est la femme du Manitou, c'est
elle qui fait mourir les Sauvages. Le Soleil est son cœur et par
conséquent qui la tueroit feroit mourir le Soleil pour un jamais.
Par fois cet homme se faschant contr'elle, et la menaçant de
mort, son cœur tremble, et paslit : et c'est de là, disent-ils,
qu'on void quand le Soleil s'esclypse. [...] Ils varient si fort en
leur créance que on ne peut rien avoir de certain de ce qu'ils
croient : hélas ! le moyen de trouver de la certitude dedans
l'erreur » (RJ, XII, 30). Mais lors de l'éclipse de lune du 4 avril
1642, il reprendra la version qu'il donne ici (RJ, XXII, 294).

*lui couvre la teste et non pas des taches. Je m'enquis pour-
quoi le fils de la lune et du soleil n'estoit pas luisant comme
ses parens, ains noir et obscur : nous n'en sçavons rien,
me firent-ils, si nous avions esté au ciel nous te respon-
drions. Au reste, ils croient qu'il vient quelque fois en
terre et quand il se pourmène en leur pays, ils meurent
en grand nombre. Je leur ai demandé s'ils n'avoient point
veu de comètes, ces estoiles à longue queue, et ce que
c'estoit : nous en avons veu, me dirent-ils, c'est un animal
qui a une grande queue, quatre pieds et une teste, nous
voyons tous cela, disoient-ils.*

*Je les interrogeai sur le tonnerre, ils me dirent qu'ils
ne sçavoient pas quel animal c'estoit, qu'il mangeoit les
serpents et quelque fois les arbres, que les Hurons croient
que c'est un oiseau fort grand, induits à cette créance par
un bruit sourd que fait une espèce d'hirondelle qui paroist ici l'esté : je n'ai point veu de ces oiseaux en France,
j'en ai tenu ici. Il a le bec et la teste, et la figure du corps,
comme une hirondelle, sinon qu'il est un peu plus gros.
Il se pourmène le soir en l'air, faisant un bruit pesant par
reprises. Les Hurons disent qu'il fait ce bruit du derrière,
comme aussi l'oiseau qu'ils pensent estre le tonnerre, et
qu'il y a qu'un seul homme qui voie cet oiseau, et encore
une fois en sa vie : c'est ce que m'en dit mon vieillard.*

*Voilà une partie de leurs superstitions. Que de pous-
sière dedans leurs yeux, et qu'il y aura de peine à la faire
sortir pour leur faire voir le beau jour de la vérité. Je crois
néantmoins que qui sçauroit parfaictement leur langue
pour les payer promptement de bonnes raisons, qu'ils se
mocqueroient eux mesmes de leurs sottises, car par fois
je les rendois honteux et confus, quoi que je ne parle quasi
que par les mains, je veux dire par signes.*

*Je veux conclure ce chapitre par un estonnement : on
se plaint en France d'une messe si elle passe une demie
heure, le sermon limité d'une heure semble par fois trop
long, à peine exerce t'on ces actes de religion une fois la
semaine, et ces pauvres ignorants crient et hurlent à toute
heure.*

*Le Sorcier les assemble souvent en plein minuict, à
deux heures, à trois heures du matin, dans un froid qui
gèle tout ; jour et nuict, il les tient en haleine, employant*

*non une ou deux heures, mais trois et quatre de suitte, à
faire leurs dévotions ridicules. On fait sortir les pauvres
femmes de leurs cabanes, se levans en pleine nuict, em-
portans leurs petits enfans parmi les neiges chez leurs voisins. Les hommes harrassés du travail du jour, ayans peu
mangé et courru fort long temps, au moindre cri qu'on
leur fait, quittent leur sommeil et s'en viennent promptement au lieu ou se fait le Sabbat, et ce qui semblera au
de là de toute créance, je n'ai jamais veu former aucune
plainte parmi eux, ni aux femmes, ni aux hommes, ni
mesme aux enfans, chacun se montrant prompt et allègre
à la voix du Sorcier ou du jongleur. Hélas ! mon Dieu, les
âmes qui vous aiment seront elles sans sentiment, voyans
plus de passion pour des folies que pour la vérité ? Bélial
est il plus aimable que Jésus ? Pourquoi donc est il plus
ardamment aimé, obéi plus promptement, et plus dévo-
tement adoré ? Mais passons outre.*

5

Des choses bonnes
qui se trouvent dans les Sauvages

Si nous commençons par les biens du corps, je dirai qu'ils les possèdent avec avantage : ils sont grands, droicts, forts, bien proportionnés, agiles, rien d'efféminé ne paroist en eux. Ces petits Damoiseaux qu'on voit ailleurs ne sont que des hommes en peinture à comparaison de nos Sauvages. J'ai quasi creu autre fois que les images des Empereurs Romains représentoient plustost l'idée des peintres que des hommes qui eussent jamais esté, tant leurs testes sont grosses et puissantes, mais je vois ici sur les espaules de ce peuple les testes de Jules Cécar, de Pompée, d'Auguste, d'Othon et des autres que j'ai veu en France tirées sur le papier ou relevées en des médailles.

Pour l'esprit des Sauvages, il est de bonne trempe ; je crois que les âmes sont toutes de mesme estoc et qu'elles ne diffèrent point substantiellement, c'est pourquoi, ces Barbares ayans un corps bien fait et les organes bien rangés et bien disposés, leur esprit doit opérer avec facilité : la seule éducation et instruction leur manque, leur âme est un sol très bon de la nature, mais chargé de toutes les malices[a] *qu'une terre délaissée depuis la naissance du monde peut porter. Je compare volontiers nos Sauvages avec quelques villageois, pource que les uns et les autres sont ordinairement sans instruction, encore nos paysans sont ils précipués* en ce point, et néantmoins je n'ai veu personne jusques ici de ceux qui sont venus en ces contrées qui ne confesse et qui n'advoue franchement que les Sauvages ont plus d'esprit que nos paysans ordinaires.*

De plus, si c'est un grand bien d'estre délivré d'un grand mal, nos Sauvages sont heureux, car les deux tyrans qui donnent la géhenne et la torture à un grand nombre de nos Européans ne règnent point dans leurs grands bois,

*j'entends l'ambition et l'avarice. Comme ils n'ont ni police,
ni charges, ni dignités, ni commandement aucun, car ils
n'obéissent que par bien-veillance à leur Capitaine, aussi
ne se tuent ils point pour entrer dans les honneurs ; d'ailleurs, comme ils se contentent seulement de la vie, pas un
d'eux ne se donne au diable pour acquérir des richesses.*

*Ils font profession de ne se point fascher, non pour la
beauté de la vertu dont ils n'ont pas seulement le nom,
mais pour leur contentement et plaisir, je veux dire pour
s'affranchir des amertumes que cause la fascherie. Le Sorcier me disoit un jour, parlant d'un de nos François, il n'a
point d'esprit, il se fasche, pour moi rien n'est capable de
m'altérer : que la famine nous presse, que mes plus proches
passent en l'autre vie, que les Hiroquois nos ennemis mas-
sacrent nos gens, je ne me fasche jamais. Ce qu'il dit n'est
pas article de foi, car comme il est plus superbe qu'aucun
Sauvage, aussi l'ai je veu plus souvent altéré que pas un
d'eux ; vrai est que bien souvent il se retenoit et se commandoit avec violence, notamment quand je mettois au
jour ses niaiseries. Je n'ai jamais veu qu'un Sauvage prononcer cette parole,* ninichcatisin, *je suis fasché, encore ne
la proféra il qu'une fois, mais j'advertis qu'on prit garde
à lui, car quand ces Barbares se faschent, ils sont dangereux
et n'ont point de retenue.*

*Qui fait profession de ne se point fascher doit faire
profession de patience* [1]. *Les Sauvages nous passent tellement en ce poinct que nous en devrions estre confus : je
les voyois dans leurs peines, dans leurs travaux, souffrir
avec allégresse. Mon hoste admirant la multitude du
peuple que je lui disois estre en France, me demandoit si
les hommes estoient bons, s'ils ne se faschoient point, s'ils
estoient patients. Je n'ai rien veu de si patient qu'un Sauvage malade : qu'on crie, qu'on tempeste, qu'on saute,
qu'on dance, il ne se plaint quasi jamais. Je me suis trouvé
avec eux en des dangers de grandement souffrir : ils me
disoient, nous serons quelque fois deux jours, quelque fois
trois sans manger, faute de vivre, prends courage,* chibiné,
*aie l'âme dure, résiste à la peine et au travail, garde toi de
la tristesse, autrement tu seras malade : regarde que nous*

---

1. En 1633, il avait déjà remarqué la patience des Amérindiens,
et en particulier l'ordre de leurs ménages ; voir **RJ**, V, 104, 132.

ne laissons pas de rire quoi que nous mangions peu. Une chose presque seule les abbat, c'est quand ils voient qu'il y a de la mort, car ils la craignent outre mesure ; ostez cette appréhension aux Sauvages, ils supporteront toutes sortes de mespris et d'incommodités, et toutes sortes de travaux et d'injures* fort patiemment. Je produirai plusieurs exemples de tout ceci dans la suitte du temps[2] que je réserve à la fin de ces Chapitres.

Ils s'entraiment les uns les autres, et s'accordent admirablement bien : vous ne voyez point de disputes, de querelles, d'inimitiés, de reproches parmi eux. Les hommes laissent la disposition du mesnage aux femmes sans les inquiéter : elles coupent, elles tranchent, elles donnent comme il leur plaist, sans que le mari s'en fasche. Je n'ai jamais veu mon hoste demander à une jeune femme estourdie qu'il tenoit avec soi, que devenoient les vivres, quoi qu'ils diminuassent assez viste. Je n'ai jamais oui les femmes se plaindre de ce que l'on ne les invitoit aux festins, que les hommes mangeoient les bons morceaux, qu'elles travailloient incessamment, allans quérir le bois pour le chauffage, faisans les cabanes, passans les peaux et s'occupans en d'autres œuvres assez pénibles : chacun fait son petit affaire doucement et paisiblement sans dispute. Il est vrai néantmoins qu'ils n'ont point de douceur ni de courtoisie en leurs paroles, et qu'un François ne sçauroit prendre l'accent, le ton et l'aspreté de leur voix, à moins que de se mettre en cholère, eux cependant ne s'y mettent pas.

Ils ne sont point vindicatifs entr'eux, si bien* envers leurs ennemis. Je coucherai ici un exemple capable de confondre plusieurs Chrestiens. Dans les pressures de nostre famine, un jeune Sauvage d'un autre quartier nous vint voir ; il estoit aussi affamé que nous. Le jour qu'il vint[3], fut un jour de jeusne pour lui et pour nous, car il n'y avoit de quoi manger. Le lendemain, nos chasseurs ayans pris quelques castors, on fit festin, auquel il fut bien traitté ; on lui dit en outre qu'on avoit veu les pistes d'un orignac, et qu'on l'iroit chasser le lendemain ; on l'invita à demeurer, et qu'il en auroit sa part. Lui respon-

---

2. C'est-à-dire le journal qu'on lira au chapitre XIII.
3. Le 9 janvier 1634 ; voir p. 167s.

dit qu'il ne pouvoit estre davantage. S'estant donc ᵃ *enquis du lieu où estoit la beste, il s'en retourna. Nos chasseurs ayans trouvé et tué le lendemain cest eslan, l'ensevelirent dans la neige selon leur coustume, pour l'envoyer quérir au jour suivant. Or pendant la nuict, mon jeune Sauvage cherche si bien qu'il trouve la beste morte et en enlève une bonne partie sans dire mot. Le larcin cogneu par nos gens, il n'entrèrent point en des furies, ne donnèrent aucune malédiction au voleur : toute leur cholère fut de se gausser de lui, et cependant c'estoit presque nous oster la vie que de nous dérober nos vivres, car nous n'en pouvions recouvrer. A quelque temps de là, ce voleur nous vint voir ; je lui voulus représenter la laideur de son crime : mon hoste m'imposa silence et ce pauvre homme, rejettant son larcin sur les chiens, non seulement fut excusé, mais encore receu pour demeurer avec nous dans une mesme cabane. Il s'en alla donc quérir sa femme qu'il apporta sur son dos, car elle a les jambes sans mouvement, et une jeune parente qui demeure avec lui apporta son petit fils, et tous quatre prirent place en nostre petit todis sans que jamais on leur ait reproché ce larcin, ains au contraire, on leur a tesmoigné très bon visage et les a on traittés comme ceux de la maison. Dites à un Sauvage qu'un autre Sauvage a dit pis que pendre de lui, il baissera la teste et ne dira mot ; s'ils se rencontrent par après tous deux* ᵇ*, ils ne feront non plus de semblant de cela, comme si rien n'avoit esté dit, ils se traitteront comme frères : ils n'ont point de fiel envers [ceux de] leur nation.*

Ils sont fort libéraux entr'eux, voire ils font estat de ne rien aimer, de ne point s'attacher aux biens de la terre, afin de ne se point attrister s'ils les perdent. Un chien déchira n'a pas long temps une belle robbe de castor à un Sauvage : il estoit le premier à s'en rire. L'une de leurs grandes injures parmi eux, c'est de dire, cet homme aime tout, il est avare. Si vous leur refusez quelque chose, voici leur reproche, comme je remarquai l'an passé, khisa khitan sakhita, *tu aime cela, aime le tant que tu voudras. Ils n'ouvrent point la main à demi quand ils donnent, je dis entr'eux, car ils sont ingrats au possible envers les estrangers. Vous leur verrez nourrir leurs parens, les enfans de leurs amis, des femmes vesves, des orphelins, des vieillards, sans jamais leur rien reprocher, leur donnans abondam-*

ment, quelque fois des orignaux tous entiers : c'est véritablement une marque d'un bon cœur et d'une âme généreuse.

Comme il y a plusieurs orphelins parmi ce peuple, car depuis qu'ils se sont adonnés aux boissons de vin et d'eau de vie, ils meurent en grand nombre, ces pauvres enfans sont dispersés dans les cabanes de leurs oncles, de leurs tantes ou autres parents : ne pensez pas qu'on les rabroue, qu'on leur reproche qu'ils mangent les vivres de la maison, rien de tout cela, on les traitte comme les enfants du père de famille, ou du moins peu s'en faut, on les habille le mieux qu'on peut.

Ils ne sont point délicats en leurs vivres, en leur coucher et en leurs habits, mais ils ne sont pas nets. Jamais ils ne se plaignent de ce qu'on leur donne, qu'il soit froid, qu'il soit chaud, il n'importe ; quand la chaudière est cuitte, on la partage sans attendre personne, non pas mesme le maistre de la maison : on lui garde sa part qu'on lui présente toute froide. Je n'ai point oui plaindre mon hoste de ce qu'on ne l'attendoit pas [a], quoi qu'il deut bien tost revenir, ou de ce que l'on ne l'appelloit pas, n'estant qu'à deux pas de la cabane. Ils couchent sur la terre bien souvent, à l'enseigne des estoiles. Ils passeront un jour, deux et trois sans manger [b], ne laissans pas de ramer, chasser et se peiner tant qu'ils peuvent. L'on verra dans la suitte de cette Relation que tout ce que j'ai dit en ce Chapitre est très véritable, et néantmoins je n'oserois asseurer que j'aie veu exercer aucun acte de vraie vertu morale à un Sauvage [4] : ils n'ont que leur seul plaisir et contentement en veue, adjoustez la crainte de quelque blasme et la gloire de paroistre bons chasseurs, voilà tout ce qui les meut dans leurs opérations.

---

4. Le théologien, qui scolastique ici, se contredira spontanément plus loin (p. 167), reconnaissant aux Montagnais une des trois théologales, la charité.

6

De leurs vices et de leurs imperfections

Les Sauvages estans remplis d'erreurs, le sont aussi de superbe et d'orgueil. L'humilité naist de la vérité, la vanité de l'erreur et du mensonge : ils sont vuides de la cognoissance de la vérité, et par conséquent très remplis d'eux mesmes. Ils s'imaginent que par droit de naissance ils doivent jouir de la liberté des asnons sauvages, ne rendans aucune sujétion [a] *à qui que ce soit, sinon quand il leur plaist : ils m'ont reproché cent fois que nous craignons nos Capitaines, mais pour eux qu'ils se mocquoient et se gaussoient des leurs ; toute l'authorité* [b] *de leur chef est au bout de ses lèvres : il est aussi puissant qu'il est éloquent, et quand il s'est tué de parler et de haranguer, il ne sera pas obéi s'il ne plaist aux Sauvages.*

Je ne croi pas qu'il y ait [c] *de nation soubs le ciel plus mocqueuse et plus gausseuse que la nation des Montagnais. Leur vie se passe à manger, à rire et à railler les uns des autres, et de tous les peuples qu'ils cognoissent ; ils n'ont rien de sérieux, sinon par fois l'extérieur, faisans parmi nous les graves et les retenus, mais entr'eux sont de vrais badins, de vrais enfans qui ne demandent qu'à rire. Je les faschois quelque fois un petit, notamment le Sorcier, les appelant des enfans, leurs témoignant que je ne pouvois asseoir aucun jugement asseuré sur toutes leurs responses, car si je leur demandois d'un, ils me disoient d'autre, pour trouver subject de rire et de gausser, et par conséquent je ne pouvois cognoistre quand ils parloient sérieusement ou quand ils se mocquoient. La conclusion ordinaire de leurs discours et de leurs entretiens est : En vérité nous nous sommes bien mocqués d'un tel.*

J'ai fait voir dans mes lettres précédentes [1] *combien les Sauvages sont vindicatifs envers leurs ennemis, avec quelle rage et quelle cruauté ils les traittent, les mangeans après leur avoir fait souffrir tout ce qu'un démon incarné pourroit inventer. Cette fureur est commune aux femmes, aussi bien qu'aux hommes, voire mesme elles les surpassent en ce poinct. J'ai dit qu'ils mangent les poux qu'ils trouvent sur eux non pour aucun goust qu'ils y trouvent, mais pource qu'ils veulent mordre ceux qui les mordent.*

Ce peuple est fort peu touché de compassion, quand quelqu'un est malade dans leurs cabanes, ils ne laissent pas pour l'ordinaire de crier, de tempester et de faire autant de bruit comme si tout le monde estoit en santé ; ils ne sçavent que c'est de prendre soing d'un pauvre malade et de lui donner des viandes [a] *qui lui sont bonnes : s'il demande à boire, on lui en donne, s'il demande à manger,*

1. RJ, V, 26-32, 48-50. Lors de son arrivée en Nouvelle-France, le 18 juin 1632, les Montagnais venaient de capturer neuf Iroquois, et trois de ceux-ci se trouvaient à Tadoussac (voir INP à Hiroquois, le jeune H. anonyme) ; Lejeune a été profondément choqué aussi bien des mœurs guerrières des Amérindiens que de l'attitude de ses compagnons. Dans sa *Brève relation de 1632*, il écrit : « Il n'y a cruauté semblable à celle qu'ils exercent contre leurs ennemis. Si tost qu'ils les ont pris ils leurs arrachent les ongles à belles dents ; je vis les doigts de ces pauvres misérables qui me faisoient pitié, et une plaie assez grande au bras de l'un d'eux, on me dit que c'estoit une morsure de celui qui l'avoit pris ; l'autre avoit une partie du doigt emporté, et je lui demandai si le feu lui avoit fait cela, je croyois que ce fust une bruslure, il me fit signe qu'on lui avoit emporté la pièce avec les dents. Je remarquai la cruauté mesme des filles et des femmes, pendant que ces pauvres prisonniers dançoient : car comme ils passoient devant le feu, elles soufloient et poussoient la flamme dessus eux pour les brusler. Quand ils les font mourir, ils les attachent à un poteau, puis les filles aussi bien que les hommes leur appliquent des tisons ardents et flambans aux parties les plus sensibles du corps, aux costes, aux cuisses, à la poitrine et en plusieurs autres endroits ; ils leurs lèvent la peau de la teste, puis jettent sur le crane ou le test découvert du sable tout bruslant ; ils leurs percent les bras au poignet avec des bastons pointus et leurs arrachent les nerfs par ces trous. Bref, ils les font souffrir tout ce que la cruauté et le Diable leur met en l'esprit. En fin pour dernière catastrophe, ils les mangent et les dévorent quasi tout crus. Si nous estions pris des Hiroquois, peut estre nous en faudroit-il passer par là, pour autant que nous demeurons avec les Montagnards leurs ennemis » (RJ, V, 28-30).

*on lui en présente, sinon on le laisse là. De l'inviter avec
amour et charité, c'est un langage qu'ils n'entendent pas.
Tant qu'un malade pourra manger, ils le porteront ou le
traisneront avec eux ; cesse il de manger, ils croient* [a] *que
c'est fait de sa vie : ils le mettent à mort, tant pour le délivrer du mal qu'il endure que pour se soulager de la peine
qu'ils ont de le porter quand ils vont en quelqu'autre endroict* [2]. *J'ai admiré avec compassion la patience des malades que j'ai veu parmi eux.*

*Les Sauvages sont mesdisans au de là de ce qu'on en
peut penser ; je dis mesme les uns des autres : ils n'espar-
gnent pas leurs plus proches. Ils sont avec cela fort dissi-
mulés, car si l'un mesdit d'un autre, ils s'en mocquent à
gorge déployée : si l'autre paroist là dessus, il lui tesmoi-
gnera autant d'affection et le traittera avec autant d'amour
comme s'il l'avoit mis jusques au troisiesme ciel à force de
le louer. La raison de ceci provient à mon advis de ce que
leurs détractions et mocqueries ne sortent point d'un cœur
enfielé, ni d'une bouche empestée, mais d'une âme qui
dit ce qu'elle pense pour se donner carrière et qui veut
tirer du contentement de tout, voire mesme des mesdisances et des gausseries ; c'est pourquoi ils ne se troublent
point, quoi qu'on leur die que d'autres se sont mocqués
d'eux ou qu'ils ont blessé leur renommée : tout ce qu'ils
repartent ordinairement à ces discours, c'est* nama irinisiou,
*il n'a point d'esprit, il ne sçait ce qu'il dit, et à la première
occasion ils payeront leur détracteur en mesme monnoie,
lui rendans le réciproque.*

*La menterie est aussi naturelle aux Sauvages que la
parole, non pas entr'eux, mais envers* [b] *les estrangers ; en
suitte de quoi l'on peut dire que la crainte est l'espoir* [c],
*en un mot que l'intérêt est la mesure de leur fidélité :
je ne me voudrois confier en eux qu'autant qu'ils crain-
droient d'estre punis s'ils manquoient à leur devoir, ou*

2. L'abandon ou la mise à mort du moribond doit être mise en
   parallèle avec la notion culturelle de vie, ou de limite entre
   la vie et la mort, cette limite variant aussi bien pour des raisons
   géo-physiques qu'ethnologiques. Selon Biard, les Souriquois
   inversaient le raisonnement : « Or est la coustume que dès aussi
   tost que les autmoins ont sententié la maladie ou la plaie estre
   mortelle, dès lors le patient ne mange plus — aussi ne lui donne
   on rien » (MA, 143).

qu'ils espèreroient d'estre récompensés s'ils estoient fidèles.
Ils ne sçavent que c'est d'estre secrets *, de tenir leur pa-
role et d'aimer avec constance, notamment ceux qui ne
sont pas de leur nation, car ils sont de bon accord parmi
eux, et leurs mesdisances et railleries n'altèrent point leur
paix et leur bonne intelligence.

Je dirai en passant que les Sauvages Montagnais ne
sont point larrons : l'entrée leur est libre dans les demeures
des François parce qu'ils ont la main seure. Mais pour les
Hurons, si on avoit autant d'yeux qu'ils ont de doigts aux
mains, encore ne les empescheroit on pas de desrober, car
ils desrobent avec les pieds : ils font profession de ce mestier
et en suitte d'estre battus si on les descouvre. Car comme
j'ai desjà remarqué, ils porteront les coups que vous leur
donnerez patiemment, non pas en recognoissance de leur
péché, mais en punition de leur stupidité, s'estans laissés
surprendre en leur larcin ³. *Je laisserai à parler d'eux aux*
Pères qui les sont allés voir, dont j'envierois la condition,
n'estoit que celui qui nous assigne nos départemens est
toujours adorable, quelque part ou portion qu'il nous
donne ⁴.

Il est du manger parmi les Sauvages comme du boire
parmi les ivrognes d'Europe : ces âmes seiches et toujours
altérées expireroient volontiers dans une cuve de malvoi-
sie*, et les Sauvages dans une marmitte pleine de viande ;
ceux là ne parlent que de boire, et ceux ci que de manger.
C'est faire une espèce d'affront à un Sauvage de refuser les
morceaux qu'il présente. Un certain, voyant que j'avois
remercié mon hoste qui me présentoit à manger, me dit, tu
ne l'aime pas, puis que tu l'esconduis. Je lui dis que nostre
coustume n'estoit pas de manger à toutes heures, que néant-
moins je prendrois ce qu'il me donneroit, pourveu qu'il
m'en donnast guères souvent. Ils se mirent tous à rire, et

---

3. Dans sa *Relation de 1633* : RJ, V, 122, 242. Voir encore SH,
   379-382.
4. Le départ pour la Huronie de Jean de Brébeuf, Antoine Daniel
   et Ambroise Davost sera décrit dans les dernières pages de la
   Relation (voir INP à ces noms et plus loin, p. 181). Cette partie
   de la *Relation* a donc été composée après le 7 ou le 15 juillet.
   Dans la lettre qu'il lui écrit en même temps que cette *Relation*,
   Lejeune demandera franchement à « celui qui nous assigne nos
   départemens », son Provincial, d'être relevé de ses fonctions de
   Supérieur (RJ, VI, 60-62).

*une vieille me dit que si je voulois estre aimé de leur
nation, il falloit que je mangeasse beaucoup. Quand vous
les traittez bien, ils témoignent le contentement qu'ils
prennent en vostre festin par ces paroles,* tapoué nimitison,
*en vérité je mange, comme si leur souverain contentement
estoit en cette action, et à la fin du banquet, ils diront pour
action de grâces,* tapoué nikhispoun, *véritablement je suis
saoul, c'est à dire, tu m'as bien traitté, j'en ai jusques à
crever : j'ai desjà me semble remarqué ceci [5]. Ils croient
que c'est bestise et stupidité de refuser le plus grand contentement qu'ils puissent avoir en leur paradis, qui est le
ventre. Je m'écrierois volontiers : O juste jugement de
Dieu ! que ce peuple qui met sa dernière fin à manger soit
tousjours affamé et ne soit point repeu que comme les
chiens, car leurs festins les plus splendides ne sont pour
ainsi dire que les os et les reliefs* des tables d'Europe. La
première action qu'ils font le matin à leur resveil, c'est
d'estendre le bras à leur escuelle d'escorce garnie de chair
et puis de manger. Au commencement que je fus avec eux,
je voulus introduire la coustume de prier Dieu devant que
de manger, et de fait je donnois la bénédiction quand ils
le vouloient faire, mais l'Apostat me dit, si vous voulez
prier autant de fois qu'on mangera dans la cabane, prépa-
rez vous à dire vostre bénédicité plus de vingt fois avant la
nuict. Ils finissent le jour comme ils le commencent : ils
ont encore le morceau à la bouche ou le calumet pour
pétuner quand ils mettent la teste sur le chevet* pour
reposer.*

*Les Sauvages ont tousjours esté gourmands, mais depuis
la venue des Européans, ils sont devenus tellement ivrognes, qu'encore qu'ils voient bien que ces nouvelles boissons de vin et d'eau de vie qu'on leur apporte dépeuplent
leurs pays [6], et qu'eux mesmes s'en plaignent, ils ne sçauroient s'abstenir de boire, faisans gloire de s'enivrer et
d'enivrer les autres. Il est vrai qu'ils meurent en grand
nombre, mais je m'estonne encore comme ils peuvent si*

5. C'est ce qu'il faisait dire à Manitougatche dans sa *Relation*
   de 1633 (RJ, V, 94) ; il le reprendra plus haut p. 88.
6. « Les indigènes ni les Français n'avaient encore compris que la
   crise de dépopulation était causée par les maladies européennes,
   contre lesquelles les indigènes restaient tout à fait dépourvus ;
   telle maladie, comme la grippe la plus anodine, conduisait
   l'Amérindien à la mort » (TR, 403).

long temps résister, car donnez [a] *à deux Sauvages deux et trois bouteilles d'eau de vie, ils s'assoiront et sans manger boiront l'un après l'autre, jusques à ce qu'ils les aient vuidées. La Compagnie de ces Messieurs est merveilleusement louable de défendre la traitte de ces boissons. Monsieur de Champlain fait très sagement de tenir la main que ces défences soient gardées. J'ai appris que monsieur le Général du Plessis les a fait observer à Tadoussac* [7]. *On m'avoit dit que les Sauvages estoient assez chastes* [8]. *Je ne parlerai pas de tous, ne les ayant pas tous fréquentés, mais ceux que j'ai conversés* sont fort lubriques, et hommes et femmes. Dieu quel aveuglement ! quel bonheur du peuple Chrestien ! quel chastiement de ces Barbares* [b] *! Au lieu que par admiration nous disons assez souvent, Jésus qu'est ce là ! Mon Dieu qui a fait cela ? ces vilains et ces infâmes prononcent les parties deshonnestes de l'homme et de la femme. Ils ont incessamment la bouche puante de ces ordures, et mesmes jusques aux petits enfans. Aussi leur disois-je par fois que si les pourceaux et les chiens sçavoient parler, ils tiendroient leur langage. Il est vrai que si l'impudique Sorcier ne fust pas venu dans la cabane où j'estois, j'avois gaigné cela sur mes gens qu'aucun n'osoit parler de choses deshonnestes en ma présence, mais cet impudent authorisoit les autres. Les femmes un peu âgées se chauffent presquent toutes nues ; les filles et les jeunes femmes sont à l'extérieur très honnestement couvertes, mais entr'elles leurs discours sont puants comme des cloaques. Il faut néantmoins advouer que si la liberté de se gorger de ces*

7. Les Amérindiens ne connaissent pas l'alcool avant la venue des Européens, mais y prennent vite goût et l'exigent des traiteurs comme valeur d'échange : l'alcool devient ainsi essentiel à la traite des fourrures et par conséquent à l'économie de la colonie pour laquelle il est en même temps un danger permanent (le 1er juillet 1633, un Montagnais assassine un Français dans son ivresse ; voir RJ, V, 222) ; comme les autorités coloniales veulent éviter tout conflit de justice avec les Amérindiens (qui ne connaissent ni l'emprisonnement ni la peine de mort), ils tenteront contradictoirement de s'opposer au trafic de l'alcool. Les missionnaires, qui ne défendent pas les mêmes intérêts, s'y opposeront toujours franchement et énergiquement (RJ, V, 46-50, 222, 230 ; XXII, 240 ; etc.).

8. Ce n'était ni l'opinion de Champlain (CH, IV, 83s.) ni celle de Charles Lalemant qui leur prêtait toutes les perversités (RJ, IV, 196s.) ; mais on s'accorde en général sur la tranquillité de leur vie sexuelle (voir TR, 385).

*immondices estoit parmi quelques Chrestiens comme elle
est parmi ces peuples, on verroit bien d'autres monstres
d'excès qu'on ne voit pas ici, veu mesme que nonobstant
les lois Divines et humaines, la dissolution y marche plus
à descouvert que non pas ici, car les yeux n'y sont pas offen-
cés. Le seul Sorcier a fait en ma présence quelque action
brutale, les autres battoient seulement mes oreilles, mais
s'appercevans que je les entendois, ils en estoient honteux* [9].*

*Or comme ces peuples cognoissent bien cette corrup-
tion, ils prennent plustost les enfans de leurs sœurs pour
héritiers que leurs propres enfans, ou de leurs frères, révo-
quans en doute la fidèlité de leurs femmes, et ne pouvans
doubter que ces nepveux ne soient tirés de leur sang : aussi
parmi les Hurons, qui sont plus sales que nos Montagnais,
pource qu'ils sont mieux nourris, l'enfant d'un Capitaine
ne succède pas à son père, mais le fils de sa sœur* [10].*

*Le Sorcier me disant un jour que les femmes
l'aimoient (car au dire des Sauvages, c'est son* a *génie que
de se faire aimer de ce sexe), je lui dis que cela n'estoit pas
beau qu'une femme aimast un autre que son mari, et que
ce mal estant parmi eux, lui mesme n'estoit pas asseuré
que son fils qui estoit là présent fust son fils. Il me repartit :
tu n'as point d'esprit, vous autres François, vous n'aimez
que vos propres enfans, mais nous, nous chérissons univer-
sellement tous les enfans de nostre nation. Je me mis à rire,
voyant qu'il philosophoit en cheval et en mulet.*

*Après toutes ces belles qualités, les Sauvages en ont
encore une autre plus onéreuse que celles dont nous avons
parlé, mais non pas si meschante : c'est leur importunité
envers les estrangers. J'ai coustume d'appeller ces contrées
là, le pays d'importunité envers les estrangers, pource que
les mouches, qui en sont le symbole et le hiérogliphe, ne
vous laissent reposer ni jour ni nuict ; pendant quelques
mois de l'esté, elles nous assaillent avec telle furie et si con-*

9. Ce passage a choqué Sagard : « Il y en a qui veulent dire en
   suitte de la mauvaise opinion qu'ils ont de ces filles, qu'on
   entend que salletés dans les cabanes des Montagnais ; pour moi,
   j'y ai passé plusieurs jours et ne l'ai point apperceu, je confesse
   bien que je n'entendois pas leur langue, sinon fort peu de mot,
   mais je croi que le Truchement m'en eut averti » (SH, 383).
10. Champlain fait les mêmes observations et le même raisonnement
   (CH, IV, 84).

*tinuellement qu'il n'y a peau qui soit à l'espreuve de leur
aiguillon : tout le monde leur paye de son sang pour tribut.
J'ai veu des personnes si enflées après leurs picqueures
qu'on croyoit qu'ils perdroient les yeux qui ne paroissoient
quasi plus. Or tout cela n'est rien, car enfin cette importunité se chasse avec de la fumée ᵃ que les mouches ne sçauroient supporter, mais ce remède attire les Sauvages : s'ils
sçavent l'heure de vostre disner, ils viennent tout exprès
pour avoir à manger ; ils demandent incessamment, mais
avec des presses si réitérées que vous diriez qu'ils vous tiennent tousjours à la gorge : faites leur voir quoi que ce soit,
s'il est tant soit peu à leur usage, ils vous diront, l'aime tu ?
donne le moi.*

*Un certain me disoit un jour qu'en son pays on ne
sçavoit point conjuguer le verbe* do *au présent, encore
moins au prétérit : les Sauvages ignorent tellement cette
conjugaison qu'ils ne vous donneroient point la valeur
d'une obole s'ils ne croient ᵇ, pour ainsi dire, retirer une
pistole. Ils sont ingrats au dernier poinct ᶜ. Nous avons ici
tenu et nourri fort long temps nostre Sauvage malade ¹¹
qui se vint jetter entre nos bras pour mourir Chrestien
(comme j'ai remarqué ci dessus) : tous ses compatriotes
estoient estonnés du bon traittement que nous lui faisions.
Ses enfans, en considération, apportèrent un peu de chair
d'eslan. On leur demanda ce qu'ils vouloient en eschange
(car les présents des Sauvages sont des marchés) : ils demandèrent du vin et de la poudre à Canon. On leur repartit ᵈ
qu'on ne leur en pouvoit donner, que s'ils vouloient autre
chose que nous eussions, on leur donneroit très volontiers,
on leur donna fort bien à manger, et pour conclusion ils
remportèrent leurs viandes puisqu'on ne leur donnoit ce
qu'ils demandoient, menaçans qu'ils viendroient requérir
leur père, ce qu'ils firent, mais le bon homme ne voulut
pas nous quitter. De cet échantillon, jugez de la pièce.*

*Or ne pensez pas qu'ils se comportent ainsi entr'eux :
au contraire, ils sont très recognoissants, très libéraux et
nullement importuns envers ceux de leur nation. S'ils se
comportent ainsi envers nos François et envers les autres
estrangers, c'est à mon advis que nous ne voulons pas nous
allier avec eux comme frères, ce qu'ils souhaitteroient*

---

11. Manitougatche. Voir INP à ce nom, et plus haut, p. 12-16.

grandement, mais ce seroit nous perdre en trois jours : car ils voudroient que nous allassions avec eux manger de leurs vivres tant qu'ils en auroient, et ils viendroient aussi manger les nostres tant qu'ils dureroient, et quand il n'y en auroit plus, nous nous mettrions [a] *tous à en chercher d'autres. Voilà leur vie qu'ils passent en festins pendant qu'ils ont de quoi ; mais comme nous n'entendons rien à leur chasse et que ce procédé n'est pas louable, on ne veut pas leur prester l'oreille. C'est pourquoi ne nous tenans point comme de leur nation, ils nous traittent à la façon que j'ai dit. Si un estranger quel qu'il soit se jette de leur parti, ils le traitteront comme eux. Un jeune Hiroquois* [12], *auquel ils avoient donné la vie, estoit comme enfant de la maison. Que si vous faites vostre mesnage à part, mesprisans leurs lois ou leurs coustumes, ils vous succeront s'ils peuvent jusques au sang. Il n'y a mouche, ni guespe, ni taon si importun qu'un Sauvage.*

Je suis tantost las de parler de leurs désordres : disons quelque chose de leur saleté et puis finissons ce Chapitre.

Ils sont sales en leurs habits, en leurs postures, en leurs demeures et en leur manger, et cependant il n'y a aucune incivilité parmi eux, car tout ce qui donne du contentement aux sens passe pour honneste.

J'ai dit qu'ils sont sales en leurs demeures : l'advenue de leurs cabanes est une grange à pourceaux. Jamais ils ne balisent [b] *leur maison, ils la tapissent au commencement de branches de pin, mais au troisiesme jours ces branches sont pleines de poils, de plumes, de cheveux, de coupeaux, de raclures de bois, et cependant ils n'ont point d'autres sièges, ni d'autres licts pour se coucher, dont l'on peut voir de quelle saleté peuvent estre chargés leurs habits : vrai est que ces ordures et saletés ne paroissent pas tant dessus leurs robbes que dessus les nostres.*

Le Sorcier quittant nostre cabane pour un temps, me demanda mon manteau, pource qu'il faisoit froid, disoit-il, comme si j'eusse esté plus dispensé des lois de l'hiver que non pas lui. Je lui prestai. S'en estant servi plus d'un mois, en fin il me le rendit si vilain et si sale que j'en estois honteux, car les flegmes* et autres immondices qui le cou-

---

12. Voir INP à Hiroquois, le jeune H. anonyme.

vroient lui donnoient une autre teinture. Le voyant en cet estat, je le dépliai exprès devant lui, afin qu'il le vit. Cognoissant bien ce que je voulois dire, il me dit fort à propos, tu dis que tu veux estre Montagnais et Sauvage comme nous, si cela est, ne sois pas marri d'en porter l'habit, car voilà comme sont faites nos robbes.

Quant est de leur posture, elle suit la douceur de leur commodité et non les règles de la bienséance : les Sauvages ne préfèrent jamais ce qui est honneste à ce qui est délectable. J'ai veu souvent le prétendu magicien couché tout nud, hormis un méchant brayer plus sale qu'un torchon de cuisine, plus noir qu'un écouillon de four, retirer une de ses jambes contre sa cuisse et mettre l'autre sur son genouil relevé, haranguant ses gens en cette posture ; son auditoire n'avoit pas plus de grâce.

Pour leur manger, il est tant soit peu plus net que la mangeaille que l'on donne aux animaux et non pas encore tousjours. Je ne dis rien par exaggération : j'en ai gousté et vescu quasi six mois durant. Nous avions trois escrouellés en nostre cabane : le fils du Sorcier qui les avoit à l'oreille d'une façon fort sale et pleine d'horreur, son nepveu qui les avoit au col, une fille qui les avoit soubs un bras. Je ne sçai si ce sont vraies escrouelles ; quoi qu'il en soit, ce mal est plein de pus, couvert d'une croute fort horrible à voir : ils en sont quasi tous frappés en leur jeunesse, tant pour leur saleté que pource qu'on ne fait point de difficulté de boire et de manger avec des malades. Je les ai veu cent fois patrouiller* dans la chaudière où estoit nostre boisson commune, y laver leurs mains, y boire à pleine teste comme les bestes ª, rejetter leurs restes là dedans, comme c'est la coustume des Sauvages, y fourrer des bastons demi bruslés et pleins de cendre, y plonger de leur vaisselle d'escorce pleine de gresse, de poils ᵇ d'orignaux, de cheveux, y puiser de l'eau avec des chaudrons ᶜ noirs comme la cheminée, et après tout cela, nous beuvions tous de ce brouet, noir comme de l'ambroisie. Ce n'est pas tout : ils rejettent là dedans les os qu'ils ont rongé, puis vous mettent de l'eau ou de la neige dans la chaudière, la font bouillir, et voilà de l'hypocras*. Un certain jour, des souliers venans d'estre quittés tombèrent dans nostre boisson, ils se lavèrent à leur aise, on les retira sans autre cérémonie, puis on beut après eux comme si rien ne fust arrivé.

*Je ne suis pas bien délicat, si est ce que je n'eus point de
soif tant que cette malvoisie* dura.*

*Jamais ils ne lavent leurs mains exprès pour manger,
encore moins leur chaudière, et point du tout la viande
qu'ils font cuire, quoi que le plus souvent (je le dis comme
je l'ai veu cent et cent fois), elle soit toute couverte de
poils de bestes et de cheveux de leurs testes. Je n'ai jamais
beu aucun bouillon parmi eux qu'il ne m'ait fallu jetter
quantité de ces poils et de ces cheveux, et bien d'autres
ordures, comme des charbons, de petits morceaux de bois
et mesme du baston dont ils attisent le feu et remuent bien
souvent ce qui est dans la chaudière : je les ai veu par fois
prendre un tison ardant, le mettre dans la cendre pour
l'esteindre, puis, quasi sans le secouer, le tremper dans la
chaudière où trempoit nostre disner.*

*Quand ils font seicherie de la chair, ils vous jetteront
par terre tout un costé d'orignac, ils le battent avec des
pierres, ils marchent dessus, le foulent avec leurs pieds
tout sales, les poils d'hommes et de bestes, les plumes
d'oiseaux s'ils en ont tué, la terre et la cendre, tout cela
s'incorpore avec la viande qu'ils font quasi durcir comme
du bois à la fumée, puis quand ils viennent à manger de ce
boucan*, tout s'en va de compagnie dans l'estomach, car ils
n'ont point d'eau de despart : en un mot ils croient que
nous n'avons point d'esprit de laver nostre viande, car une
partie de la gresse s'en va tousjours avec l'eau.*

*Quand la chaudière commence à bouillir, ils recueillent
l'escume fort soigneusement, et la mangent avec délices.
Ils m'en présentoient avec faveur, je la trouvois bonne
durant nostre famine, mais depuis, venant par fois à les
remercier de ce présent, ils m'appelloient superbe et
orgueilleux. Ils chassent aux rats et aux souris par plaisir,
comme aux lièvres, et les trouvent également bons.*

*Les Sauvages ne mangent pas comme nos François dans
un plat ou autre vaisselle commune à tous ceux qui sont à
table : l'un d'entr'eux descend la chaudière de dessus le
feu et fait les parts à un chacun, présentant par fois la
viande au bout d'un baston, mais le plus souvent sans
prendre ceste peine, il vous jettera une pièce de chair toute
bruslante et pleine de gresse comme on jetteroit un os à
un chien, disant,* nakhimitechimi, *tiens voilà ta part, voilà*

ta nourriture. Si vous estes habiles hommes, vous la retenez
avec les mains, sinon garde que la robbe ne s'en sente ou
que les cendres ne servent de sel puis que les Sauvages n'en
ont point d'autre.

Je me suis veu bien empesché au commencement, car
n'osant couper la chair qu'il me donnoit dans mon plat
d'escorce de peur de le blesser, je ne sçavois comment en
venir à bout, n'ayant point d'assiette. En fin il se fallut faire
tout à tous, devenir Sauvage avec les Sauvages : je jettai les
yeux sur mon compagnon, puis je taschai d'estre aussi
brave homme que lui. Il prend sa chair à pleine main, et
vous la couppe morceaux après morceaux, comme on feroit
une pièce de pain, que si la chair est un peu dure ou qu'elle
cède au cousteau pour estre trop molasse, ils vous la tiennent d'un bout par les dents et de l'autre avec la main
gauche, puis la main droitte joue là dessus du violon, se
servant de cousteau pour archet : et ceci est si commun
parmi les Sauvages qu'ils ont un mot propre pour expri-
mer cette action que nous ne pouvons expliquer qu'en
plusieurs paroles et par circumlocution. Si vous esgarez
vostre cousteau, comme il n'y a point de cousteliers dans
ces grands bois, vous estes condamnés à prendre vostre
portion à deux belles mains et à mordre dans la chair et
dans la gresse aussi bravement, mais non pas si honnestement, que vous feriez dans un quartier de pomme. Dieu
sçait si les mains, si la bouche et une partie de la face
reluisent par après ! Le mal est que je ne sçavois à quoi
m'essuyer : de porter du linge, il faudroit un mulet ou
bien faire tous les jours la lessive, car en moins de rien tout
se change en torchon de cuisine dans leurs cabanes. Pour
eux, ils torchent leurs mains à leurs cheveux qu'ils nourrissent fort long, d'autres fois à leurs chiens ; je vis une
femme qui m'apprit un secret : elle nettoya ses mains à
ses souliers, je fis le mesme. Je me servois aussi de poil
d'orignac et de branches de pin, et notamment de bois
pourri pulvérisé : ce sont les essuiemains des Sauvages ; on
ne s'en sert pas si doucement comme d'une toile d'Hollan-
de, mais peut estre plus gaiement et plus joyeusement.
C'est assez parlé de ces ordures.

7

Des viandes et autres mets
dont mangent les Sauvages,
de leur assaisonnement et de leurs boissons

Entre les animaux terrestres, ils ont des eslans, qu'on appelle ordinairement ici des orignaux, des castors, que les Anglois nomment des bièvres, des cariboux ª, *qualifiés par quelques-uns asnes sauvages ; ils ont encore des ours, des bléreaux, des porcs épics, des renards, des lièvres, des siffleurs ou rossignols, c'est un animal plus gros qu'un lièvre ; ils mangent en outre des marthes et des escurieux de trois espèces.*

Pour les oiseaux, ils ont des outardes, des oies blanches et grises, des canards de plusieurs espèces, des sarcelles, des bernaches, des plongeurs de plusieurs sortes : ce sont tous oiseaux de rivière. Ils prennent encore des perdrix ou des gelinottes grises, des beccasses et beccassines de quantité d'espèces, des tourterelles, etc.

Quand au poisson, ils prennent en un temps des saulmons de diverses sortes, des loups marins, des brochets, des carpes et esturgeons de diverses espèces, des poissons blancs, des poissons dorés, des barbues, des anguilles, des lamproies, de l'esplanc, des tortues et autres.

Ils mangent en outre quelques petits fruicts de la terre, des framboises, des bleues, des fraises, des noix qui n'ont quasi point de chair, des noisettes, des pommes sauvages plus douces que celles de France, mais beaucoup plus petites, des cerises dont la chair et le noyau ensemble ne sont pas plus grosses que les noyaux des bigarreaux de France. Ils ont encore d'autres petits fruicts sauvages de diverses sortes, des lambruches en quelques endroicts ; bref, tout ce qu'ils ont de fruict (ostez les fraises et les framboises qu'ils ont en quantité) ne vaut ᵇ *pas une seule espèce des moindres fruicts de l'Europe.*

Ils mangent en outre des racines comme des oignons[a],
*des martagons** rouges, une racine qui a goust de reglisse,
une autre que nos François appellent des chapelets pource
qu'elle est distinguée* par nœuds en forme de grains, et
quelques autres en petit nombre.*

*Quand la grande famine les presse ils mangent des
raclures ou des escorces d'un certain arbre qu'ils nomment
michtan, lequel ils fendent au printemps pour en tirer
un suc doux comme du miel ou comme du sucre, à ce que
m'ont dit quelques-uns, mais à peine s'amusent ils à cela
tant il en coule peu.*

*Voilà les viandes et autres mets dont se repaissent les
Sauvages des contrées où nous sommes. J'obmets sans doute
plusieurs autres espèces d'animaux, mais ils ne me revien-
nent pas maintenant en la mémoire.*

*Outre ces vivres que ce peuple tire de son pays sans
cultiver la terre, ils ont encore des farines et des bleds
d'Inde qu'ils troquent pour des peaux d'orignac avec les
Hurons qui descendent jusques à Kébec ou jusques aux
Trois Rivières. Ils acheptent encore du pétun de cette nation qui quasi tous les ans en apporte* [b] *en grande quantité.*

*De plus, ils ont de nos François de la galette, du biscuit,
du pain, des pruneaux, des pois, des racines, des figues et
choses semblables. Voilà dequoi se nourrit ce pauvre peuple.*

*Quant à leurs boissons, ils n'en font aucune ni de
racines, ni de fruicts, se contentans d'eau pure. Il est vrai
que le bouillon dans lequel ils ont cuit la viande et un
autre bouillon, qu'ils font d'os d'eslan concassés et brisés,
servent aussi de boisson. Un certain villageois disoit en
France que s'il eust esté roi, il n'eust beu que de la gresse :
les Sauvages en boivent assez souvent, voire mesme ils la
mangent et mordent dedans quand elle est figée comme
nous mordrions* [c] *dans une pomme. Quand ils ont fait
cuire un ours bien gras ou deux ou trois castors dans une
chaudière, vous les verriez ramasser et recueillir la gresse
sur le bouillon avec une large cuiller de bois et gouster
cette liqueur comme le plus doux parochimel qu'ils aient.
Quelque fois, ils en remplissent un grand plat d'escorce
qui fait la ronde à l'entour des conviés au festin et chacun
en boit avec plaisir. D'autres fois* [d], *ayans ramassé cette
gresse toute pure, ils jettent dedans quantité de neige, ce*

qu'ils font encore dans le bouillon gras quand ils veulent boire un peu froid. Vous verriez de gros morceaux de gresse figée sur ce breuvage, et néantmoins ils le boivent et l'avalent comme de l'hypocras. Voilà à mon advis toutes les sortes de boissons qui se retrouvent parmi nos Sauvages, et dont ils m'ont fait gouster en hiver. Il a esté un temps qu'ils avoient horreur de nos boissons d'Europe, mais ils se vendroient maintenant pour en avoir tant ils les aiment. Je me suis quasi oublié de dire qu'ordinairement ils boivent chaud ou tiède : ils me tançoient par fois, me voyans boire de l'eau froide, me disans que je serois maigre et que cela me refroidiroit jusques dans les os.

De plus, ils n'entremeslent point le manger et le boire comme nous, mais on distribue premièrement la chair ou les autres mets, puis ayans mangé ce qu'ils veulent, on partage le bouillon, ou on le met en certain endroict et chacun y va boire qui veut.

Disons pour conclusion de ce poinct que les Sauvages, avec tant d'animaux, tant d'oiseaux et de poissons, sont quasi tousjours affamés ; la raison est que les oiseaux et les poissons sont passagers, s'en allans et retournans à certain temps, et avec cela ils ne sont pas grands gibboyeurs, et encore moins bons mesnagers, car ce qu'ils tuent en un jour ne void pas l'autre, excepté l'eslan et l'anguille [a] dont ils font seicherie quand ils en ont en grande abondance, si bien que pendant le mois de Septembre et Octobre, ils vivent pour la pluspart d'anguilles fraisches en Novembre, Décembre et souvent en Janvier, ils mangent leurs anguilles boucanées et quelques porcs épics qu'ils prennent pendant les petites neiges, comme aussi quelques castors s'ils en trouvent. Quand les grandes neiges sont venues, ils mangent l'orignac frais, ils le font seicher pour se nourrir le reste du temps jusques en Septembre, avec quelques oiseaux, quelques ours et castors qu'ils prennent au printemps et pendant l'esté : or si toutes ces chasses ne donnent point (ce qui n'arrive que trop souvent pour eux) ils souffrent grandement [b] [1].

---

1. Champlain nous donne la même description de l'économie des nomades montagnais : CH, III, 162s. Sagard, après avoir comparé les Hurons à la noblesse du pays et les Algonquins à sa bourgeoisie, note : « Pour les Montagnais, Canadiens et autres peuples errants, nous les mettons au rang de villageois et du petit peuple, car ils sont en effet les plus pauvres, misérables

J'ai encore à parler de l'assaisonnement de leurs viandes avant que d'estre au bout de ce Chapitre.

Je le dis en deux mots : toutes leurs sausses et fricassées se font avec l'eau sans sel, je veux dire qu'ils ne mangent ordinairement que du bouilli. Leur cuisine est bien tost apprestée. Ils vous jettent de l'eau dans une chaudière, mettent la beste qui vient d'estre escorchée là dedans, le plus souvent ne la font cuire qu'à demi, et tout est prest.

Ils font aussi par fois rostir de la viande fraische, la transperçans d'un baston qu'ils fischent en terre auprès du feu, la retournans de temps en temps afin qu'elle ne se brusle point, et qu'elle cuise par tout. Ils se servent encore d'une corde qu'ils attachent à une perche au dessus du feu ou à costé, et au bout d'en bas, ils lient une pièce de chair, ou un petit castor, ou un porc épic, ou une beste ᵃ *d'orignac toute entière grosse comme une beste de bœuf, lui donnans le bransle par reprise pour la faire tourner ; et ainsi sans broche leur rosti cuit assez bien.*

Je leur ai veu quelque fois découper en petits morceaux un castor ou autre viande desjà cuite, puis la jetter dans du sang d'orignac qu'ils font à demi bouillir : et voilà d'un excellent hachis.

Le pain, les pois, la farine [de bled] d'Inde et choses semblables se cuisent en l'eau ; s'ils ont quelque gresse ou morceaux de chair ou d'anguille, ils l'entremeslent, et leur festin est excellent.

Quant à leur boucan, j'entends leur chair et leurs anguilles seichées à la fumée, ils les mangent le plus souvent sans leur faire voir le feu. Cela est dur comme bois, hormis les endroicts pleins de gresse ; et quand j'en tirois quelque pièce avec les dents, il me sembloit que je mangeois du chanvre fumé ou de l'estoupe, car la chair s'en va comme filace.

et nécessiteux de tous, sont très-peu en nombre et comme gredins et vagabonds, courent les champs et les forests, en petites trouppes, pour trouver à manger, n'ont point de provision, ni lieu arresté, et meurent de faim la plupart du temps, à cause qu'ils ne cultivent point les terres, et que comme nos gueux, s'ils ont de quoi un jour, ils se donnent au cœur joie, pour mourir de faim l'autre » (SH, 367-368).

*D'autres fois ils font bouillir ce boucan, jettans par fois
hors leurs cabanes ce bouillon comme estant trop aigu et
trop amer, tant pour la fumée que pour la cendre incorpo-
rée dans cette chair sale comme les rues. Ils le mettent
encore sur les charbons ou dans le feu mesme, puis ils le
mangent estant un petit plus cuit et plus salit qu'il n'estoit
auparavant. Voici l'une de leurs grandes délices : ils pillent
et froissent cette chair boucanée entre deux pierres ; cela
s'en va en estoupe dans la gresse fondue, et voilà le manger
des demi dieux. Je n'en ai gousté que deux fois. La première, à peine en pouvois je manger. Ce qu'ayant tesmoigné
par mesgarde, ne sçachant pas que c'estoit leur nectar, je
fus bien relevé de sentinelle, car on me dit que j'estois un
superbe, que je n'avois point d'esprit, que je ne sçavois pas
ce qui estoit bon, que c'estoit un festin de Capitaine. Ce
sont les caresses des Sauvages. Ils les faut recevoir comme ils
les donnent sans se fascher.*

8

De leurs festins

Il n'y a que les chasseurs effectivement et ceux qui l'ont esté qui soient ordinairement conviés aux festins, les femmes vesves y vont aussi, notamment si ce n'est pas un festin à manger tout ; les filles, les femmes mariées et les enfans en sont quasi tousjours exclus : je dis quasi tousjours, car par fois on les invite. Je leur ai veu faire des acou magou chanay [a], *c'est à dire des festins à ne rien laisser, ausquels tout le monde se trouvoit, hommes, femmes et petits enfans. Quand ils ont grande abondance de vivres, les femmes font quelque fois des festins par entr'elles où les hommes ne se trouvent* [b] *point.*

Leur façon d'inviter est sans fard et sans cérémonie : quand tout est cuit et prest à manger (car on n'invite personne auparavant), quelqu'un s'en va par les cabanes où sont ceux qui doivent estre conviés, ou bien mesme on leur criera ce mot du lieu où se fait le festin : tchinaton nigaoni naonau, *vous estes invités au banquet, les hommes auxquels ce mot s'adresse respondent,* ho ho, *et prenans sur l'heure mesme leur plat d'escorce et leur cuiller de bois, s'en viennent en la cabane de celui qui les traitte. Quand tous les hommes ne sont pas invités, on nomme ceux qu'on veut convier. Le défaut de cérémonie fait espargner beaucoup de paroles à ces bonnes gens : il me semble qu'au siècle d'or on faisoit comme cela, sinon que la netteté y estoit en plus grande recommandation que parmi ces peuples.*

Dans tous les festins, comme aussi dans leurs repas ordinaires, on donne à un chacun sa part, d'où vient qu'il n'y en a que deux ou trois qui aient les meilleurs morceaux, car ils ne les divisent point ; ils donneront par exem-

ple la langue d'un orignac et toutes ses appartenances à une seule personne, la queue et la teste d'un castor à un autre : voilà les meilleures pièces qu'ils appellent mascanou, la part du Capitaine. Pour les boyaux gras de l'orignac, qui sont leurs grandes délices, ils les font ordinairement rostir et en font gouster à tous, comme aussi d'un autre mets dont ils font grand estat : c'est le gros boyau de la beste rempli de gresse, et rosti avec une corde dont j'ai parlé au Chapitre précédent [a].

Au reste ils sont magnifiques* en ces festins, car ils ne présentent que les bonnes viandes, les séparans exprès, et donnans à chacun très abondamment quand ils en ont.

Ils ont deux sortes de festins, les uns à manger tout, les autres à manger ce qu'on voudra, remportant le reste pour en faire part à leur famille. Cette dernière façon me semble louable, car il n'y a point d'excès, chacun prend autant qu'il lui plaist de la portion qui lui est donnée : voire, j'oserois dire que c'est une belle invention pour conserver l'amitié entr'eux, et pour se nourrir les uns les autres, car ordinairement les pères de famille ne mangent qu'une partie de leurs mets, portans le reste à leurs femmes et à leurs enfans. Le mal est qu'ils faisoient [b] trop souvent de ces festins dans la famine que nous avons enduré. Si mon hoste prenoit deux, trois et quatre castors, tout aussi tost, fut il jour, fut il nuict, on en faisoit festin à tous les Sauvages voisins, et si eux avoient pris quelque chose, ils en faisoient de mesme à mesme temps, si que sortant d'un festin vous allez à un autre, et par fois encore à un troisiesme et un quatriesme. Je leur disois qu'ils ne faisoient pas bien et qu'il valoit mieux réserver ces festins aux jours suivans, et que ce faisant nous ne serions pas tant pressés de la faim ; ils se mocquoient de moi : demain, disoient-ils, nous ferons encore festin de ce que nous prendrons. Oui, mais le plus souvent ils ne prenoient que du froid et du vent.

Pour leurs festins à ne rien laisser, ils sont très blâmables, et c'est néantmoins l'une de leurs grandes dévotions, car ils font ces festins pour avoir bonne chasse. Il se faut bien donner de garde que les chiens n'en goustent tant soit peu : tout seroit perdu, leur chasse ne vaudroit rien. Et remarquez que plus ils mangent, plus ce festin est efficace.

De là vient qu'ils donneront [a] *à un seul homme ce que je
ne voudrois pas entreprendre de manger avec trois bons
disneurs : ils crèveroient plustost, pour ainsi dire, que de
rien laisser. Vrai qu'ils se peuvent aider les uns les autres :
quand quelqu'un n'en peut plus, il prie son compagnon de
l'assister, ou bien l'on fait passer son reste par devant les
autres qui en prennent chacun une partie. Et après tout
cela s'il en reste on le jette au feu. Celui qui mange le plus
est le plus estimé. Vous les entendez raconter leurs proues-
ses de gueule, spécifians la quantité et les parties de la beste
qu'ils ont mangé. Dieu sçait quelle musique après le banquet : car ces Barbares donnent toute liberté à leur estomach et à leur ventre de tenir le langage qui leur plaist
pour se soulager. Quant aux odeurs qu'on sent pour lors
dans leurs cabanes, elles sont plus fortes que l'odeur des
roses, mais elles ne sont pas si douces. Vous les voyez haleter
et souffler comme des gens remplis jusques au gosier, et de
fait, comme ils sont nuds, je les voyois enfler* [b] *jusques à
la gorge ; encore ont ils du courage là dedans, leur cœur
retient ce qu'on lui donne : je n'ai veu que l'estomach du
Sorcier mescontent de ce qu'on lui avoit donné ; quantité
d'autres en approchoient de bien près, mais ils tenoient
bon. J'en ai veu par fois de malades après ces excès.*

*Mais venons à l'ordre qu'ils gardent en ces banquets.
Ceux qu'on doit traitter estans conviés à la façon que j'ai
dit, ils s'en viennent avec leur* ouragan *ou escuelle et leur
cuiller ; ils entrent dans la cabane sans cérémonie, chacun
prenant sa place comme il vient. Ils s'assoient en rond à
l'entour de la chaudière qui est sur le feu, renversant leur
plat devant eux, leurs sièges, c'est la terre couverte de branches de pin ; il n'y a point de préséance, toutes les parties
d'un cercle sont aussi courbées et aussi nobles* [c] *les unes que
les autres. Quelque fois, l'un d'eux dira à celui qui entre*
outay appitou, *viens ici, sieds toi là* [d]. *Chacun ayant pris
sa place et s'estant assis en forme de guenon*, retirant ses
jambes contre ses cuisses. Si c'est un festin à manger tout,
on ne dit mot, on chante seulement, et s'il y a quelque Sorcier ou Manitouhiou* [e], *il bat son tambour ; vrai est qu'ils
ne sont pas tousjours si religieux qu'ils ne tiennent quelque
petit discours. Si le festin n'est pas à ne rien laisser, ils
s'entretiennent un peu de temps de leurs chasses ou d'autres
choses semblables, le plus souvent de gausseries.*

Après quelques discours, le distributeur du festin, qui est ordinairement celui qui le fait, descend la chaudière de dessus le feu, ou les chaudières s'il y en a plusieurs, les mettant devant soi, et lors il fait quelque harangue ou se met à chanter, et tous les assistans avec lui. Quelque fois, il ne fait ni l'un ni l'autre, mais seulement il dit les mots de l'entrée du festin qui ne s'obmettent jamais, c'est à dire qu'il déclare de quoi il est composé : par exemple, il dira, hommes qui estes ici assemblés, c'est un tel qui fait le festin ; ils respondent tous du fond de l'estomach, hô-ô-ô ; le festin est composé de chair de Castor ; ils poussent de rechef leur aspiration, hô-ô-ô ; il y a aussi de la farine de bled d'Inde ; hô-ô-ô, respondent-ils à chaque diversité de mets.

Pour les festins moins solemnels, celui qui le fait s'adressant à quelqu'un de ses amis ou de ses parens, il lui dira, mon cousin, ou mon oncle, voilà le castor que j'ai pris, nous le mangerons maintenant, et alors tout le monde dit son hô-ô-ô, et voilà le festin ouvert, duquel on ne sort point que les mots par lesquels on le conclud ne soient dicts. Cela fait, le distributeur ramasse quelque fois la gresse de dessus la chaudière et la boit lui tout seul, d'autres fois il en fait part à ses amis, quelque fois il en remplit un grand et profond plat qui se présente à tous les conviés, comme j'ai dit, et chacun en boit sa part. Si le festin est de pois, de farine de bled d'Inde ou de choses semblables demi liquides, il prend les ouragans ou escuelles d'un chacun, et distribue la chaudière le plus esgalement qu'il lui est possible, leurs rendant leurs plats bien garnis, sans regarder par quel bout il commence. Il n'y a ni honneur ni blasme d'estre parti le premier ou le dernier. Si le festin est de viande, il la tire avec un baston pointu, la met dans des plats d'escorces devant soi, puis ayant jetté les yeux sur le nombre des conviés, il la distribue comme il lui plaist, donnant à chacun abondamment, non pas esgalement, car il donnera les friants morceaux à ses confidents, voire mesme quand il a donné à tous une bonne pièce, commençant par ceux qui ne sont pas de sa cabane, il [les] rechargera jusques à deux et trois fois, et non pas les autres : personne ne s'offence de ce procédé, car c'est la coustume.

*Il présente ordinairement la chair au bout d'un baston,
nommant la pièce ou la partie de l'animal qu'il donne en
cette façon : si c'est la teste d'un castor, ou d'asne sauvage,
ou d'autre animal, il dira,* nichta koustigouanimi, *mon
cousin, voilà ta teste, si c'est une espaule, il dira, voilà ton
espaule, si ce sont des boyaux, il en dira de mesme ; d'autres fois, ils disent simplement,* khimitchimi, *voilà ton mets.
Mais prenez garde qu'ils n'ont point l'équivoque en leur
langue que nous avons en la nostre. On raconte d'un certain, lequel rencontrant son ami lui dit par courtoisie, si
j'avois quelque chose digne de vous, je vous invitterois à
desjeuner en nostre maison, mais je n'ai rien du tout ; son
valet l'entendant lui repartit à la bonne foi, excusez moi,
Monsieur, vous avez une teste de veau. Cela dit en langage Montagnais n'a rien de ridicule, pource qu'ils n'ont
point d'équivoque en ces termes, les mots qui signifient
ma teste propre et la teste d'animal qui m'est donnée estans
différents.*

*Celui qui fait le festin et qui le distribue ne fait jamais
sa part : il se contente de voir manger les autres sans se
rien retenir pour soi ; néantmoins quand il y a peu de
vivres, si tost qu'il a tiré la viande de la chaudière, son
voisin ou son ami choisit les meilleurs morceaux par courtoisie et les met à part, puis quand tout est distribué, il
les présente au distributeur mesme, lui disant, un tel,
voilà ton mest ; il respond comme les autres, hô-ô-ô.*

*Ils ont quelques cérémonies que je n'entends pas bien :
faisant festin d'un ours, celui qui l'avoit tué, fist rostir
ses entrailles sur des branches de pin, prononçant quelques paroles que je n'entends pas* [a]. *Il y a quelque grand
mystère là dedans. De plus, on lui donna l'os du cœur de
l'animal qu'il porte dans une petite bource matachiée*,
pendue à son col. Faisant festin d'orignac, celui qui lui
avoit donné le coup mortel et qui faisoit le festin, après
avoir distribué la chair, jetta de la gresse dans le feu,
disant :* papeonekou, papeonekou ; *j'ai desjà expliqué ce
que cela veut dire* [1].

*Le festin distribué, si c'est à manger tout, chacun mange
en silence, quoi que quelques uns ne laissent pas de dire*

---

1. Plus haut, p. 38, puis p. 51 : « faites nous trouver à manger ».

*un petit mot en passant ; aux autres festins, encore qu'il
soit permis de parler ordinairement, ils parlent fort peu,
s'estonnans des François qui causent autant et plus en
table qu'en autre temps : aussi nous appellent ils des oies
babillardes. Leurs bouches sont quasi grosses* [2] *comme des
œufs, et c'est le plaisir qu'ils prennent à gouster et à sa-
vourer ce qu'ils mangent qui leur ferme la bouche et non
l'honnesteté. Vous prendriez trop de plaisir à leur voir
assaillir dans leurs grandes escuelles d'escorce un castor
bouilli ou rosti, notamment quand ils viennent de la
chasse, ou de leur voir estudier un os. Je les ai veus tenir
un pied d'orignac à deux mains par un bout, la bouche
et les dents faisans leur devoir de l'autre, en sorte qu'ils
me sembloient vouloir jouer de ces longues flûtes d'Alle-
magne, sinon qu'ils alloient un peu trop fort pour avoir
long temps bonne haleine. Quand ce qu'ils mangent leur
agrée, vous leur entendez dire de fois à autre, ainsi que
j'ai desjà remarqué,* tapoué nimitison, *en vérité je mange,
comme si on en doubtoit. Voilà le grand tesmoignage
qu'ils rendent du plaisir qu'ils prennent à vostre festin.
Au reste, ayans succé, rongé, brisé les os qui leurs eschéent
pour en tirer la gresse et la moelle, ils les rejettent dans
la chaudière pleine de bouillon qu'ils doivent boire par
après. Il est vrai qu'aux banquets à tout manger ils sont
délivrés de cette incivilité, car il n'y a point d'os.*

*Ayans mangé les mets qu'on a présenté, on distribue
le bouillon de la chaudière dont chacun boit selon sa soif.
Si c'est un banquet de dévotion, c'est à dire à ne rien laisser, quelque fois il faut aussi boire tout le bouillon* [a] *;
d'autres fois il suffit qu'on mange toute la viande, estant
libre de boire ce qu'on voudra du bouillon. Quand le
maistre du festin void qu'on cesse de manger, il dit les
paroles qui terminent le banquet, qui sont celles ci ou
autres semblables :* Egou Khé khioniecou, *or vous vous
en irez, supplé, quand il vous plaira. Le festin conclud,
quelques-uns demeurent un peu de temps pour discourir,
d'autres s'en vont aussi tost, délogeans sans trompette,
c'est à dire qu'ils sortent sans dire mot ; par fois ils disent,*
nikhiouan, *je m'en vai, on leur respond* niagouté, *allez à
la bonne heure : voilà le grand excès de leurs compliments.*

---

2. Il faut probablement lire : quasi *pleines* comme des œufs.

9

De leur chasse et de leur pescherie

Commençons par l'eslan. Quand il y a peu de neige, ils le tuent à coups de flesches. Le premier que nous mangeasmes fut ainsi mis à mort, mais c'est un grand hasard quand ils peuvent approcher de ces animaux à la portée de leurs arcs, car ils sentent les Sauvages de fort loing et courent aussi viste que les cerfs. Quand les neiges sont profondes, ils poursuivent l'eslan à la course et le tuent à coups d'espées qu'ils emmanchent à de longs bastons pour cet effect. Ils dardent ces espées quand ils n'osent ou ne peuvent aborder la beste. Ils poursuivent par fois deux et trois jours un de ces animaux, les neiges n'estans ni assez dures, ni assez profondes ; d'autres fois, un enfant les tueroit quasi, car la neige venant à se glacer après quelque petit dégel ou quelque pluie, elle blesse ces pauvres orignaux qui ne vont pas loing sans estre massacrés.

On m'avoit dit que l'eslan estoit grand comme un mulet d'Auvergne ; il est vrai qu'il a la teste longue comme un mulet, mais je le trouve aussi gros qu'un bœuf. Je n'en ai veu qu'un seul en vie : il estoit jeune, à peine le bois ou les cornes lui sortoient de la teste. Je n'ai point veu en France ni génisse, ni bouvillon, qui approchast de sa grosseur ni de sa hauteur : il est haut monté comme le cerf, son bois est haut branchu et plat en quelque façon, non rond comme celui des cerfs ; je parle des bois que j'ai veu, peut estre y en a il d'autre façon. Quelqu'un m'a dit que la femelle portoit tousjours deux petits, et tousjours masle et femelle ; mes Sauvages, au contraire, disent qu'elle en porte tantost un, tantost deux, et qu'une seule fois ils en ont trouvé trois dans une femelle, ce qui les estonna comme un prodige.

J'ai quelque fois pensé qu'on pourrait [a] avec le temps domestiquer ces animaux, qu'on s'en pourra servir pour le labourage et pour tirer des traisnées sur la neige : ce seroit un grand soulagement.

Quand les Sauvages ont tué plusieurs eslans et passé plusieurs jours en festins, ils pensent à leur provision et à leur seicherie : ils vous estendront sur des perches les deux costés d'un grand orignac, en ayans osté les os ; si la chair est trop épaisse, ils la lèvent par lesches *, et en outre la taillardent afin que la fumée la desseiche et la pénestre par tout. Lors qu'elle commence à se seicher ou boucaner, ils la battent avec des pierres, la foulent aux pieds, afin qu'il n'y demeure dedans aucun suc qui la puisse corrompre. Enfin estant bien boucanée, ils la plient et la mettent en pacquets : voilà leur provision. Le boucan est un pauvre manger ; la chair fraische de l'eslan est fort aisée à digérer, elle ne dure point dans l'estomach, voilà pourquoi les Sauvages ne la font point tant cuire ; pour le goust, il me semble que la chair d'un bœuf ne cède point à la chair d'un bon eslan.

Le castor ou le bièvre se prend en plusieurs façons. Les Sauvages disent que c'est l'animal bien aimé des François, des Anglois et des Basques, en un mot des Européans. J'entendois un jour mon hoste qui disoit en se gaussant, *missi picoutau amiscon*, le castor fait toutes choses [b] parfaictement bien, il nous fait des chaudières, des haches, des espées, des cousteaux, du pain, bref il fait tout. Il se mocquoit de nos Européans qui se passionnent pour la peau de cest animal et qui se battent à qui donnera le plus à ces Barbares pour en avoir ; jusques là que mon hoste me dit un jour, me monstrant un fort beau cousteau, les Anglois n'ont point d'esprit, ils nous donnent vingt cousteaux comme celui là pour une peau de castor.

Au printemps, le castor se prend à l'attrappe amorcée du bois dont il mange. Les Sauvages sont très bien entendus en ces attrappes, lesquelles venans à se détendre, une grosse pièce de bois tombe sur l'animal et l'assomme. Quelque fois les chiens rencontrans le castor hors la cabane le poursuivent et le prennent aisément : je n'ai point veu cette chasse, mais on m'en a parlé, et les Sauvages font grand estat d'un chien qui sent et découvre cet animal.

Pendant l'hiver, ils le prennent à la rets et soubs la glace. Voici comment : on fend la glace en long, proche de la cabane du castor, on met par la fente un rets et du bois qui sert d'amorce ; ce pauvre animal venant chercher à manger s'enlace dans ces filets faits de bonne et forte ficelle double, et encore ne faut il pas tarder à les tirer, car ils seroient bien tost en pièces ; estant sorti de l'eau par l'ouverture faite en la glace, ils l'assomment avec un gros baston.

L'autre façon de les prendre soubs la glace est plus noble. Tous les Sauvages n'en ont pas l'usage, mais seulement les plus habiles. Ils brisent à coups de haches la cabane ou maison du castor qui est en effect admirable : il n'y a mousquet qui la transperce à mon advis. Pendant l'hiver elle est bastie sur le bord de quelque petit fleuve ou d'un estang, faite à double estage, sa figure est ronde, les matériaux dont elle est composée sont du bois et de la terre si bien liés et unis ensemble que j'ai veu nos Sauvages en plein hiver suer pour y faire ouverture à coups de haches. L'estage d'en bas ª est dans ou sur le bord de l'eau, celui d'en haut est au dessus du fleuve. Quand le froid a glacé les fleuves et les estangs, le castor se tient retiré en l'estage d'en haut où il a fait provision de bois pour manger pendant l'hiver ; il ne laisse pas néantmoins de descendre de cest estage en celui d'en bas et de celui d'en bas, il se glisse soubs les glaces par des trous qui sont en ce bas estage et qui respondent soubs les glaces : il sort pour boire et pour chercher du bois qu'il mange, lequel croist sur les rives des estangs et dans les estangs mesmes ; ce bois, par en bas, est pris dans les glaces, le castor le va couper par dessous, et le porte en sa maison. Or les Sauvages ayans brisé cette maison, ces pauvres animaux, qui sont par fois en grand nombre soubs un mesme toict, s'en vont soubs les glaces, qui d'un costé, qui d'un autre, cherchans des lieux vuides et creux entre l'eau et la glace pour pouvoir respirer : ce que sçachans, leurs ennemis se vont pourmenans sur l'estang ou sur le fleuve glacé, portans un long baston en main, armé d'un costé d'une tranche de fer faite comme un ciseau de menuisier, et de l'autre d'un os de baleine, comme je crois ; ils sondent la glace avec cest os, frappans dessus et prenans garde si elle sonne creux et si elle donne quelque indice de concavité ; alors ils *couppent la glace avec la tranche de fer, regardans si l'eau n'est point agité par le mouvement ou par la respiration du castor. Si l'eau remue, ils ont un baston recourbé qu'ils fourrent dans le trou qu'ils viennent de faire, s'ils sentent le castor, ils le tuent avec leur grand baston qu'ils ap-pellent* ca onikachit *et, le tirans de l'eau, en vont faire curée tout aussi tost, si ce n'est qu'ils aient grande espé-rance d'en prendre d'autres. Je leur demandois pourquoi le castor attendoit là qu'on le tuast : où ira il, me disoient-ils, sa maison est rompue, les autres endroicts où il peut respirer entre l'eau et la glace sont cassés : il demeure là dans l'eau, cherchant l'air, cependant on l'assomme ; il sort quelque fois par la cabane ou par quelque trou, mais les chiens, qui sont là et qui le sentent et l'attendent, l'ont bien tost attrapé.*

Lors qu'il y a quelque fleuve voisin ou quelque bras d'eau conjoinct à l'estang où ils sont, ils se coulent là de-dans ; mais les Sauvages barrent ces fleuves quand ils les découvrent : ils cassent la glace et fichent quantité de pieux les uns près des autres, en sorte que le castor ne peut éva-der par là. J'ai veu de grands lacs qui sauvoient la vie aux castors, car nos gens ne pouvoient casser tous les endroicts où ils pouvoient respirer, aussi ne pouvoient ils attrapper leur proie. Il y a quelque fois deux mesnages de castors dans une mesme cabane, c'est à dire deux masles et deux femelles avec leurs petits.

La femelle en porte jusques à sept ; quatre, cinq, six pour l'ordinaire. Ils ont quatre dents, deux en bas et deux en haut merveilleusement acérées, les autres deux sont petites, mais celles ci sont grandes et tranchantes, ils s'en servent pour couper le bois de leurs provisions et les bois dont ils bastissent leur demeure ; ils aiguisent ces dents quand elles sont émoucées, les frottans et pressans les unes contre les autres, faisans un petit bruit que j'ai oui moi mesme.

Le castor a le poil fort doux, les chapeaux qu'on en fait en sont tesmoings. Il a des pieds fort courts et propres pour nager, car ils ont une peau continue entre les ongles à la façon des oiseaux de rivière ou des loups marins. Sa queue est toute platte, assez longuette, faite en ovale. J'en me-surai une d'un gros castor : elle avoit une paulme et huict

*doigts ou environ de longueur, et quasi une paulme de
la main en largeur ; elle estoit assez épaisse ; elle est couverte non de poil, mais d'une peau noire figurée en écailles,
ce ne sont pas pourtant de vraies écailles. On prend ici le
castor pour un animal amphibie, voilà pourquoi on en
mange en tout temps. Ma pensée est que sa gresse fondue
approche plus de l'huile que de la gresse. La chair en est
fort bonne, elle m'a semblé un peu fade au printemps et
non pas en hiver : au reste, si sa peau surpasse la peau du
mouton, la chair de mouton surpasse à mon advis celle du
castor, tant pource qu'elle est de meilleur goust, comme
aussi que le mouton est plus gros qu'un castor.*

*Le porc épic se prend à l'attrape et à la course ; le chien
l'ayant découvert, il est mort s'il n'est bien près de
son giste qu'il fait soubs de grandes roches, soubs lesquelles s'estant retiré, il est en lieu d'asseurance, car ni les
hommes, ni les chiens, ne se sçauroient glisser là dessous.
Il ne peut courre sur la neige, voilà pourquoi il est bien
tost assommé. Cest animal n'est guères plus gros qu'un gros
cochon de laict ; ses pointes ou piquerons sont blancs, lon-
guets et assez minces, entrelacés et entremeslés d'un poil
noir ou grisâtre. J'ai veu en France des armes où il y avoit
des pointes de porcs épics trois fois plus longues et dix
fois plus grosses et bien plus fermes que celles des porcs
épics de ce pays ci. Les Sauvages m'ont dit que vers le
fleuve de Saguenay, tirant vers le Nord, ces animaux y
estoient bien plus gros. Ils les bruslent comme nous faisons
des pourceaux en France, puis les ayans raclés, les font
bouillir ou rostir. Le manger en est bon, assez dur néantmoins, notamment les vieux, car les jeunes sont tendres
et délicats ; mais ils n'approchent point, ni de nos porcs
sangliers, ni de nos porcs domestiques.*

Cest animal a les pieds tortus et les jette en dehors ;
ses piquerons ont cette qualité, s'ils piquent un chien ou
quelque personne, ils entrent incessamment, s'insinuans
ou glissans petit à petit, et s'en allans ressortir par la partie
opposée à leur entrée : par exemple, s'attachans au dos
de la main, ils la transperceront et sortiront par le dedans.
J'ai souvent veu les chiens tous hérissés de ses pointes en-
trées desjà à demi quand leurs maistres les retiroient. Voulant considérer le premier qu'on apporta en la cabane où
je demeurois avec les Sauvages, je l'empoignai par la*

*queue, et le tirai vers moi. T*ous ceux qui me regardoient
se mirent à rire, voyans comme je procédois ; et de fait,
quoi que j'eusse tasché de le prendre dextrement, si est
ce que quantité de ces petites lances s'attachèrent à mes
mains, car il n'y a aiguille si pointue ; je les retirai aussi-
tost et les jettai dans le feu.

L'ours au printemps se prend à l'attrappe. L'hiver, ils se
trouvent dans les arbres creux où ils se retirent [a], passans
plusieurs mois sans manger, et cependant ils ne laissent pas
d'estre fort gras. Ils couppent l'arbre pour faire sortir la
proie qu'ils assomment sur la neige ou bien à la sortie de
son giste.

Ils prennent les lièvres au lacet ou les tuent avec leurs
arcs ou matras*. J'ai desjà remarqué autre fois que ces
animaux sont blancs pendant les neiges et gris en autre
temps. Je les trouve un peu plus hauts et plus pattus que
ceux de France. Ils tuent les marthes et les escurieux en
mesme façon. Voilà les chasses d'animaux terrestres que
j'ai veu.

Pour les oiseaux, ils en tuent quelques-uns avec leurs
arcs, se servans de flesches et de matras ; mais c'est fort
rarement : depuis qu'ils ont traitté des armes à feu avec
les Anglois [1], ils sont devenus demi gibboyeurs. Quelques-
uns d'entr'eux tirent assez bien ; mon hoste est l'un de leurs
meilleurs harquebusiers. Je lui ai veu tuer [b] quelques
outardeaux, quelques canards et becassines. Mais leur
poudre est bien tost usée.

Quant à leur pesche, ils se servent de rets, comme nous,
qu'ils traittent des François et des Hurons. Ils ont une
façon particulière de pescher le saulmon, mais ne m'y
estant pas trouvé, je n'en dirai rien.

Pour l'anguille, ils la peschent en deux façons : avec
une nasse ou avec un harpon. Ils font des nasses avec assez
d'industrie, longues et grosses, capables de tenir cinq ou six
cens anguilles. La mer estant basse, ils les placent sur le
sable, en quelque lieu propre et reculé, les asseurans en
sorte que les marées ne les emportent point. Aux deux

---

1. Les Français qui vivaient en contiguïté avec les Montagnais,
   et qui les craignaient (**TR**, 356), évitaient de leur vendre des
   arquebuses.

costés, ils ramassent des pierres qu'ils étendent comme une chaisne ou petite muraille de part et d'autre, afin que ce poisson qui va tousjours au fond rencontrant cest obstacle, se glisse doucement vers l'emboucheure de la nasse où le conduisent ces pierres. La mer venant à se grossir, couvre la nasse [a], puis se rabaissant, on la va visiter. Par fois on y trouve cent ou deux cens anguilles d'une marée, d'autres fois trois cens, quelque fois point du tout, quelque fois six, huict, dix, selon les vents et les temps. Quand la mer est agitée, on en prend beaucoup, quand elle est calme, peu ou point, mais alors ils ont recours à leur harpon.

Ce harpon est un instrument composé d'un long baston gros de trois doigts, au bout duquel ils attachent un fer pointu, lequel ils arment de part et d'autre de deux petits bastons recourbés qui se viennent quasi joindre au bout de la pointe de fer : quand ils viennent à frapper une anguille de ce harpon, ils l'embrochent dans ce fer, les deux bastons adjoincts cédans par la force du coup et laissans entrer l'anguille, puis se resserrans d'eux mesmes, car ils ne s'ouvrent que par la secousse du coup, ils empeschent que l'anguille embrochée ne ressorte.

Cette pesche au harpon ne se fait ordinairement que la nuict. Ils se mettent deux Sauvages dans un canot, l'un derrière qui le gouverne et qui rame, et l'autre est devant, lequel, à la faveur d'un flambeau d'escorce attaché à la proue de son vaisseau, s'en va cherchant la proie de ses yeux, rodant [b] doucement sur le bord de ce grand fleuve, appercevant une anguille, il lance son harpon sans le quitter, la perce comme j'ai dit, puis la jette dans son canot. Il y en a tel qui en prendra trois cens en une nuict, et bien davantage, quelque fois fort peu. C'est chose estrange que la quantité de ce poisson qui se retrouve en cette grande rivière ès mois de Septembre et d'Octobre, et cela devant l'Habitation de nos François, dont quelques-uns de ceux qui ont demeuré plusieurs années sur le pays se sont rendus aussi experts en cet art que les Sauvages.

On croit que cette grande abondance provient de quelques lacs des pays plus hauts qui venans à se dégorger nous font présent de cette manne qui nous nourrit non seulement tout le Caresme et autres jours de poissons, mais aussi en autre temps.

Les Sauvages font seicherie de ces longs poissons à la fumée : estans apportés dans leurs cabanes, ils les laissent un peu de temps égoutter, puis leur couppent la teste et la queue, ils les ouvrent par le dos, puis les ayans vuidés, ils les taillardent afin que la fumée entre par tout. Les perches de leurs cabanes en sont toutes chargées ; estans bien boucanés, ils les accouplent et en font de gros pacquets, en mettant environ une centaine ensemble. Voilà leurs vivres jusques à la neige qui leur donne de l'orignac.

Ils tuent le loup marin à coups de baston, le surprenans lors que sortant de l'eau, il se va égayer sur quelques roches au soleil, car ne pouvant courir, s'il est tant soit peu esloigné de son élément il est perdu.

C'est assez pour ce Chapitre : je ne fais pas profession de tout dire, mais seulement de remarquer une partie des choses qui m'ont semblé devoir estre escrites ; qui voudra avoir une pleine cognoissance de ces contrées, qu'il lise ce qu'en a escrit Monsieur de Champlain. Si faut il, avant que je passe outre, que je dise deux mots de quatre animaux que je n'ai point veu en France ; je ne sçai où les loger sinon au bout de ce Chapitre.

L'un se nomme des Sauvages ouinascou, *nos François l'appellent le siffleur ou le rossignol : ils lui ont donné ce nom pource qu'encore qu'il soit de la classe des animaux terrestres, il chante néantmoins comme un oiseau ; je dirais volontiers qu'il siffle comme une linotte bien instruite, sinon qu'il m'est advis qu'il ne sçait qu'une chanson, c'est à dire qu'il n'a pas une grande variété de tons, mais il dit très bien la leçon que la nature lui a apprise. Il est environ de la grosseur d'un lièvre, d'un poil roux. Quelques-uns m'ont asseuré qu'il se roule en peloton et que comme un liron il dort tout l'hiver sans qu'on le puisse réveiller. Je n'en ai point veu que l'esté ; cest animal est un excellent manger, ni[2] le lièvre n'en approche pas.*

L'autre est un animal basset*, de la grandeur des petits chiens ou d'un chat. Je lui donne place ici non pour son excellence, mais pour en faire un symbole du péché. J'en

---

2. *Ni*, c'est-à-dire « *Et* le lièvre n'en approche pas ». Nous ne signalons ordinairement pas les faits de langue du français classique.

*ai veu trois ou quatre : il est d'un poil noir assez beau et
luisant, il porte sur son dos deux raies toutes blanches qui,
se joignans vers le col et proche de la queue, font une ovale
qui lui donne très belle grâce ; la queue est touffue et bien
fournie de poil, comme la queue d'un renard, il la porte
retroussée comme un escurieux, elle est plus blanche que
noire. Vous diriez à l'œil, notamment quand il marche,
qu'il mériteroit estre nommé le petit chien de Jupiter, mais
il est si puant et jette une odeur si empestée qu'il est indi-
gne d'estre appellé le chien de Pluton* [3]. *Il n'y a voirie si
infecte : je ne l'aurois pas creu si je ne l'avois senti moi
mesme. Le cœur vous manque quasi quand vous en appro-
chez. On en a tué deux dans nostre cour, plusieurs jours
après ils sentoient* [a] *si mal par tout nostre maison qu'on
n'en pouvoit supporter l'odeur. Je croi que le péché que
sentit saincte Catherine de Sienne devoit estre de mesme
puanteur* [4].

*Le troisiesme est un escurieux volant. Il y en a ici de
trois espèces : les uns sont communs et sont non si beaux
que ceux de France ; les autres, que nos François nomment
Suisses pour estre bigarrés sur le dos, sont très beaux et
fort petits ; les escurieux volans sont assez beaux : leur
excellence consiste en ce qu'ils volent ; ce n'est pas qu'ils
aient des aisles, mais ils ont une certaine peau aux deux
costés qu'ils replient fort proprement contre leur ventre
quand ils marchent, puis l'estendent quand ils volent. Leur
vol n'est pas, à mon advis, de longue haleine. J'en ai veu
voler un : il se soustenoit fort bien en l'air. Mon hoste me
l'avoit donné. Je le voulois envoyer à Vostre Révérence,
mais la mort l'a délivré d'un si long voyage.*

*Le quatriesme se nomme de nos François l'oiseau mou-
che pource qu'à peine est il plus gros qu'une abeille ; d'autres l'appellent l'oiseau fleur pource qu'il se nourrit sur les*

3. Cerbère, chien à cent têtes, est le monstre de la mythologie
grecque chargé de garder les enfers dont Pluton était roi.
4. Les vieilles biographies de la sainte rapportent ses combats
contre Satan pour surmonter son dégoût devant les malades
qu'elle soignait; un jour, par exemple, « Elle lava cette plaie
et la nettoya, et en ramassa le pus et l'ordure en un saussier
qu'elle beut d'une vigoureuse ardeur de foi, ce qui fit incontinent cesser la tentation » (*Introduction* de Jean Baslesdens,
traducteur des *Espitres de la Séraphique Vierge Saincte Catherine de Sienne...*, Paris, Sébastien Hure, 1644, p. 22).

fleurs. *C'est à mon jugement l'une des grandes raretés de ce pays ci et un petit prodige de la nature. Dieu me semble plus admirable en ce petit oiseau qu'en un grand animal* [a]. *Ce navire, équipé de toutes ses voiles, de ses mats et de son funin ou de ses cordages, qui se déroboit à l'œil quand l'aisle d'une mouche le couvroit, n'estoit pas si grand, mais plus digne d'admiration qu'une camberge. J'en dis de mesme de l'oiseau fleur ou de la fleur des oiseaux : c'est un miracle entre les oiseaux. Il bruit en volant comme une abeille. Je l'ai veu quelque temps se soustenir en l'air, becquettant une fleur. Son bec est longuet, son plumage me sembloit d'un verd doré* [b].

10

De leurs habits et de leurs ornements

C'estoit la pensée d'Aristote [1] *que le monde avoit fait comme trois pas pour arriver à la perfection qu'il possédoit de son temps. Au premier les hommes se contentoient de la vie, ne recherchans purement et simplement que les choses nécessaires et utiles pour la conservation. Au second ils ont conjoinct le délectable avec le nécessaire, et la bienséance avec la nécessité. On a trouvé premièrement les vivres, puis les assaisonnemens ; on s'est couvert au commencement contre la rigueur du temps, et par après on a donné de la grâce et de la gentillesse aux habits ; on a fait des maisons aux premiers siècles simplement pour s'en servir, et par après on les a fait encore pour estre vues. Au troisiesme pas, les hommes d'esprit voyans que le monde jouissoit des choses nécessaires et douces pour la vie, ils se sont adonnés à la contemplation des choses naturelles et à la recherche des sciences, si bien que la grande République des hommes s'est petit à petit perfectionnée, la nécessité marchant devant, la bienséance et la douceur venans après, et les sciences tenans le dernier rang* [a].

Or je veux dire que nos Sauvages Montagnais et errans ne sont encore qu'au premier degré des trois que je viens de toucher : ils ne pensent qu'à vivre, ils mangent pour ne point mourir, ils se couvrent pour bannir le froid, non pour paroistre ; la grâce, la bienséance, la cognoissance des arts, les sciences naturelles et beaucoup moins les vérités surna-

1. Je ne crois pas que Lejeune pense à un texte précis : il paraphrase plutôt une phrase comme « Le besoin, suivant toute apparence, aura d'abord enseigné les choses nécessaires ; ensuite, par adjonction, celles qui servent à la plus grande aisance et à l'ornement. Il en va de même de... » (*la République*, trad. Marcel Prélot, Gonthier, « Médiations », p. 93).

*turelles n'ont point encore de logis en cet hémisphère, du
moins en ces contrées. Ce peuple ne croit pas qu'il y ait
autre* ª *science au monde que de vivre et de manger : voilà
toute leur Philosophie. Ils s'estonnent de ce que nous
faisons cas de nos livres, puisque leur cognoissance ne nous
donne point de quoi bannir la faim. Ils ne peuvent comprendre ce que nous demandons à Dieu en nos prières.
Demande lui, me disoient-ils, des orignaux* ᵇ, *des ours et
des castors, dis lui que tu en veux manger ; et quand je leur
disois que cela estoit peu de chose, qu'il y avoit bien d'autres richesses à demander, ils se rioient : que pourrois tu,
me respondoient-ils, souhaitter de meilleur que de manger
ton saoul de ces bonnes viandes ? Bref, ils n'ont que la vie,
encore ne l'ont ils pas toute entière, puisque la famine les
tue assez souvent.*

*Jugez maintenant quelle peut estre la gentillesse de
leurs habits, la noblesse et la richesse de leurs ornements.
Vous prendriez plaisir de les voir en compagnie. Pendant
l'hiver, toutes sortes d'habits leurs sont propres, et tout est
commun tant aux femmes comme aux hommes. Il n'y a
point de difformité en leurs vestements, tout est bon pourveu qu'il soit bien chaud. Ils sont couverts proprement
quand ils le sont commodément. Donnez leur un chaperon,
un homme le portera aussi bien qu'une femme : il n'y a
habit de fol dont ils ne se servent sagement, s'ils s'en peuvent servir chaudement. Ils ne sont point comme ces Sei-
gneurs qui s'attachent à une couleur. Depuis qu'ils pratti-
quent* nos Européans, ils sont plus bigarrés que des
Suisses. J'ai veu une petite fille de six ans vestue de la
casaque de son père qui estoit un grand homme : il ne fallut
point de tailleur pour lui mettre cet habit dans sa justesse.
On le ramasse à l'entour du corps et on le lie comme un
fagot. L'un a un bonnet rouge, l'autre un bonnet verd,
l'autre un gris, tous faits non à la mode de la Cour, mais à
la mode de la commodité. L'autre aura un chapeau que si
les bords l'empeschent, il les couppe* ᶜ.

*Les femmes ont pour robbe une camisolle ou un capot,
ou une casaque, ou une castelogne, ou quelque peau dont
elles* ᵈ *s'enveloppent, se lians en autant d'endroict qu'il est
nécessaire pour fermer les advenues au vent. L'un porte un
bas de cuir, l'autre de drap ; pour le présent, ils couppent
leurs vieilles couvertures ou castelognes pour faire des*

manches et des bas de chausses. Je vous laisse à penser si cela est bien vuidé et bien tiré. En un mot, je réitère ce que j'ai desjà dit, leur propriété est leur commodité. Et comme ils ne se couvrent que contre l'injure* du temps, si tost que l'air est chaud ou qu'ils entrent dans leurs cabanes, ils jettent leurs atours à bas, les hommes restans tous nuds, à la réserve d'un brayer* qui leur cache ce qui ne peut estre veu sans vergogne. Pour les femmes, elles quittent leur bonnet, leurs manches et bas de chausses, le reste du corps demeurant couvert. Voilà l'équipage des Sauvages pour le présent qu'ils communiquent avec nos François ª. Mais considérons les, revestus et ornés à leur mode.

Commençons par le corps. Quelques-uns pour l'embellir, voire mesme des femmes, tirent en quelques parties les plus visibles de leurs corps, des raies et figures indélébiles. Le Sorcier a sur les deux bras, depuis le haut jusques au plis, un trident ; et depuis le milieu du bras jusques au poignet de la main, trois raies également distantes ; depuis le haut de la poictrine jusques au petit ventre, il y a aussi trois longues raies qui s'approchent un peu par en bas, et par en haut sont terminées par des cercles. Les figures noires, jamais ne s'effacent. J'ai veu un homme qui avoit comme deux subjects figurés sur la poictrine, et les boutons de ses mamelles servoient de nez à ces marmousets ; un autre qui avoit au milieu du dos trois hommes figurés qui sembloient dancer. D'autres portent des croix au front, d'autres se charactérisent selon leur fantaisie.

Ces charactères se font en cette sorte : ils se noircissent avec du charbon la partie qu'ils veulent figurer selon le dessin ᵇ qu'ils ont en leur fantaisie, puis avec un os de marthes ᶜ fort pointu, ils se piquent dru et menu en cet endroict, si bien que ce charbon s'incorpore avec la chair et le sang, et fait une marque indélébile. J'apprends que les Sauvages de la nation Neutre, aussi bien que ceux qui sont plus au midi, se figurent en cette sorte par tout le corps.

De plus les Montagnais, voire tous les Sauvages que j'ai connus ici, s'oignent et se gressent toute la teste, les cheveux et la face, non pas d'onguents aromatiques à la façon des Anciens, mais de la première gresse ou huile qu'ils ont en main. Ils nous ont demandé par fois une couaine de lard pour s'en frotter, n'ayans point d'autre beaume. Ils s'appli-

quent des couleurs rouges, bleues et noires sur cette pre-
mière couche de gresse, se peignans par fois les cheveux de
ces couleurs et fort souvent la face. J'ai manié de leurs
couleurs. La noire n'est autre chose qu'une pierre comme
de mine de plomb qu'ils raclent avec un cousteau [a]*, et de la*
poudre, ils s'en frottent la face. La rouge est une espèce de
sable ou de terre liée en petits grains qui se brisent et se
pulvérisent aisément. Ils trouvent de ces couleurs en leur
pays. Pour de la bleue, je n'en ai point veu sinon sur leur
face : elle est bien plus précieuse que les deux autres.

Que si vous me demandez ce qu'ils escrivent sur leurs
faces et toutes les folles imaginations de leurs femmes qui
sont les peintres de ce pays ci [2]*, car elles grifonnent sur la*
face de leurs maris et de leurs enfans tout ce qui leur vient
en fantaisie : bref, celui là est le plus beau et le mieux
peint parmi eux qui nous paroist le plus difforme et le
plus affreux. Dieu que le jugement des hommes est foible !
Quelques-uns portent une croix de Sainct André dont les
deux bastons se viennent couper sur le nez. D'autres ont
des raies tirées du haut de la face en bas, en forme de
treillis, si bien que vous diriez qu'ils regardent par des
jalousies peintes de diverses couleurs. Il y en a qui sont
tous noirs ou tous rouges, hormis les extrémités de la face :
au commencement je croyais qu'ils estoient masqués. Les
femmes ordinairement ne sont pas ainsi bigarrées : elles
ne portent qu'une seule couleur ou quelques raies faites
confusément dessus leurs faces. Laissons ces grotesques.

Ils nourrissent leurs cheveux fort longs. Ceux qui
portent le deuil les tiennent espars, les autres les retroussent
en forme d'un petit pacquet ou d'une queue qui leur pend
derrière la teste, les lians avec une petite bande fort estroite
faite de peau d'anguille : ils rougissent cette bande et la
couvrent encore par fois de grains de porcelaine, notam-
ment les jeunes gens qui en lient encore à leurs cheveux.

2. Sagard parle très souvent de l'art des Montagnaises et ne cache
pas son admiration (SH, 260-261, 245, 326-327, et *passim*) :
« Elles font aussi comme une espèce de gibecière de cuir ou sac
à pétun, sur lesquels elles font des ouvrages dignes d'admiration,
avec du poil de porc épic coloré et teint en rouge, noir, blanc
et bleu, cramoisi, qui sont les couleurs qu'elles font si vives,
que les nostres ne semblent point en aprocher » (SH, 261). Voir
aussi CH, IV, 79-80.

Ils portent aussi par fois sur la teste une espèce de couronne ou de frontal garni de ces grains ou fait de matachias. Ces matachias sont composés de brins ou de piquerons de porcs épics que les femmes teignent en rouge avec une racine fort chère et précieuse que les Hurons apportent en ces pays ci. J'en ai veu dans une meschante isle déserte ou non où nous abordasmes en nostre voyage [3]. Cette couleur est belle et bien éclatante. Ils teignent aussi en noir ces petits brins et puis les cordonnent quasi en forme de tresse sur de petites ficelles de peau qui ne paroissent point estans couvertes de ces brins, puis entremeslent ces cordons et en font une espèce de couronne ; ils en ornent encore leurs habits, comme je dirai : c'est leur velours, le satin, leur toille d'or et d'argent, ou plustost leur passement.

Les Sauvages, hommes et femmes, se percent les oreilles en plusieurs endroicts pour y pendre une chaisne de petite porcelaine, ou bien y fourrer quelque autre chose. Quelques-uns d'entr'eux voyans un baston de cire d'Espagne sur la table de ma cellule me l'ont demandé plusieurs fois pour le fourrer dans l'un de ces trous qu'ils se font aux oreilles : jugez s'ils ne sont pas plus grands que ceux que nos Demoiselles de France portent ou font mine de porter en mesme endroict.

Ils ont des brasselets au poignet de la main, au dessus du coude et mesme au dessus de la cheville du pied. Et comme ils n'ont pas tous de la porcelaine ou des matachias* pour les enrichir, ou qu'ils ne se soucient pas de ces braveries, ils se contentent d'une simple corde de peau dont ils se lient tous ces trois endroicts, et hommes, et femmes, et enfans. Venons maintenant aux habits propres de leur nature [a].

Ce peuple va tousjours teste nue, hormis dans les plus grands froids, encore y en a il plusieurs qui ne se couvrent jamais, ce qui me fait conjecturer que fort peu se servoient de bonnets avant qu'ils communiquassent* avec nos Européans ; aussi n'en sçauroient ils faire, ains ils les trouvent [b] tous faits ou du moins les font tailler à nos François. Voilà pour leur coiffure qui n'est autre que leurs cheveux, tant aux hommes qu'aux femmes, et mesmes aux enfans, car ils sont testes nues dans leur maillot [c].

3. Ils y séjourneront du 22 au 30 octobre ; voir p. 131.

Leurs robbes sont faites de peaux d'eslans, d'ours et d'autres animaux. Les plus riches en leur estime sont faites de peaux d'une espèce de petit animal noir qui se trouve aux Hurons : il est de la grandeur d'un lapin et le poil est doux et luisant. Il entre bien une soixantaine de ces peaux dans une robbe. Ils attachent les queues de ces animaux aux bas pour servir de franges et les testes au haut pour servir d'une espèce de rebord. La figure de leur robbe est quasi quarrée ; les femmes les peignent, tirans des raies du haut en bas, ces raies sont également distantes et larges environ de deux bons pouces : vous diriez du passement [a]. *Ils peignent au bas de la robbe deux bandes de ce passement qui terminent celles qui viennent d'en haut. D'autres fois, ils tirent ces passements non du long, mais du large de la robbe, comme on les coud en France à l'entour d'un manteau. Si la robbe est de castor ou d'orignac, les franges d'en bas sont de la mesme peau, découpées près à près. Les plus riches et les plus magnifiques attachent par fois deux bandes de matachias à l'entour de leurs robbes. Ces bandes sont ici autant prisées qu'en France ces grands passements* de Milan, ou plustost que ces grands passements d'or. Je n'ai point veu de ces robbes, aussi veus je croire qu'elles se trouvent plustost parmi les Hurons qui ont de quoi disner que parmi nos Montagnais qui meurent de faim.*

Les hommes portent leurs robbes en deux façons : quand il fait un peu chaud, ils ne s'en enveloppent point, mais ils la portent sur un bras et soubs l'autre, ou bien estendue sur leur dos, retenue par deux petites cordes de peaux qu'ils lient dessus leur poictrine ; ce qui n'empesche pas qu'ils ne paroissent quasi tous nuds. Quand il fait froid, ils la passent tous, hommes et femmes, soubs un bras et dessus l'espaule de l'autre, puis la croisent et s'en enveloppent assez commodément contre le froid, mais maussadement, car s'estans liés soubs la poictrine, ils la retroussent puis se lient et se garrottent vers la ceinture ou vers le milieu du corps, ce retroussement leur faisant un gros ventre ou une grosse pance, dans laquelle ils mettent leurs petites besongnes. J'ai veu représenter un Caresme prenant* sur un théâtre en France : on lui bastit un ventre *justement comme en portent nos Sauvages et Sauvagesses pendant l'hiver* [4].

Or comme ces robbes ne couvrent point leurs bras, ils se font des manches de mesmes peaux et tirent dessus ces raies dont j'ai parlé, quelque fois de long, quelque fois en rond : ces manches sont fort larges par haut, couvrans les espaules et se venans quasi joindre derrière le dos. Deux petites cordes les tiennent liées devant et derrière, mais avec si peu de grâce qu'il n'y a fagot d'épines qui ne soit mieux troussé qu'une femme emmitouflée dedans ces peaux. Remarquez qu'il n'y a point de distinction de l'habit d'un homme à celui d'une femme, sinon que la femme est tousjours couverte de sa robbe et les hommes la quittent ou la portent à la légère quand il fait chaud, comme j'ai dit.

Leurs bas de chausses sont de peau d'orignac passée sans poil : c'est la nature et non l'art qui en a trouvé la façon. Ils sont tout d'une venue, suffit que le pied et la jambe y passent pour estre bien faits. Ils n'ont pas l'invention d'y mettre des coins, ils sont faits comme des bas à botter, retenus soubs le pied avec une petite cordelette. La cousture qui n'est quasi qu'un faux fil ne se trouve pas derrière la jambe, mais entre deux ; les cousans, ils laissent passer un rebord de la peau mesme qu'ils découppent en frange après laquelle ils attachent par fois quelques matachias. Ces bas sont assez longs, notamment par devant, car ils laissent une pièce qui passe bien haut et qui couvre une grande partie de la cuisse. Au plus haut de cette pièce sont attachées de petites cordes qu'ils lient à une ceinture de peau qu'ils portent tous dessus leur chair.

Leurs souliers ne sont pas durs comme les nostres, aussi n'ont ils pas l'industrie de taner le cuir. Nos gands de cerf sont d'une peau plus ferme ou du moins aussi ferme que leurs peaux d'orignac dont ils font leurs souliers. Encore faut il qu'ils attendent que ces peaux aient servi de robbe et qu'elles soient toutes grasses, autrement leurs souliers se retireroient à la moindre approche du feu, ce qu'ils ne

---

4. Sa première impression à son arrivée en Nouvelle-France : « Il me sembloit [...] que je voyois ces masques qui courent à Carême prenant » (RJ, V, 22). Il sait maintenant qu'ils ne portent pas de masques (voir p. 102), mais il n'a pas perdu pour autant sa première opinion.

laissent pas de faire tous gras qu'ils soient quand on les chauffe un peu de trop près. Au reste, ils boivent l'eau comme une esponge, si bien que les Sauvages ne s'en servent pas contre cet élément, mais bien contre la neige et contre le froid. Ce sont les femmes qui sont cousturières et cordonnières : il ne leur couste rien pour apprendre ce mestier, encore moins pour avoir des lettres de maistrise : un enfant qui sçauroit un peu coudre en feroit à la premiè- re veue, tant il y a [peu] d'invention [a].

Ils les font fort amples et fort capables*, notamment l'hiver, pour les garnir contre le froid. Ils se servent ordi- nairement d'une peau de lièvre ou d'une pièce de quelque couverture pliée en deux et trois doubles. Ils mettent avec cela du poil d'orignac et puis, ayans enveloppé leurs pieds de ces haillons, ils chaussent leurs souliers, et par fois deux paires l'une dessus l'autre. Ils les lient et les arrestent sur le cou du pied [b] *avec une petite corde qui règne* tout à l'entour des coins* du soulier. Pendant les neiges, nous nous servons tous, François et Sauvages, de cette sorte de chaussure afin de pouvoir marcher sur des raquettes ; l'hi- ver passé, nous reprenons nos souliers François, et eux vont pieds nuds.*

Voilà non pas tout ce qui se peut dire de leurs habits et de leurs ornements, mais ce que j'en ai veu et qui me vient pour l'heure en la pensée. J'oubliois à dire que ceux qui peuvent avoir ou troquer des chemises de nos François s'en servent à la nouvelle façon, car au lieu de les mettre comme nous par dessous, ils les mettent par dessus tous leurs habits, et comme jamais ils ne lessivent [c], *elles sont en moins de rien grasses comme des torchons de cuisine, c'est ce qu'ils demandent, car l'eau, disent-ils, coule là dessus et ne pénestre pas jusques à leur robbe.*

11

De la langue des Sauvages Montagnais

J'escrivis l'an passé que leur langue estoit très riche et très pauvre, toute pleine d'abondance et de disette [1]. *Sa pauvreté* [a] *paroist en mille articles. Tous les mots de piété, de dévotion, de vertu, tous les termes dont on se sert pour expliquer les biens de l'autre vie* [b], *le langage des Théologiens, des Philosophes, des Mathématiciens, des Médecins, en un mot de tous les hommes doctes, toutes les paroles qui concernent la police et le gouvernement d'une ville, d'une province, d'un empire, tout ce qui touche la justice, la récompense et le chastiment, les noms d'une infinité d'arts*

1. « Je dirai en passant que cette langue est fort pauvre et fort riche. Elle est pauvre pour autant que n'ayant point cognoissance de mille et mille choses qui sont en l'Europe, ils n'ont point de noms pour les signifier. Elle est riche pource qu'ès choses dont ils ont cognoissance elle est fœconde et grandement nombreuse » (RJ, V, 114). Nous avons déjà parlé de la thématique de la langue dans l'œuvre de Lejeune (*Introduction*, XXXII-XXXVI) et signalé que les difficultés de l'apprentissage linguistique sont le signe des véritables difficultés de l'entreprise missionnaire ; à cet égard, on ne trouvera rien d'original chez Lejeune sinon la rigueur avec laquelle il illustre les idées déjà émises par Biard en 1612 (MA, 230-231) et en 1614 (534-535) ou Lalemant en 1626 (RJ, IV, 218s.), soit, selon ces missionnaires, le manque de mots abstraits et la complexité morphologique. En fait, il s'agit moins d'un problème de langue que d'un problème de langage, que d'une discordance culturelle : « La cause est d'autant que ces sauvages n'ont point de religion formée et point de magistrature ou police, point d'arts, ou libéraux ou méchaniques, point de commerce ou vie civile ; et par conséquent, les maux (*sic*) leur défaillent des choses qu'ils n'ont jamais veues ou appréhendées... » (Biard, MA, 230). Sur ces problèmes, voir Victor E. Hanzeli, *Missionary Linguistics in New France*, Paris Mouton, 1969, où l'on trouvera une vue d'ensemble des langues amérindiennes et une bibliographie des études ou des dictionnaires manuscrits du montagnais.

qui sont en nostre Europe, d'une infinité de fleurs, d'arbres et de fruits, d'une infinité d'animaux, de mille et mille inventions, de mille beautés et de mille richesses, tout cela ne se trouve point ni dans la pensée, ni dans la bouche des Sauvages, n'ayans ni vraie religion, ni cognoissance des vertus, ni police, ni gouvernement, ni royaume, ni républi- que, ni sciences, ni rien de tout ce que je viens de dire, et par conséquent toutes les paroles, tous les termes, tous les mots et tous les noms qui touchent ce monde de biens et de grandeurs, doivent estre défalqués de leur dictionnaire : voilà une grande disette. Tournons maintenant la médaille et faisons voir que cette langue regorge de richesses.

Premièrement je trouve une infinité de noms propres parmi eux que je ne puis expliquer en nostre François que par circumlocutions.

Secondement, ils ont des verbes que je nomme absolus, dont ni les Grecs, ni les Latins, ni nous, ni les langues d'Europe, dont je ne me sois enquis [a], n'ont rien de sem- blable : par exemple ce verbe, nimitison, signifie absolu- ment, je mange, sans dire quoi, car si vous déterminez la chose que vous mangez, il se faut servir d'un autre verbe.

Tiercement, ils ont des verbes différents pour signifier l'action envers une chose animée et envers une chose inani- mée, encore bien qu'ils conjoignent avec les choses animées quelques nombres de choses sans âme comme le pétun, les pommes, etc. Donnons des exemples. Je vois un homme, niouapaman iriniou ; je vois une pierre, niouabaten assi- ni [b]. En Grec, en Latin et en François, c'est un mesme verbe pour dire je vois un homme, une pierre et toute autre chose. Je frappe un chien, ninoutinau attimou ; je frappe un bois, ninoutinen misticou. Ce n'est pas tout, car si l'action se termine à plusieurs choses animées, il faut un autre verbe : je vois des hommes, nioua pamaoueth iri- nioueth, ninou tinaoueth attimoueth, et ainsi de tous les autres.

En quatriesme lieu, ils ont des verbes propres pour signifier l'action qui se termine à la personne réciproque, et d'autres encore qui se terminent aux choses qui lui appartiennent, et l'on ne peut se servir des verbes envers les autres personnes non réciproques sans parler impropre- ment. Je me fais entendre. Le verbe nitaouin signifie, je me

sers de quelque chose ; nitaouin agouniscoueson, *je me sers
d'un bonnet ; que si je viens à dire, je me sers de son bonnet, savoir est du bonnet de l'homme dont on parle, il faut
changer le verbe et dire,* nitaouiouan outagoumiscouchon ;
*que si c'est une chose animée, il faut encore changer le
verbe, par exemple, je me sers de son chien,* nitaouiouan
otaimai ; *et remarquez que tous ces verbes ont leurs meufs,
leurs temps et leurs personnes, et que leurs conjugaisons
sont dissemblables s'ils diffèrent de terminaisons. Cette
abondance n'est point dans les langues d'Europe, je le sçai
de quelques-unes, je le conjecture des autres.*

*En cinquiesme lieu, ils se servent d'autres mots sur la
terre, d'autres mots sur l'eau, pour signifier la mesme chose.
Voici comment. Je veux dire, j'arrivai hier : si c'est par
terre, il faut dire,* nitagochinin outagouchi, *si c'est par eau,
il faut dire,* nimichagan outagouchi. *Je veux dire, j'ai esté
mouillé de la pluie, si ç'a esté cheminant par* ᵃ *terre, il faut
dire,* nizimiouahan, *si c'est faisant chemin par eau,* nikimiouahen ᵇ ; *je vai quérir quelque chose, si c'est par terre,
il faut dire,* ninatan, *si c'est par eau,* ninahen ; *si cette
chose est animée et par terre, il faut dire,* ninatan ; *si c'est
une chose animée et par eau, il faut dire,* ainhiguan ; *si
c'est une chose animée qui appartienne à quelqu'un, il faut
dire,* ninahimouan, *si elle n'est pas animée,* niuahimouan.
*Quelle variété ! Nous n'avons en François pour tout cela
qu'un seul mot, je vai quérir, auquel on adjouste pour
distinction, par eau ou par terre.*

*En sisiesme lieu, un seul de nos adjectifs, en François,
se conjoinct avec tous nos substantifs ; par exemple, nous
disons : le pain est froid, le pétun est froid, ce fer est froid ;
mais en nostre Sauvage, ces adjectifs changent selon les
diverses espèces des substantifs.* Tabiscau assini, *la pierre
est froide ;* tacabisisiou nouspouagan, *mon pétunoir est
froid ;* takhisiou khichtemau, *le pétun est froid ;* tacas-
couan misticou, *le bois est froid, si c'est quelque grande
pièce,* tacascoutichan misticou, *le bois est froid ;* sicatchiou
attimou, *le chien a froid. Voilà une estrange abondance.*

*Remarquez en passant que tous ces adjectifs, voire
mesme que tous les noms substantifs se conjuguent comme
les verbes Latins impersonnels ; par exemple :* tabiscau
assini, *la pierre est froide ;* tabiscaban, *elle estoit froide ;*

catabiscan, *elle sera froide ; et ainsi du reste.* Noutaoui,
c'est un nom substantif qui signifie mon père, noutnouiban,
c'estoit mon père, ou bien défunct mon père, catanoutaoui,
il sera mon père, si on pouvoit se servir de ces termes.

*En septiesme lieu, ils ont une richesse si importune
qu'elle me jette quasi dans la créance que je serai pauvre
toute ma vie en leur langue. Quand vous cognoissez toutes
les parties d'oraison des langues qui florissent en nostre
Europe, et que vous sçavez comme il les faut lier ensemble,
vous sçavez la langue. Il n'en est pas de mesme en la langue
de nos Sauvages. Peuplez vostre mémoire de tous les mots
qui signifient chaque chose en particulier, apprenez le
nœud ou la syntaxe qui les allie, vous n'estes encor qu'un
ignorant. Vous pourrez bien avec cela vous faire entendre
des Sauvages, quoi que non pas tousjours, mais vous ne les
entendrez pas* [a]. *La raison est, qu'outre les noms de chaque
chose en particulier, ils ont une infinité de mots qui signifient plusieurs choses ensemble. Si je veux dire en François,
le vent pousse la neige, suffit que j'aie cognoissance de ces
trois mots, du vent, du verbe, je pousse, et de la neige, et
que je les sçache conjoindre. Il n'en est pas de mesme ici.
Je sçai comme on dit le vent,* routin, *comme on dit il pousse
une chose noble comme est la neige en l'estime des Sauvages, c'est* rakhindou, *je sçai comme on dit la neige, c'est*
couné ; *que si je veux conjoindre ces trois mots,* routin
rakhindou couné, *les Sauvages ne m'entendront pas, que
s'ils m'entendent ils se mettront à rire, pource qu'ils ne
parlent pas comme cela, se servans de ce seul mot,* piouan,
*pour dire, le vent pousse ou fait voler la neige. De mesme,
le verbe* nisicatchin *signifie, j'ai froid, le nom* nissiotai *signifie, mes pieds : si je dis,* nisicatchin nissiotai, *pour dire, j'ai
froid aux pieds, ils pourront bien m'entendre, mais je ne
les entendrai pas quand ils diront* nitatagouasisin *qui est
le propre mot pour dire, j'ai froid aux pieds. Et ce qui tue
une mémoire, ce mot n'est parent, ni allié, ni n'a point
d'affinité en sa consonance avec les deux autres. D'où provient que je les fais souvent rire en parlant, en voulant
suivre l'œconomie de la langue Latine ou Françoise, ne
sçachant point ces mots qui signifient plusieurs choses
ensemble. D'ici provient encore que bien souvent je ne les
entends pas, quoi qu'ils m'entendent, car ne se servans pas
des mots qui signifient une chose simple en particulier,*

mais de ceux qui en signifient beaucoup à la fois, mais ne sçachant que ces premiers, et non encore à demi, je ne les sçaurois entendre s'ils n'ont de l'esprit pour varier et choisir les mots plus communs ; car alors je tasche de m'en démesler.

C'est assez pour monstrer l'abondance de leur langue. Si je la sçavois parfaictement, j'en parlerois avec plus d'asseurance : je croi qu'ils ont d'autres richesses que je n'ai peu jusques à présent descouvrir [a][2].

J'oubliois à dire que nos Montagnais [b] n'ont pas tant de lettres en leur alphabeth que nous en avons au nostre. Ils confondent le B et le P, ils confondent aussi le C, le G et le K, c'est à dire que deux Sauvages prononçans un mesme mot, vous croiriez que l'un prononce un B et que l'autre prononce un P ; que l'un dit un C ou un K, et l'autre un G. Ils n'ont point les lettres F, L, V consonante [3], X, Z. Ils prononcent un R au lieu d'un L : ils diront, Monsieur du Pressis pour Monsieur du Plessis. Ils prononcent un P au lieu d'un V consonante, Monsieur Olipier pour Monsieur Olivier. Mais comme ils ont la langue assez bien pendue, ils prendroient bien tost nostre prononciation si on les instruisoit, notamment les enfans.

Le Père Brébeuf nous [c] dit que les Hurons n'ont point de M, de quoi je m'estonne, car ceste lettre me semble quasi naturelle, tant l'usage en est grand.

Que si pour conclusion de ce Chapitre, Vostre Révérence me demande si j'ai beaucoup avancé dans la cognoissance de ceste langue pendant mon hivernement avec ces Barbares, je lui dirai ingénuement que non : en voici les raisons.

Premièrement, le deffaut de ma mémoire qui ne fut jamais bien excellente, et qui se va déseichant tous les jours. O l'excellent homme pour ce pays ici que le Père Brébeuf !

2. « Qu'on les appelle Barbares tant qu'on voudra, leur langue est fort règlée ; je n'y suis pas encore grand maistre, j'en parlerai quelque jour avec plus d'asseurance » (*Relation de 1633*, RJ, V, 114-116).

3. C'est-à-dire la consonne *v* et non la voyelle *u* qui s'écrit parfois *v* au xviie siècle ; l'exemple donné plus bas s'orthographie : *Oliuier*.

Sa mémoire très heureuse, sa douceur très aimable feront de grands fruicts dedans les Hurons.

Secondement, la malice du Sorcier qui défendoit par fois qu'on m'enseignast.

Tiercement, la perfidie de l'Apostat qui, contre sa promesse et nonobstant les offres que je lui faisois, ne m'a jamais voulu enseigner, voire sa déloyauté est venue jusques à ce point de me donner exprès un mot d'une signification pour un autre.

En quatriesme lieu, la famine a esté long temps nostre hotesse. Je n'osois quasi, en sa présence, interroger nos Sauvages : leur estomach n'est pas de la nature des tonneaux qui résonnent d'autant mieux qu'ils sont vuides ; ils ressemblent au tambour : plus il est bandé, mieux il parle.

En cinquiesme lieu, mes maladies m'ont fait quitter le soing des langues de la terre pour penser au langage de l'autre vie où je pensois aller.

En sixiesme lieu, enfin, la difficulté de ceste langue qui n'est pas petite, comme on peut conjecturer de ce que j'ai dit, n'a pas esté un petit obstacle pour empescher une pauvre mémoire comme la mienne d'aller bien loing. Je jargonne néantmoins, et à force de crier je me fais entendre.

Un poinct me toucheroit vivement, n'estoit que j'estime qu'il ne faut pas marcher devant Dieu, mais qu'il faut le suivre et se contenter de sa propre bassesse : c'est que je ne croi quasi pas pouvoir jamais parler les langues des Sauvages avec autant de liberté qu'il seroit nécessaire pour leur prescher et respondre sur le champ sans broncher à leurs demandes et à leurs objections, estant notamment occupé comme j'ai esté jusques à présent. Vrai que Dieu peut faire d'une roche un enfant d'Abraham [4]. Qu'il soit béni à jamais par toutes les langues [a] des nations de la terre.

---

4. « Car je vous le dis, Dieu peut, des pierres que voici, faire surgir des enfants à Abraham » (Matthieu, III, 10).

12

De ce qu'il faut souffrir
hivernant avec les Sauvages

Epictète dit que celui qui veut aller aux bains publics se doit au préalable figurer toutes les insolences qui s'y commettent, afin que, se trouvant engagé dans la risée d'un tas de canailles qui lui laveront mieux la teste que les pieds, il ne perde rien de la gravité et de la modestie d'un homme sage [1]. Je dirois volontiers le mesme à qui Dieu donne les pensées et les désirs de passer les mers pour venir chercher et instruire les Sauvages : c'est en leur faveur que je coucherai ce Chapitre, afin qu'ayans cogneu l'ennemi qu'ils auront en teste, ils ne s'oublient pas de se munir des armes nécessaires pour le combat, notamment d'une patience de fer et de bronze, ou plustost d'une patience toute d'or, pour supporter fortement et amoureusement les grands travaux qu'il faut souffrir parmi ces peuples. Commençons par la maison qu'ils doivent habiter s'ils les veulent suivre.

Pour concevoir la beauté de cest édifice, il en faut décrire la structure : j'en parlerai avec science, car j'ai souvent aidé à la dresser. Estans donc arrivés au lieu où nous devions camper, les femmes armées de haches s'en alloient çà et là dans ces grandes forests couper du bois pour la charpente de l'hostellerie où nous voulions loger, cependans les hommes en ayans désigné le plan, vuidoient la neige avec leurs raquettes [a] ou avec des pelles qu'ils font et portent exprès pour ce subject : figurez vous donc un grand rond ou un quarré dans la neige, haute de deux, de

---

1. Au neuvième paragraphe du *Manuel* : « Avant d'entreprendre quelque ouvrage, examinez-en bien toutes les circonstances ; si vous allez vous baigner, rappelez à votre esprit toutes les insolences qui ont coutume de se commettre dans le bain, etc. »

trois ou de quatre pieds, selon les temps ou les lieux où on cabane ; cette profondeur nous faisoit une muraille blanche qui nous environnoit de tous costés, excepté à l'endroict où on la fendoit pour faire la porte. La charpente apportée, qui consiste en quelque vingt ou trente perches, plus ou moins, selon la grandeur de la cabane, on la plante non sur la terre, mais sur le haut de la neige, puis on jette sur ces perches qui s'approchent en petit par en haut, deux ou trois rouleaux d'escorces cousues ensemble, commençant par le bas, et voilà la maison faite. On couvre la terre, comme aussi ceste muraille de neige qui règne* tout à l'entour de la cabane, de petites branches de pin, et pour dernière perfection, on attache une meschante peau à deux perches pour servir de porte, dont les jambages* sont la neige mesme. Voyons maintenant en détail toutes les commodités de ce beau Louvre.

Vous ne sçauriez demeurer debout dans ceste maison, tant pour sa bassesse que pour la fumée qui vous suffoqueroit, et par conséquent il faut estre tousjours couché ou assis sur la platte* terre, c'est la posture ordinaire des Sauvages. De sortir dehors, le froid, la neige, le danger de s'égarer dans ces grands bois vous font rentrer plus viste que le vent, et vous tiennent en prison dans un cachot qui n'a ni clef ni serrure.

Ce cachot, outre la posture fascheuse qu'il y faut tenir sur un lict de terre, a quatre grandes incommodités : le froid, le chaud, la fumée et les chiens. Pour le froid, vous avez la teste à la neige : il n'y a qu'une branche de pin entre deux, bien souvent rien que vostre bonnet. Les vents ont liberté d'entrer par mille endroicts, car ne vous figurez pas que ces escorces soient joinctes comme un papier colé sur un chassis : elles ressemblent bien souvent l'herbe à mille pertuis*, sinon que les trous et leurs ouvertures sont un peu plus grandes, et quand il n'y auroit que l'ouverture d'en haut, qui sert de fenestre et de cheminée tout ensemble, le plus gros hiver de France y pourroit tous les jours passer tout entier sans empressement. La nuict, estant couché, je contemplois par ceste ouverture et les estoilles et la lune, autant à découvert que si j'eusse esté en pleine campagne.

Or cependant le froid ne m'a pas tant tourmenté que la chaleur du feu. Un petit lieu comme sont leurs cabanes

*s'échauffe aisément par un bon feu qui me rostissoit par
fois et me grilloit de tous costés à raison que la cabane
estant trop estroite, je ne sçavois comment me deffendre
de son ardeur ; d'aller à droite ou à gauche, vous ne sçauriez ; car les Sauvages qui vous sont voisins occupent vos
costés, de reculer en arrière, vous rencontrez ceste muraille
de neige ou les escorces de la cabane qui vous bornent.
Je ne sçavois en quelle posture me mettre ; de m'estendre,
la place estoit si estroite que mes jambes eussent esté à
moitié dans le feu ; de me tenir en peloton* et tousjours
raccourci comme ils font, je ne pouvois pas si long temps
qu'eux ; mes habits ont esté tous rostis et tous bruslés.
Vous me demanderez peut estre si la neige que nous avions
au dos ne se fondoit point quand on faisoit bon feu : je dis
que non, que si par fois la chaleur l'amolissoit tant soit peu,
le froid la durcissoit en glace. Or je dirai néantmoins que
le froid ni le chaud n'ont rien d'intolérable* et qu'on
trouve quelque remède à ces deux maux.*

*Mais pour la fumée, je vous confesse que c'est un
martyre. Elle me tuoit et me faisoit pleurer incessamment
sans que j'eusse ni douleur ni tristesse dans le cœur ; elle
nous terrassoit par fois tous tant que nous estions dans la
cabane, c'est à dire qu'il falloit mettre la bouche contre
terre pour pouvoir respirer, car encore que les Sauvages
soient accoustumés à ce tourment, si est ce que par fois
il redoubloit avec telle violence qu'ils estoient contraincts
aussi bien que moi de se coucher sur le ventre et de manger quasi la terre pour ne point boire la fumée. J'ai quelque fois demeuré plusieurs heures en ceste situation, notamment dans les plus grands froids et lors qu'il neigeoit,
car c'estoit en ces temps là que la fumée nous assailloit
avec plus de fureur, nous saisissant à la gorge, aux naseaux
et aux yeux. Que ce breuvage est amer ! que ceste odeur
est forte ! que ceste vapeur est nuisible à la veue ! J'ai
creu plusieurs fois que je m'en allois estre aveugle : les
yeux me cuisoient comme feu, ils me pleuroient ou dis-
tilloient comme un alambique, je ne voyois plus rien que
confusément, à la façon de ce bon homme qui disoit,* video
homines velut arbores ambulantes [2]. *Je disois les Psaumes*

---

2. « Je vois des hommes comme des arbres ambulants » (Marc,
VIII, 24).

de mon Bréviaire comme je pouvois, les sçachant à demi par cœur, j'attendois que la douleur me donnast un peu de relasche pour réciter les leçons, et quand je venois à les lire elles me sembloient escrites en lettres de feu ou d'écarlatte. J'ai souvent fermé mon livre n'y voyant rien que confusion qui me blessoit la veue [3].

Quelqu'un me dira que je devois sortir de ce trou enfumé et prendre l'air, et je lui respondrai que l'air estoit ordinairement en ce temps là si froid que les arbres qui ont la peau plus dure que celle de l'homme et le corps plus solide ne lui pouvoient résister, se fendans jusques au cœur, faisans un bruit comme un mousquet en s'éclatant. Je sortois néantmoins quelque fois de ceste tanière, fuyant la rage de la fumée pour me mettre à la merci du froid, contre lequel je taschois de m'armer, m'enveloppant de ma couverture comme un Irlandois, et en cet équipage, assis sur la neige ou sur quelques arbres abbatus, je récitois mes Heures : le mal estoit que la neige n'avoit pas plus de pitié de mes yeux que la fumée.

Pour les chiens que j'ai dit estre l'une des incommodités des maisons des Sauvages, je ne sçai si je les dois blasmer, car ils m'ont rendu par fois de bons services, vrai qu'ils tiroient de moi la mesme courtoisie qu'ils me prestoient, si bien que nous nous entr'aidions les uns les autres, faisans l'emblesme du mutuum auxilium [4] *; ces pauvres bestes ne pouvans subsister à l'air, hors la cabane, se ve-*

---

3. Selon Sagard, Jean Dolbeau n'aurait pas interrompu, après deux mois, son hivernement de 1615 pour d'autres raisons : « Le P. Dolbeau toujours plein de zèle, prit le premier l'essor pour les Montagnais ; [...] ayans par la grâce de Dieu surmonté toutes les autres difficultés qui se rencontrent en semblables occasions, la fumée qui est en grande abondance dans leurs cabanes, notamment lors qu'il fait un temps nébuleux et de neige, lui pensa perdre la veue qu'il n'avoit desjà guerres bonne, et fut plusieurs jours sans pouvoir ouvrir les yeux qui lui faisoient une douleur extrême, tellement que dans l'appréhension que ce mal augmentast, il fut contraint de les quitter après deux mois de temps et revenir à l'habitation... » (SH, 39-40).

4. L'emblème est une figure symbolique accompagnée d'une devise : le Jésuite et le chien forment ici la figure dont l'entraide est la devise. Lejeune ferait ici allusion à un art qui occupait une grande place dans la pédagogie jésuite et qui a donné lieu aux XVIe et XVIIe siècles à une littérature abondante. Je dois cette précision à M. Bernard Beugnot.

noient coucher tantost sur mes espaules, tantost sur mes
pieds, et comme je n'avois qu'une simple castelogne pour
me servir de mattelas et de couverture tout ensemble, je
n'estois pas marri de cet abri, leurs vendant ᵃ volontiers
une partie de la chaleur que je tirois d'eux. Il est vrai que
comme ils estoient grands et en grand nombre, ils me pres-
soient par fois et m'inportunoient si fort qu'en me donnant
un peu de chaleur ils me déroboient tout mon sommeil ;
cela estoit cause que bien souvent je les chassois, en quoi
il m'arriva certaine nuict un traict de confusion et de risée,
car un Sauvage s'estant jetté sur moi en dormant, moi
croyant que ce fust un chien, rencontrant en main un
baston, je le frappe, m'écriant, aché, aché, qui sont les
mots dont ils se servent pour chasser les chiens. Mon homme s'éveille bien estonné, pensant que tout fust perdu,
mais s'estant pris garde d'où venoient les coups : tu n'as
point d'esprit, me dit-il, ce n'est pas un chien, c'est moi.
A ces paroles, je ne sçai qui resta le plus estonné de nous
deux ; je quittai doucement mon baston, bien marri de
l'avoir trouvé si près de moi.

Retournons à nos chiens. Ces animaux estans affamés,
d'autant qu'ils n'avoient pas de quoi manger non plus que
nous, ne faisoient qu'aller et venir, roder partout dans la
cabane. Or comme on est souvent couché aussi bien qu'assis dans ces maisons d'escorce, ils nous passoient ᵇ et
sur la face et sur le ventre, et si souvent, et avec telle
imptunité, qu'estant las de crier et de les chasser, je me
couvrois quelque fois la face, puis je leur donnois liberté
de passer par où ils voudroient. S'il arrivoit qu'on leur
jettast un os, aussi tost c'estoit de courre* après à qui
l'auroit, culbutans tous ceux qu'ils rencontroient assis s'ils
ne se tenoient bien fermes ; ils m'ont par fois renversé et
mon escuelle d'escorce, et tout ce qui estoit dedans sur ma
soutane ᶜ. Je souriois quand il y survenoit quelque querelle parmi eux lors que nous disnions, car il n'y avoit
celui qui ne tint son plat à deux belles mains contre la
terre qui servoit de table, de siège et de lict, et aux hommes
et aux chiens : c'est de là que provenoit la grande incommodité que nous recevions de ces animaux qui portoient
le nez dans nos escuelles plustost que nous n'y portions
la main. C'est assez dit des incommodités des maisons des
Sauvages. Parlons de leurs vivres.

*Au commencement que je fus avec eux, comme ils ne
salent ni leurs bouillons ni leurs viandes, et que la saleté
mesme fait leur cuisine, je ne pouvois manger de leur
salmigondis* ᵃ. *Je me contentois d'un peu de galette et d'un
peu d'anguille boucanée, jusques là que mon hoste me
tançoit de ce que je mangeois si peu* ⁵. *Je m'affamai avant* ᵇ
*que la famine nous accueillist. Cependant, nos Sauvages
faisoient tous les jours des festins, en sorte que nous nous
vismes en peu de temps sans pain, sans farine et sans anguilles, et sans aucun moyen d'estre secourus, car outre
que nous estions fort avant dans les bois et que nous fussions morts mille fois devant que d'arriver aux demeures
des François, nous hivernions de là le grand fleuve qu'on
ne peut traverser en ce temps là pour le grand nombre de
glaces qu'il charrie incessamment et qui mettroient en
pièces non seulement une chaouppe, mais un grand vaisseau. Pour la chasse, comme les neiges n'estoient pas profondes à proportion des autres années, ils ne pouvoient
pas prendre l'eslan, si bien qu'ils n'apportoient que quelques castors et quelques porcs épics, mais en si petit nombre et si peu souvent que cela servoit plustôt pour ne point
mourir que pour vivre. Mon hoste me disoit dans ces
grandes disettes,* Chibiné, aie l'âme dure, résiste à la faim,
*tu seras par fois deux jours, quelque fois trois ou quatre
sans manger, ne te laisse pas abbatre, prends courage,
quand la neige sera venue nous mangerons. Nostre Seigneur n'a pas voulu qu'ils fussent si long temps sans rien
prendre, mais pour l'ordinaire nous mangions une fois en
deux jours, voire assez souvent ayans mangé un castor le
matin, le lendemain au soir nous mangions un porc épic
gros comme un cochon de laict : c'estoit peu à dix-neuf
personnes que nous estions, il est vrai, mais ce peu suffi-
soit pour ne point mourir. Quand je pouvois avoir une
peau d'anguille pour ma journée sur la fin de nos vivres,
je me tenois pour bien desjeusné, bien disné et bien soupé* ᶜ.

*Au commencement je m'estois servi d'une de ces peaux
pour refaire une soutane de toile que j'avois sur moi,*

---

5. Les Européens éprouvèrent beaucoup de difficultés à s'adapter
   à la nourriture amérindienne : Sagard refusera plusieurs fois
   le blé d'Inde des Hurons, « Leur *Sagamité,* aussi sallement et
   pauvrement accommodé » (SV, 64).

ayant oublié de porter des pièces, mais voyant que la
faim me pressoit si fort, je mangeai mes pièces, et si
ma soutane eust esté de mesme estoffe ᵃ, je vous réponds
que je l'eusse rapportée bien courte en la maison. Je mangeois bien les vieilles peaux d'orignac qui sont bien plus
dures que les peaux d'anguilles ; j'allois dans les bois brou-
ter le bout des arbres et ronger les escorces plus tendres,
comme je remarquerai dans le journal. Les Sauvages qui
nous estoient voisins souffroient encore plus que nous,
quelques-uns nous venans voir, nous disoient que leurs
camarades estoient morts de faim ; j'en vis qui n'avoient
mangé qu'une fois en cinq jours et qui se tenoient bien
heureux quand ils trouvoient de quoi disner au bout de
deux ; ils estoient faits comme des squelettes n'ayans plus
que la peau sur les os. Nous faisions par fois de bons repas,
mais pour un bon disner nous nous passions trois fois de
souper. Un jeune Sauvage de nostre cabane, mourant de
faim, comme je dirai au Chapitre suivant, ils me demandoient souvent si je ne craignois point, si je n'avois point
peur de la mort, et voyans que je me monstrois assez asseuré, ils s'en estonnoient, notamment en certain temps que je
les vis quasi tomber dans le désespoir. Quand ils viennent
jusques là, ils jouent pour ainsi dire à sauve qui peut : ils
jettent leurs escorces et leur bagage, ils s'abandonnent les
uns les autres, et perdans le soin du public, c'est à qui trouvera de quoi vivre pour soi ; alors les enfans, les femmes,
en un mot ceux qui ne sçauroient chasser, meurent de froid
et de faim ; s'ils en fussent venus à ceste extrémité, je serois
mort des premiers.

Voilà ce qu'il faut prévoir avant que de se mettre à
leur suitte. Car encore qu'ils ne soient pas tous les ans
pressés de ceste famine, ils en courent tous les ans les dangers puis qu'ils n'ont point à manger, ou fort peu, s'il n'y
a beaucoup de neige et beaucoup d'orignaux, ce qui n'arrive pas tousjours.

Que si vous me demandez maintenant quels estoient
mes sentimens dans les affres de la mort et d'une mort si
langoureuse comme est celle qui provient de la famine, je
vous dirai que j'ai de la peine à respondre ; néantmoins,
afin que ceux qui liront ce Chapitre n'appréhendent point
de nous venir secourir, je puis asseurer avec vérité que ce
temps de famine m'a esté un temps d'abondance. Ayant

recogneu que nous commencions à flotter entre l'espérance
de la vie et la crainte de la mort, je fis mon compte que
Dieu m'avoit commandé de mourir [a] de faim pour mes
péchés, et baisant mille fois la main qui m'avoit minuté
ma sentence, j'en attendois l'exécution avec une paix et
une joie qu'on peut bien sentir, mais qu'on ne peut descrire : je confesse qu'on souffre et qu'il se faut résoudre à
la Croix, mais Dieu fait gloire d'aider une âme quand elle
n'est plus secourue des créatures. Poursuivons nostre
chemin.

   *Après ceste famine, nous eusmes quelques bons jours.
La neige, qui n'estoit que trop haute pour avoir froid, mais
trop basse pour prendre l'orignac, s'estant grandement
accreue sur la fin de Janvier, nos chasseurs prirent quelques
orignaux dont ils firent seicherie. Or soit que mon intem-
pérance ou que ce boucan dur comme du bois et sale comme les rues fut contraire à mon estomach, je tombai malade
au beau commencement de Février. Me voilà donc contraint de demeurer tousjours couché sur la terre froide ;
ce n'estoit pas pour me guérir des tranchées* fort sensibles
qui me tourmentoient et qui me contraignoient de sortir
à toute heure, jour et nuict, m'engageant à chaque sortie
dedans les neiges jusques aux genoux et par fois quasi
jusques à la ceinture, notamment au commencement que
nous estions cabanés en quelque endroict. Ces douleurs
sensibles me durèrent environ huict ou dix jours, comme
aussi un grand mal d'estomach et une foiblesse de cœur
qui se répandoit par tout le corps. Je guéris de ceste maladie, non pas tout à fait, car je ne fis que traisner jusques à
la mi-caresme que le mal me reprit. Je dis ceci pour faire
voir le peu de secours qu'on doit attendre des Sauvages
quand on est malade : estant un jour pressé de la soif, je
demandai un peu d'eau, on me respondit qu'il n'y en avoit
point et qu'on me donneroit de la neige fondue si j'en
voulois [b] ; comme ce breuvage estoit contraire à mon mal,
je fis entendre à mon hoste que j'avois veu un lac non pas
loing de là, et que j'en eusse bien voulu avoir un peu d'eau.
Il fit la sourde oreille à cause que le chemin estoit un peu
fascheux, si bien que non seulement ceste fois, mais encore
en tous les endroicts que quelque fleuve ou quelque ruisseau estoit un peu trop esloigné de nostre cabane, il falloit
boire de ceste neige fondue dans une chaudière dont le*

cuivre estoit moins épais que la saleté. Qui voudra sçavoir l'amertume de ce breuvage, qu'il le tire d'un vaisseau sortant de la fumée et qu'il en gouste.

Quant à la nourriture, ils partagent le malade comme les autres ; s'ils prennent de la chair fraische, ils lui en donnent sa part s'il en veut ; s'il ne la mange, pour lors, on ne se met pas en peine de lui en garder un petit morceau quand il voudra manger ; on lui donnera de ce qu'il y aura pour lors en la cabane, c'est à dire du boucan et non pas du meilleur, car ils le réservent pour les festins ; si bien qu'un pauvre malade est contraint bien souvent de manger parmi eux ce qui lui feroit horreur dans la santé mesme s'il estoit avec nos François. Une âme altérée de la soif du Fils de Dieu, je veux dire des souffrances, trouveroit ici de quoi se rassasier.

Il me reste encore à parler de leur conversation* pour faire entièrement cognoistre ce qu'on peut souffrir avec ce peuple. Je m'estois mis en la compagnie de mon hoste et du Renégat, à condition que nous n'hivernerions point avec le Sorcier que je cognoissois pour très meschant hom-me. Ils m'avoient accordé cette condition [a], mais ils furent infidelles, ne gardans ni l'une ni l'autre [6]. Ils m'engagèrent donc avec ce prétendu Magicien, comme je dirai ci après ; or ce misérable homme et la fumée m'ont esté les deux plus grands tourmens que j'aie enduré parmi ces Barbares : ni le froid, ni le chaud, ni l'incommodité des chiens, ni cou-cher à l'air, ni dormir sur un lict de terre, ni la posture qu'il faut tousjours tenir dans leurs cabanes, se ramassans en peloton, ou se couchans, ou s'asséans sans siège et sans mattelas, ni la faim, ni la soif, ni la pauvreté et saleté de leur boucan, ni la maladie, tout cela ne m'a semblé que jeu à comparaison de la fumée et de la malice du Sorcier, avec lequel j'ai tousjours esté en très mauvaise intelligence* pour les raisons suivantes.

Premièrement, pource que m'ayant invité d'hiverner avec lui, je l'avois éconduit, de quoi il se ressentoit fort,

---

6. Lapsus de Lejeune qui n'a rapporté qu'une seule des conditions qu'il avait posées pour son hivernement avec Mestigoït : il en rapportera trois au début du chapitre suivant, p. 127-128.

voyant que je faisois plus d'estat de mon hoste son cadet que de lui.

Secondement, pource que je ne pouvois assouvir sa convoitise. Je n'avois rien qu'il ne me demandast. Il m'a fait fort souvent quitter mon manteau de dessus mes espaules pour s'en couvrir. Or ne pouvant pas satisfaire à toutes ses demandes, il me voyoit de mauvais œil, voire mesme quand je lui eusse donné tout le peu que j'avois, je n'eusse peu gagner son amitié, car nous avions bien d'autres subjects de divorce.

En troisiesme lieu, voyant qu'il faisoit du prophète, amusant ce peuple par mille sottises qu'il invente à mon advis tous les jours, je ne laissois perdre aucune occasion de le convaincre de niaiserie et de puérilité, mettant au jour l'impertinence de ses superstitions. Or c'estoit lui arracher l'âme du corps par violence, car comme il ne sçauroit plus chasser, il fait plus que jamais du prophète et du magicien pour conserver son crédit et pour avoir de bons morceaux, si bien qu'esbranlant fort son authorité qui se va perdant tous les jours, je le touchois à la prunelle de l'œil et lui ravissois les délices de son Paradis qui sont les plaisirs de la gueule.

En quatriesme lieu, se voulant recréer à mes dépens, il me faisoit par fois escrire en sa langue des choses sales, m'asseurant qu'il n'y avoit rien de mauvais, puis il me faisoit prononcer ces impudences, que je n'entendois pas, devant les Sauvages. Quelques femmes m'ayans adverti de ceste malice, je lui dis que je ne salirois plus mon papier ni ma bouche de ces vilaines paroles. Il ne laissa pas de me commander de lire en la présence de toute la cabane et de quelques Sauvages qui estoient survenus, quelque chose qu'il m'avoit dicté. Je lui respondis que l'Apostat m'en donnast l'interprétation, et puis que je lirois. Ce Renégat refusant de le faire, je refusai aussi de lire ; le Sorcier me le commande avec empire, c'est à dire avec de grosses paroles ; je le prie au commencement avec grande douceur de m'en dispenser, mais comme il ne vouloit pas estre éconduit devant les Sauvages, il me presse fort et me fait presser par mon hoste qui fist du fasché ; enfin, recognoissant que mes excuses n'avoient plus de lieu, je lui parle d'un accent fort haut, et après lui avoir reproché ses lubricités, je lui adres-

se ces paroles, me voici en ton pouvoir, tu me peux massacrer, mais tu ne sçaurois me contraindre de proférer des paroles impudiques. Elles ne sont pas telles, me dit-il; pourquoi donc, lui dis-je, ne m'en veux on pas donner l'interprétation? Il sortir de ceste meslée fort ulcéré.

En cinquiesme lieu, voyant que mon hoste m'aimoit, il eut peur que cet amour ne le privast de quelque friand morceau. Je taschai de lui oster ceste appréhension, tesmoignant publiquement que je ne vivois pas pour manger, mais que je mangeois pour vivre, et qu'il m'importoit peu quoi qu'on me donnast, pourveu que j'en eusse assez pour ne point mourir. Il me repartit nettement qu'il n'estoit pas de mon advis, mais qu'il faisoit profession d'estre friand, d'aimer les bons morceaux, et qu'on l'obligeoit fort quand on lui en présentoit. Or jaçoit* que mon hoste ne lui donnast aucun subject de craindre en cet endroict, si est ce qu'il m'attaquoit quasi en tous les repas, comme s'il eust eu peur de perdre la préséance, cette appréhension augmentoit sa haine.

En sixiesme lieu, comme il voyoit que les Sauvages des autres cabanes me portoient quelque respect, cognoissant d'ailleurs que j'estois grand ennemi de ses impostures, et que si j'entrois dans l'esprit de ses ouailles, que je le perdrois de fond en comble, il faisoit son possible pour me détruire et pour me rendre ridicule en la créance de son peuple.

En septiesme lieu, adjoustez à tout ceci l'aversion que lui et tous les Sauvages de Tadoussac ont eu jusques ici des François depuis le commerce des Anglois, et conjecturez quel traictement je peux avoir reçeu de ces Barbares qui adorent ce misérable Sorcier contre lequel le plus souvent j'avois guerre déclarée. J'ai creu cent fois que je ne sortirois jamais de ceste meslée que par les portes de la mort. Il m'a traitté fort indignement, il est vrai, mais je m'estonne qu'il n'a pis fait, veu qu'il est idolâtre de ces superstitions que je combattois de toutes mes forces. De raconter par le menu toutes ses attaques, ses risées, ses gausseries, ses mespris, je ferois un Livre pour un Chapitre: suffit de dire qu'il s'attaquoit mesme par fois à Dieu pour me déplaire, et qu'il s'efforçoit de me rendre la risée des petits et des grands, me décriant dans les autres cabanes aussi bien que *dans la nostre. Il n'eut néantmoins jamais le crédit d'animer contre moi les Sauvages nos voisins : ils baissoient la teste quand ils entendoient les bénédictions qu'il me donnoit. Pour les domestiques, incités par son exemple et appuyés de son authorité, ils me chargeoient incessamment de mille brocards* [a] *et de mille injures. Je me suis veu en tel estat que pour ne les aigrir, ou ne leur donner occasion de se fascher, je passois les jours entiers sans ouvrir la bouche. Croyez moi, si je n'ai rapporté autre fruict des Sauvages, j'ai pour le moins appris beaucoup d'injures en leur langue : ils me disoient à tout bout de champ,* eca titou, eca titou, nama khitirinisin, *tais toi, tais toi, tu n'as point d'esprit.* Achineou, *il est orgueilleux,* moucachtechiou, *il fait du campagnon,* sasegau, *il est superbe,* cou attimou, *il ressemble à un chien,* cou mascoua, *il ressemble à un ours,* cou ouabouchou oujestoui, *il es barbu comme un lièvre,* attimonai oukhimau, *il est capitaine des chiens,* cou oucousimas ouchtigonan, *il a la teste faite comme une citrouille,* matchirineon, *il est difforme, il est laid,* khichconebeon, *il est ivre. Voilà les couleurs dont ils me peignoient, et de quantité d'autres que j'obmets. Le bon est qu'ils ne pensoient pas quelque fois que je les entendisse, et me voyans sousrire, ils demeuroient confus, du moins ceux qui ne chantoient ces airs que pour complaire au Sorcier. Les enfans m'estoient fort importuns, me faisans mille niches, m'imposans silence quand je voulois parler. Quand mon hoste estoit au logis, j'avois quelque relasche, et quand le Sorcier s'absentoit, j'estois dans la bonace, maniant les grands et les petits quasi comme je voulois* [b].*

Voilà une bonne partie des choses qu'on doit souffrir parmi ces peuples. Ceci ne doit espouventer personne : les bons soldats s'animent à la veue de leur sang et de leurs plaies. Dieu est plus grand que nostre cœur. On ne tombe pas tousjours dans la famine, on ne rencontre pas tousjours des Sorciers ou des jongleurs de l'humeur de celui ci. En un mot, si nous pouvions sçavoir la langue et la réduire en préceptes, il ne seroit plus de besoin de suivre ces Barbares* [7]. *Pour les nations stables, d'où nous attendons le plus*

---

7. Lejeune aura vu juste s'il pensait aux Montagnais, mais en réalité les Missions de la Nouvelle-France sont encore peu de chose en regard de l'ampleur qu'elles prendront par la suite. Les missions algonquiennes depuis Tadoussac jusqu'à la mer du Nord, comme celles des Outawacs vers le Mississipi ne débuteront vraiment,

grand fruict, nous pouvons avoir nostre cabane à part, et par conséquent nous délivrer d'une partie de ces grandes incommodités. Mais finissons ce Chapitre, autrement je me voi en danger d'estre aussi importun que cet imposteur que je recommande aux prières de tous ceux qui liront ceci. Je coucherai au Chapitre suivant quelques entretiens que j'ai eu avec lui, lors que nous estions dans quelque trève.

les premières qu'en 1660 et les secondes qu'en 1663 et prendront à partir de 1667 une très grande extension. Si on établira partout des Résidences, celles-ci seront précédées durant plusieurs années, et deviendront ensuite le point de départ, de ce qu'on appellera les « missions volantes » dont la *Relation de 1634* est la première grande illustration, mais non la dernière : mentionnons celles de Claude Allouez (1667, RJ, L, 248-310) et Charles Albanel (1670, III et 1672, VI).

13

Contenant un Journal des choses
qui n'ont peu estre couchées
soubs les Chapitres précédens

Si ce Chapitre estoit le premier dans ceste Relation,
il donneroit quelque lumière à tous les suivans ; mais je
lui ai donné le dernier rang pource qu'il se grossira tous
les jours jusques au départ des vaisseaux, par le rencontre
des choses plus remarquables qui pourront arriver, n'estant
qu'un mémoire, en forme de journal, de tout ce qui n'a peu
estre logé dans les Chapitres précédens.

Après le départ de nos François, qui sortirent de la
rade de Kébec le 16 d'Aoust de l'an passé 1633 pour tirer
à Tadoussac [1] *et de là en France, cherchant l'occasion de*
converser* avec les Sauvages pour apprendre leur langue,
je me transportai de là le grand fleuve de sainct Laurent
dans une cabane de feuillages et allois tous les jours à
l'escole dans celles des Sauvages qui nous environnoient,
alléché par l'espérance que j'avois, sinon de réduire le
Renégat à son devoir, du moins de tirer de lui quelque
cognoissance de sa [a] *langue : ce misérable estoit nouvelle-*
ment arrivé de Tadoussac où il s'estoit monstré fort con-
traire aux François [2]*. La faim, qui pressoit l'Apostat et ses*
frères, les fist monter à Kébec pour trouver de quoi vivre.
Estans donc occupés à leur pesche, j'estois fort souvent en
leur cabane, invitant par fois le Renégat de venir une autre

1. Voir p. 3, note 3.
2. Je n'ai pas trouvé trace ailleurs de « l'aversion des Sauvages de
   Tadoussac » pour les François que Lejeune date de l'occupation
   des Kirke (plus haut, p. 123), mais on comprend aisément que
   la famille de Mestigoït préfère commercer avec les Anglais :
   ils payent mieux (du moins, on pourrait interpréter dans ce
   sens la réflexion de Mestigoït, p. 90) et ils acceptent de vendre
   des armes à feu et de la poudre (sur l'arquebuse de Mestigoït,
   voir p. 94 et note 1 ; p. 129).

fois hiverner avec nous dans nostre maisonnette[3]. *Il s'y fust aisément accordé, n'estoit qu'il avoit pris femme d'une autre nation que la sienne et qu'il ne la pouvoit pas renvoyer pour lors. Voyant donc*[a] *qu'il ne me pouvoit pas suivre, je lui jettai quelque propos de passer l'hiver avec lui, mais sur ces entrefaictes, une furieuse tempeste nous ayant battus en ruine certaine nuict, le Père de Noue*[4], *deux de nos hommes et moi, dans nostre cabane, je fus saisi d'une grosse fièvre qui me fist chercher nostre petite maisonnette*[5] *pour y trouver la santé.*

L'Apostat, ayant veu mon inclination, traicta de mon dessein avec ses frères. Il en avoit trois ; l'un nommé Carigonan et surnommé des François l'Espousée pource qu'il fait le grand comme une espousée, c'est le plus fameux Sorcier ou Manitousiou *(c'est ainsi qu'ils appellent ces jongleurs) de tout le pays : c'est celui dont j'ai fort parlé ci dessus ; l'autre se nomme Mestigoït, jeune homme âgé de quelque trente-cinq ou quarante ans, brave chasseur et d'un bon naturel ; le troisiesme se nommoit Sasousmat, c'est le plus heureux de tous, car il est maintenant au Ciel, estant mort bon Chrestien, comme j'ai fait voir au Chapitre second*[6]. *Le Sorcier ayant appris du Renégat que je voulois hiverner avec les Sauvages, me vint voir sur la fin de ma maladie et m'invita de prendre sa cabane, me donnant pour raison qu'il aimoit les bons pource qu'il estoit bon, qu'il avoit tousjours esté bon dès sa tendre jeunesse ; il me demanda si Jésus ne m'avoit parlé de la maladie qui le travailloit : viens, me disoit-il, avec moi, et tu me feras vivre, maintenant je suis en danger de mourir ; or comme je le cognoissois comme un homme très impudent, je l'éconduisis*[b] *le plus doucement qu'il me fut possible et tirant à part l'Apostat, qui taschoit de m'avoir de son costé, ayant tesmoigné au Père de Noue quelque désir de retourner à Dieu, je lui dis que j'hivernerois volontiers avec lui et avec son frère Mestigoït, à condition que nous n'irions point de là le grand fleuve*[7], *que le Sorcier ne seroit point*

3. Pastedechouan a passé l'hiver 1632-1633 avec Lejeune ; voir INP.
4. Anne de Noue, voir INP.
5. Sur « Nostre petite maisonnette », Notre-Dame-des-Anges, voir INP à Hommes (nos) et à Enemond Masse.
6. Chapitre II, p. 8-11 ; voir INP.
7. Si Lejeune préfère hiverner sur la rive nord du Saint-Laurent, c'est pour ne pas se détacher irrémédiablement de Québec puis-

*en nostre compagnie et que lui qui entend bien la langue
Françoise m'enseigneroit : ils m'accordèrent tous deux ces
trois conditions, mais ils n'en tindrent pas une.*

*Le jour du départ étant pris, je leur donnai pour mon
vivre une barrique de galette que nous empruntasmes ª au
magasin de ces Messieurs, un sac de farine et des espis de
bled d'Inde, quelques pruneaux et quelques naveaux ; ils
me pressèrent fort de porter un peu de vin, mais je n'y
voulois point entendre, craignant qu'ils ne s'enivrassent :
toute fois, m'ayans promis qu'ils n'y toucheroient point sans
ma permission et les ayant asseurés qu'au cas qu'ils le fissent, que je le jetterois dans la mer, je suivis l'inclination
de ceux qui me conseillèrent d'en porter un petit barillet ;
je promis en outre à Mestigoït que je prenois pour mon
hoste (car l'Apostat n'est pas chasseur et n'a aucune conduite) que je lui ferois quelque présent au retour, comme
j'ai fait : c'est l'attente de ces vivres qui leur fait désirer
d'avoir un François avec eux.*

*Je m'embarquai donc en leur chalouppe justement le
dix-huictiesme d'Octobre, faisant profession de petit esco-
lier à mesme jour que j'avois autre fois fait profession
de maistre en nos escoles ᵇ ⁸. Estant allé prendre congé
de Monsieur nostre Gouverneur, il me recommanda très
particulièrement aux Sauvages ; mon hoste lui repartit,
si le Père meurt, je mourrai avec lui et jamais plus on
ne me reverra en ce pays ici. Nos François me tesmoignoient tout plein de regret de mon départ, veu les
dangers esquels on s'engage en la suitte de ces Barbares. Les adieux faits de part et d'autre, nous fismes voile
environ les dix heures du matin. J'estois seul de François avec vingt Sauvages, comptant les hommes, les femmes et les enfans. Le vent et la marée nous favorisans,*

---

qu'il écrivait plus haut : « [Nous estions] sans aucun moyen
d'estre secourus, car outre que nous estions fort avant dans les
bois et que nous fussions morts mille fois devant que d'arriver
aux demeures des François, nous hivernions de là le grand fleuve
qu'on ne peut traverser en ce temps là pour le grand nombre
de glaces qu'il charrie incessamment et qui mettroient en pièces
non seulement une chalouppe, mais un grand vaisseau » (118).
Voir p. 137.

8. Lejeune a été professeur de cinquième (Rennes), de troisième
et de seconde (Bourges) de 1618 à 1622 ; après son ordination,
il a encore professé la rhétorique (Nevers, 1626-1628 ; Caen,
1629-1630). Voir la chronologie, p. xvi.

*nous allasmes descendre au de là de l'isle d'Orléant, dans
une autre isle nommée des Sauvages* ca ouahascouna gakhe.
*Je ne sçai si la beauté du jour se respandoit dessus ceste isle,
mais je la trouvai fort agréable.*

Si tost que nous eusmes mis pied à terre, mon hoste
prend son harquebuse qu'il a achepté des Anglois et s'en
va chercher nostre souper ; cependant les femmes se mettent à bastir la maison où nous devions loger. Or l'Apostat
s'estant pris garde que tout le monde estoit occupé, s'en
retourna à la chalouppe qui estoit à l'ancre, prit le petit
barillet de vin et en beut avec tel excès que s'estant enivré
comme une soupe*, il tomba dedans l'eau et se pensa
noyer ; enfin il en sortit après avoir bien barbotté ; il s'en
vint vers le lieu où on dressoit la cabane, criant et hurlant
comme un démoniaque, il arrache les perches, frappe sur
les escorces de la cabane pour tout briser : les femmes le
voyans dans ces fougues s'enfuient dans le bois, qui de çà,
qui de là ; mon Sauvage, que je nomme ordinairement mon
hoste, faisoit bouillir dans un chaudron quelques oiseaux
qu'il avoit tués : cet ivrogne survenant rompt la crémaillè-
re ᵃ et renverse tout dans les cendres. A tout cela, pas un ne
fait mine d'estre fasché : aussi est ce folie de se battre contre
un fol. Mon hoste ramasse ses petits oiseaux, les va lui mesme laver à la rivière, puise de l'eau et remet la chaudière
sur le feu ; les femmes voyans que cet homme enragé
couroit çà et là sur le bord de l'isle, écumant comme un
possédé, viennent viste prendre leurs escorces, et les emportent en un lieu écarté, de peur qu'il ne les mette en pièces
comme il avoit commencé ; à peine eurent elles le loisir
de les rouler qu'il parut auprès d'elles tout forcené et ne
sçachant sur qui descharger sa fureur, car elles disparurent
incontinent à la faveur de la nuict qui commençoit à nous
cacher. Il s'en vint par le feu qui se descouvroit par sa
clarté, et voulant mettre la main sur la chaudière pour la
renverser une autre fois, mon hoste son frère, plus habile
que lui, la prit et lui jetta au nez toute bouillante comme
elle estoit. Je vous laisse à penser quelle contenance tenoit
ce pauvre homme, se voyant pris à la chaude*. Jamais il ne
fut si bien lavé : il changea de peau en la face et en tout
l'estomach. Pleust à Dieu que son âme eust changé aussi
bien que son corps ! Il redouble ses hurlements, arrache le
reste des perches qui estoient encor debout. Mon hoste

*m'a dit depuis qu'il demandoit une hache pour me tuer.
Je ne sçai s'il la demanda en effect, car je n'entendois pas
son langage, mais je sçai bien que me présentant à lui pour
l'arrester, il me dit, parlant François, retirez vous, ce n'est
pas à vous à qui j'en veux, laissez moi faire, puis me tirant
par la soutane, allons, disoit-il* [a], *embarquons nous dans un
canot, retournons en vostre maison, vous ne cognoissez pas
ces gens ci, ce qu'ils en font, c'est pour le ventre, ils ne se
soucient pas de vous, mais de vos vivres. A cela je respondois
tout bas à part moi,* in vino veritas.

*La nuict s'avançant bien fort, je me retirai dedans le
bois pour fuir l'importunité de cet ivrogne et pour prendre
quelque repos. Comme je faisois mes prières auprès d'un
arbre, la femme qui faisoit le mesnage de mon hoste me
vint trouver, et ramassant quelques feuilles d'arbres tom-
bées, me dit : couche toi là et ne fais point de bruit, puis
m'ayant jetté une escorce pour me couvrir, elle se retira.
Voilà donc mon premier giste à l'enseigne de la lune qui
me découvroit de tous costés ; me voilà passé Chevalier dès
le premier jour de mon entrée en ceste Académie*. La pluie
survenant un peu avant minuict, me donna quelque appréhension d'estre mouillé, mais elle ne dura pas long temps.
Le lendemain matin, je trouvai que mon lict, quoi qu'on
ne l'eut point remué depuis la création du monde, n'estoit
point si dur qu'il m'empeschast de dormir.*

*Le jour suivant, je voulus jetter le barillet et le reste
du vin dans la rivière comme je leurs avois dit que je ferois
au cas qu'on en abusast. Mon hoste me saisissant par le
milieu du corps, s'escria,* eca toute, eca toute, *ne fais pas
cela, ne fais pas cela, ne vois tu pas que Petrichtich (c'est
ainsi qu'ils nomment le Renégat par dérision) n'a point
d'esprit, que c'est un chien ? Je te promets qu'on ne touchera plus au barillet que tu ne sois présent. Je m'arrestai avec
résolution d'en faire largesse afin de me délivrer de la
crainte qu'un peu de vin ne nous fist boire beaucoup d'eau,
car s'ils se fussent enivrés pendant que nous faisions voile,
c'estoit pour nous perdre.*

*Nous voulions sortir le matin de ceste isle, mais la
marée se retirant plustost que nous ne pensions, nostre chalouppe s'échoua, si bien qu'il fallut attendre la marée du
soir, en laquelle nous nous embarquasmes, et voguans* [b] *à la*

faveur de la lune aussi bien que du vent, nous abordasmes
une autre isle nommée ca ouapascounagate. *Comme nous*
arrivasmes sur la nuict [a], *nos gens ne prirent pas la peine*
de nous bastir une maison, si bien que nous couchasmes
au mesme lict et logeasmes à la mesme enseigne que la
nuict précédente, abriés des arbres et du ciel.

Le lendemain, nous quittasmes ceste isle pour entrer
dans une autre appellée ca chibariouachcate : *nous la pour-*
rions nommer l'isle aux oies blanches, car j'y en vis plus de
mille en une bande.

Le jour d'après nous la voulions quitter, mais nous
fusmes contraints par [b] *le mauvais temps de relascher au*
bout de ceste mesme isle. Elle est déserte comme tout le
pays, c'est à dire qu'elle n'a des habitans qu'en passant, ce
peuple n'ayant point de demeure asseurée. Elle est bordée
de rochers si gros, si hauts et si entrecoupés, et peuplés
néantmoins de cèdres et de pins si proprement qu'un
Peintre tiendroit [c] *à faveur d'en avoir la veue pour tirer*
l'idée d'un désert affreux* pour ses précipices, et très agréa-
ble pour la variété de quantité d'arbres qu'on diroit avoir
esté plantés par la main de l'art plustost que de la nature.
Comme elle est entretaillée de baies pleines de vase, il s'y
retire si grande quantité de gibier et de plusieurs espèces
que je n'ai point veu en France, qu'il le faut quasi voir
pour le croire.

Sortans de ceste isle au gibier, nous navigasmes tout le
jour et vinsmes descendre sur la nuict dans une petite
islette nommée atisaoucanich et agoukhi, *c'est à dire lieu*
où se trouve la teinture. Je me doute que nos gens lui don-
nèrent ce nom pource qu'ils y trouvèrent de petites racines
rouges dont ils se servent pour teindre leurs matachias [9].
J'appellerois volontiers ce lieu l'islette malheureuse, car
nous y souffrismes beaucoup huict jours durant que les
tempestes nous y retindrent prisonniers. Il estoit nuict
quand nous l'abordasmes : la pluie et les vents nous atta-
quoient et cependant à peine peut on trouver cinq ou six
perches pour servir de poutres à nostre bastiment qui fut
si petit, si estroit et si découvert, et par un temps si
fascheux, que [d] *voulant éviter une incommodité on tomboit*

9. Voir plus haut p. 103.

dans deux autres : il se falloit racourcir ou se rouler en hérisson, sur peine de se brusler la moitié du corps ; pour nostre souper et pour nostre disner tout ensemble, car nous n'avions point mangé depuis le matin, mon hoste fist jetter à chacun un morceau de la galette que je lui avois donnée, m'advertissant que nous mangerions sans boire, car l'eau de ce grand fleuve commence en ce lieu d'estre salée. Le lendemain nous recueillismes de l'eau de pluie tombée dans des roches fort sales, et la beusmes avec autant de plaisir qu'on boit le vin d'Ai en France [10].

Ils avoient laissé nostre chalouppe à l'ancre dans un grand courant de marée. Je les advertis qu'elle n'estoit pas bien et qu'il la falloit mettre à l'abri derrière l'islette, mais comme nous n'attendions qu'un bon vent pour partir, ils n'en tindrent compte. La nuict, la tempeste redoublant, on eust dit que les vents devoient déraciner nostre islette. Mon hoste, se doutant de ce qui arriva, éveille l'Apostat et le presse de le venir aider à sauver nostre chalouppe qui s'alloit perdre ; or soit que ce misérable fust paresseux, ou qu'il eust peur des ondes, jamais il ne se voulut lever, donnant pour toute response qu'il estoit las. Dans ce retardement, les vents rompent l'amarre ou la corde de l'ancre, et en un instant font disparoistre nostre chalouppe. Mon hoste voyant ce beau mesnage, me vint dire, Nicanis, mon bien-aimé, la chalouppe est perdue, les vents qui l'ont enlevée la briseront contre les roches qui nous environnent de tous costés. Qui n'eust entré en verve [a] *contre ce Renégat dont la négligence nous jettoit dans des peines inexplicables, veu qu'il y avoit quantité de pacquets dans nostre bagage, et beaucoup d'enfans à porter. Mon hoste cependant, tout barbare et tout sauvage qu'il est, ne se troubla point de cet accident, ains craignant que cela ne m'attristast, il me dit, Nicanis, mon bien-aimé, n'es tu point fasché de ceste perte qui nous causera de grands travaux ? Je n'en suis pas bien aise, lui répartis-je ; ne t'en attriste point, me fit-il, car la fascherie amène la tristesse et la tristesse amène la maladie. Petrichtich n'a point d'esprit : s'il m'eust voulu secourir, ce malheur ne nous fust point survenu. Voilà tous les reproches qu'on lui fist. Véritablement cela me confond*

10. Les vins mousseux d'Ay (chef-lieu du canton de la Marne) sont des plus estimés de la Champagne.

que l'intérest de la santé arreste la cholère et la fascherie d'un Barbare, et que la loi de Dieu, que son bon plaisir, que l'espoir de ses grandes récompenses, que la crainte de ses chastimens, que nostre propre paix et consolation ne puisse servir de bride à l'impatience et à la cholère d'un Chrestien.

Au malheur susdit, en survint un autre : nous avions, outre la chalouppe, un petit canot d'escorce ; la marée se grossissant plus qu'à l'ordinaire par le souffle des vents nous le déroba. Nous voilà prisonniers plus que jamais. Je ne vis ni larmes, ni plaintes, non pas mesme parmi les femmes sur le dos desquelles ce désastre tomboit plus particulièrement, à raison qu'elles sont comme les bestes de voiture, portans ordinairement le bagage des Sauvages. Au contraire tout le monde se mit à rire.

Le jour venu, car ce fut la nuict que la tempeste commit ce larcin, nous courusmes tous sur les rives du fleuve pour apprendre par nos yeux des nouvelles de nostre pauvre chalouppe et de nostre canot. Nous vismes l'un et l'autre échoués fort loing de nous, la chalouppe parmi des roches et le canot au bord du bois de la terre continente. Chacun pensoit que tout estoit en pièces. Si tost que la mer se fut retirée, les uns courent vers la chalouppe, les autres vers le canot. Chose estrange, rien ne se trouva endommagé. J'en demeurai tout estonné, car de cent vaisseaux, fussent ils d'un bois aussi dur que le bronze, à peine s'en sauveroit il pas un dans ces grands coups de vent et sur des roches.

Pendant que les vents nous tenoient prisonniers dans ceste malheureuse islette, une partie de nos gens s'en allèrent visiter quelques Sauvages qui estoient à cinq ou six lieues de nous, si bien qu'il ne resta que les femmes et les enfans et l'Hiroquois dans nostre cabane. La nuict une femme estant sortie s'en revint toute effarée criant qu'elle avoit oui le Manitou ou le diable. Voilà l'allarme dans nostre camp ; tout le monde rempli de peur garde un profond silence. Je demandai d'où procédoit ceste espouvante, car je n'avois pas entendu ce qu'avoit dit ceste femme : eca titou, eca titou, *me dit-on,* Manitou, tais toi, tais toi, *c'est le diable. Je me mis à rire, et me levant en pied, je sors de la cabane, et pour les asseurer, j'appelle en leur langage le Manitou, criant tout haut que je ne le craignois pas et qu'il n'oseroit venir où j'estois ; puis ayant fait quelques tours dans nostre islette, je rentrai, et leur dis, ne craignez point, le diable ne vous fera aucun mal tant que je serai avec vous : il craint ceux qui croient en Dieu ; si vous y voulez croire, il s'enfuira de vous. Eux bien estonnés, me demandent si je ne le craignois point. Je repars ª, pour les délivrer de leur peur, que je n'en craignois pas une centaine. Ils se mirent tous à rire, se rasseurans petit à petit. Or voyant qu'ils avoient jetté de l'anguille dans le feu, j'en demandai la raison, tais toi, me firent-ils, nous donnons à manger au diable afin qu'il ne nous fasse point de mal.*

Mon hoste à son retour ayant sceu ceste histoire, me remercia fort de ce que j'avois rasseuré tous ses gens, me demandant si en effet je n'avois point de peur du Manitou ou du diable, et si je le cognoissois bien, que pour eux qu'ils le craignoient plus que la foudre. Je lui respondis que s'il vouloit croire et obéir à celui qui a tout fait, que le Manitou n'auroit nul pouvoir sur lui, pour nous, qu'estans assistés ᵇ de celui que nous adorions, le diable avoit plus de peur de nous que nous n'avions de lui. Il s'estonna et me dit qu'il eust bien voulu que j'eusse eu cognoissance de sa langue : car figurez vous que nous nous faisions entendre l'un l'autre plus par les yeux et par les mains que par la bouche.

Je dressai quelques prières en leur langue avec l'aide de l'Apostat. Or comme le Sorcier n'estoit pas encore venu, je les récitois le matin et avant nos repas, eux mesmes m'en faisans souvenir et prenans plaisir à les ouir prononcer : si ce misérable Magicien ne fust point venu avec nous, ces Barbares auroient pris grand plaisir de m'escouter ; mon hoste me faisoit mille questions, me demandant pourquoi nous mourions, où alloient nos âmes, si la nuict estoit universelle par tout le monde, et choses semblables, se monstrant fort attentif à mes responses. Changeons de discours.

Je remarquai en ce lieu ci que les jeunes femmes ne mangent point dans le plat de leurs maris ; j'en demandai la raison, le Renégat me dit que les jeunes filles à marier et les femmes qui n'avoient point encore d'enfans n'avoient

rien en maniement et qu'on leur faisoit leur part comme
aux enfans, de là vient que sa femme mesme me dit un
jour, dis à mon mari qu'il me donne bien à manger, mais
ne lui dis pas que je t'ai prié de lui dire.*

*Pendant certaine nuict, tout le monde estant dans un
profond sommeil, je me mis à entretenir ce pauvre misérable Renégat. Je lui fis voir qu'estant en nostre maison
rien de tout ce que nous avions ne lui manquoit, qu'il y
pouvoit passer sa vie doucement et quittant Dieu, il s'estoit
jetté dans une vie de beste qui enfin aboutiroit à l'enfer
s'il n'ouvroit les yeux, que l'éternité estoit bien longue et
que d'estre à jamais compagnon des diables, c'estoit un
long terme. Je voi bien, me fit-il* [a]*, que je ne fais pas bien,
mais mon malheur est que je n'ai pas l'esprit assez fort
pour demeurer ferme dans une résolution : je croi tout ce
qu'on me dit ; quand j'ai esté avec les Anglois, je me suis
laissé aller à leurs discours, quand je suis avec les Sauvages,
je fais comme eux, quand je suis avec vous, je tiens vostre
créance pour véritable ; pleust à Dieu que je fusse mort
quand j'estois malade en France, je serois maintenant
sauvé ; tant que j'aurai des parens je ne ferai jamais rien
qui vaille, car quand je veux demeurer avec vous, mes
frères me disent que je pourirai demeurant tousjours en
un endroict, cela est cause que je quitte tout pour les
suivre. Je lui apportai toutes les raisons et lui fis toutes les
offres que je peus pour l'affermir, mais son frère le Sorcier
qui sera bien tost avec nous renversera tous mes desseins,
car il manie comme il veut ce pauvre Apostat.*

*Le trentiesme jour d'Octobre nous sortismes de ceste
malheureuse isle* [b] *et vinsmes aborder sur la nuict dans
une autre isle qui porte un nom quasi aussi grand comme
elle est, car elle n'a pas demi lieue de tour, et voici comme
nos Sauvages me dirent qu'elle se nommoit :* ca pacou
cachtechikhi chachagou achiganikhi, ca pakhitaouana
niouikhi. *Je croi qu'ils forgent ces noms sur le champ.
Ceste isle n'est quasi qu'un grand rocher affreux. Comme
elle n'a point de fontaine d'eau douce, nous fusmes contraints de boire des eaux de pluies fort sales que nous
ramassions dans des fondrières et sur des roches. On jetta
le voile de nostre chalouppe sur des perches quand nous y
arrivasmes et nous nous mismes à l'abri là dessous ; nostre
lict estoit blanc et verd, c'est à dire qu'il y avoit si peu de*

*branches de pin dessous nous que nous touchions la neige
en plusieurs endroicts, laquelle avoit commencé depuis
trois jours à couvrir la terre d'un habit blanc.*

*Nous trouvasmes en ce lieu la cabane d'un Sauvage que
nostre hoste cherchoit, nommé Ekhemabamate* [a]. *Il apprit
de lui que son frère le Sorcier estoit passé depuis peu et
qu'ayant eu le vent contraire il n'estoit pas loing. Il n'attendit
pas qu'il fut jour tout à fait pour le suivre, son canot
poussé par trois rameurs* [b] *alloit comme le vent ; bref, le
beau premier jour de Novembre dédié à la mémoire de
tous les Saincts, il nous ramena ce Démon, j'entends ce
Sorcier. Je fus bien estonné quand je le vis, car je ne
l'attendois pas, me figurant que mon hoste estoit allé à la
chasse. Fust il ainsi, et que ceste misérable proie lui eust
eschappé des mains.*

*Si tost qu'il fut arrivé ce n'estoit plus que festins dans
nos cabanes. Nous n'avions plus que fort peu de vivres de
reste : ces Barbares les mangeoient avec autant de paix et
d'asseurance comme si les animaux qu'ils devoient chasser
eussent esté enfermés dans une estable.*

*Mon hoste faisant un jour festin à son tour, les conviés
me firent signe que je haranguasse en leur langue. Ils
avoient envie de rire, car je prononce le Sauvage comme
un Allemand prononce le François. Leur voulant donner
ce contentement, je me mis à discourir, et eux à s'esclatter
de rire ; eux bien aises de gausser et moi bien joyeux d'apprendre
à parler. Je leur dis pour conclusion que j'estois
un enfant et que les enfans faisoient rire leurs pères par
leur bégaiement, mais qu'au reste je deviendrois grand dans
quelques années et qu'alors, sçachant leur langue, je leur
ferois voir qu'eux mesmes sont enfans en plusieurs choses,
ignorans de belles vérités dont je leur parlerois, et sur
l'heure mesme, je leur demandai si la lune estoit aussi
hautement logée que les estoilles, si elle estoit en mesme
ciel, où alloit le soleil quand il nous quittoit, quelle figure
avoit la terre (si je sçavois leur langue en perfection, je leur
proposerois tousjours quelque vérité naturelle devant que
de parler des points de nostre créance, car j'ai remarqué
que ces curiosités les rendent fort* [c] *attentifs). Pour ne
m'esloigner de mon discours, l'un d'eux prenant la parole,
après m'avoir ingénuement confessé qu'ils ne pouvoient*

respondre à ces questions, me dit, mais comment pourrois tu toi mesme cognoistre ces choses puis que nous les ignorons? Je tirai aussi tost un petit cadran que j'avois dans ma poche, je l'ouvre et lui mettant en main, je lui dis, nous voilà dans la nuict profonde, le soleil ne nous paroist plus, dis moi maintenant, envisageant ce que je te présente, en quelle part du monde il est, désigne moi le lieu où il se doit demain lever, où il se doit coucher, où il sera en son midi, marque [a] *moi les endroicts du ciel où il ne va jamais. Mon homme respondit des yeux, me regardant sans dire mot; je prends le cadran et lui fais voir en peu de mots tout ce que je venois de proposer, adjoustant en suitte: hé bien, comment se peut il faire que je cognoisse ces choses et que vous les ignoriez? j'ai bien d'autres vérités plus grandes à vous dire quand je sçaurai parler. Tu as de l'esprit, me dirent-ils, tu sçauras bien tost nostre langue. Ils se sont trompés.*

Ce que j'escris dans ce journal n'a point d'autre suitte que la suitte du temps, voilà pourquoi je passerai souvent du coq à l'asne, comme on dit, c'est à dire que quittant une remarque je passerai en une autre qui ne lui a point de rapport, le temps seul servant de liaison à mon discours.

Comme l'arc et la flesche semblent des armes inventées par la nature, puis que toutes les nations de la terre en ont trouvé l'usage, de mesme vous diriez qu'il y a de certains petits jeux que les enfans trouvent sans qu'on leur enseigne. Les petits Sauvages jouent à se cacher aussi bien que les petits François, ils font quantité d'autres traits d'enfance que j'ai remarqué en nostre Europe: entre autres, j'ai veu les petits Parisiens jetter une balle d'harquebuse en l'air et la recevoir avec un baston un petit creusé; les petits Sauvages Montagnais font le mesme, se servans d'un petit faisseau de branches de pin qu'ils recueillent ou picquent en l'air avec un baston pointu; les petits Hiroquois ont le mesme passe-temps, jettans un osselet percé qu'ils enlassent en l'air dans un autre petit os: un jeune homme de ceste nation me l'a dit [b], *voyant jouer les enfans Montagnais.*

Mon Sauvage et le Sorcier son frère, ayans appris qu'il y avoit quantité de Montagnais ès environs du lieu où ils vouloient hiverner, prirent résolution de passer du costé du Nord, craignans que nous ne nous affamassions les uns

*les autres. Les voilà donc résolus d'aller où m'avoit promis
mon hoste et le Renégat. Mais à peine avions nous fait
trois lieues sur le grand fleuve pour le traverser que nous
rencontrasmes quatre canots qui nous ramenèrent au Sud,
disans que la chasse n'estoit pas bonne du costé du Nord,
si bien que je fus contraint de demeurer avec le Sorcier et
d'hiverner au de là de la grande rivière, quoi que je peusse
alléguer au contraire. Je voyois bien les dangers dans lesquels ils me jettoient, mais je ne voyois point d'autre remède que de se confier en Dieu et le laisser faire.*

*Si tost que les nouveaux Sauvages venus dans ces quatre
canots eurent mis pied à terre, mon hoste leur fit un banquet d'anguilles boucanées, car nous n'avions desjà plus
de pain. A peine ces conviés furent ils de retour en leur
cabane qu'ils dressèrent un festin de pois qu'ils avoient
achepté passans à Kébec. Mais afin que vous voyiez les excès
de ce peuple, au sortir de ce banquet, on vint à un troisiesme que le Sorcier avoit préparé, composé d'anguilles et de
la farine que j'avois donnée à mon hoste. Cet homme me
pressa fort d'estre de la partie. Il avoit fait faire un retran-
chement dans nostre cabane avec des peaux et des couvertures. Tous les conviés entrèrent là dedans, on me donna
ma part dans une petite escuelle, mais comme je n'estois
pas encor tout à fait accoustumé à manger de leurs bouillies
si sales et si fades, après en avoir grousté, j'en voulus donner
le reste à la parente de mon hoste. Aussi tost, on me dit,*
khita, khita, *mange tout, mange tout,* acoumahouchan,
*c'est un festin à tout manger. Je me mis à rire et leur dis
qu'ils jouoient à se faire crever, veu qu'ayans desjà esté à
deux festins, ils en faisoient un troisiesme à ne rien laisser.
Mon hoste m'entendant me dit, que dis tu,* Nicanis? *Je dis
que je ne sçaurois tout manger. Donne moi, ce fit-il, ton
escuelle, je l'aiderai. Lui ayant présentée, il avala tout ce
qui estoit dedans en deux tours de gueule, tirant une langue longue de la main pour la lécher au fond et par tout,
afin qu'il n'y restast rien.*

*Quand ils furent saouls quasi jusqu'à crever, le Sorcier
prit son tambour et invita tout le monde à chanter. Celui là
chantoit le mieux qui hurloit le plus fort. A la fin de leur
tintamarre, les voyant d'une humeur assez gaie, je leur
demandai permission de parler. Cela m'estant accordé, je
commençai à leur déclarer l'affection que je leur portois :*

vous voyez, disois-je, de quel amour je suis porté en vostre
endroict ; j'ai non seulement quitté mon pays qui est beau
et bien agréable pour venir dans vos neiges et dans vos
grands bois, mais encore je m'esloigne de la petite maison
que nous avons en vos terres pour vous suivre et pour ap-
prendre vostre langue. Je vous chéris plus que mes frères
puis que je les ai quittés pour vostre amour. C'est celui qui
a tout fait qui me donne ceste affection envers vous, c'est
lui qui a créé le premier homme d'où nous sommes tous
issus : voilà pourquoi n'ayans qu'un mesme père nous
sommes tous frères, et nous devons tous recognoistre un
mesme Seigneur et un mesme Capitaine, nous devons tous
croire en lui et obéir à ses volontés. Le Sorcier m'arrestant,
dit tout haut, quand je le verrai, je croirai en lui, autrement
non : le moyen de croire en celui qu'on ne void pas ? Je
lui respondis, quand tu me dis que ton père ou l'un de tes
amis a tenu quelque discours, je croi ce qu'il a dit, me
figurant qu'il n'est point menteur, et cependant je n'ai
jamais veu ton père. De plus, tu crois qu'il y a un Manitou
et tu ne l'as pas veu. Tu crois qu'il y a des Khichikouai ᵃ *ou*
Génies du jour, et tu ne les as pas veus. D'autres les ont
veus, me dit-il. Tu ne me sçaurois dire, lui repartis-je, ni
quand, ni comment, ni en quelle façon ou en quel endroict
on les a veus, et moi je te puis dire comment se nommoient
ceux qui ont veu le Fils de Dieu en terre, quand ils l'ont
veu et en quel lieu, ce qu'ils ont fait et en quels pays ils
ont esté. Ton Dieu, me fit-il, n'est point venu en nostre
pays, voilà pourquoi nous ne croyons point en lui ; fais
que je le voie et je croirai en lui. Escoute moi et tu le
verras, lui répliquai-je : nous avons deux sortes de veue, la
veue des yeux du corps et la veue des yeux de l'âme ; ce
que tu vois des yeux de l'âme peut estre aussi certain que
ce que tu vois des yeux du corps. Non, dit-il, je ne vois rien
sinon des yeux du corps, si ce n'est en dormant, mais tu
n'approuve pas nos songes. Escoute moi jusqu'au bout, lui
fis-je : quand tu passe devant une cabane délaissée, que tu
vois encore toutes les perches en rond, que tu vois l'aire de
la cabane tapissée de branches de pin, que ᵇ *tu vois le foyer*
qui fume encore, n'est il pas vrai que tu cognois asseuré-
ment et que tu vois bien qu'il y a eu là des Sauvages ? et
que ces perches et tout le reste que vous laissez quand vous
décabanez ne se sont point rassemblées par cas fortuit ?
Oui, me dit-il. Or je dis le mesme quand tu vois la beauté

*et la grandeur de ce monde, que le Soleil tourne incessam-
ment sans s'arrester, que les saisons retournent en leur
temps et que les astres gardent si bien leur ordre, tu vois
bien que les hommes n'ont point fait ces merveilles et qu'ils
ne les gouvernent pas : il faut donc qu'il y ait quelqu'un
plus noble que les hommes qui ait basti et qui gouverne
ceste grande maison ; or c'est celui là que nous appellons
Dieu, qui void tout et que nous ne voyons pas maintenant ;
mais nous le verrons après la mort et nous serons bienheureux à jamais avec lui si nous l'aimons et si nous lui
obéissons. Tu ne sçais ce que tu dis, me repartit-il* [a]*, apprends à parler et nous t'entendrons.*

Là dessus je priai l'Apostat de déduire mes raisons et
de les expliquer en Sauvage, car j'en voyois de fort attentifs,
mais ce misérable Renégat, craignant de déplaire à son
frère, ne voulut jamais ouvrir la bouche. Je le prie, je le
conjure avec toute douceur, en fin je redouble ma voix et
le menace de la part de Dieu, lui protestant qu'il seroit
responsable de l'âme de la femme de son frère le Sorcier* [b]
*laquelle je voyois fort malade et pour laquelle j'estois
entré en discours, espérant que si les Sauvages goustoient
mes raisons, qu'ils me permettroient aisément de l'instruire. Ce cœur de bronze ne fléchit jamais ni à mes prières,
ni à mes menaces. Je prie Dieu qu'il lui fasse miséricorde.
Mon hoste me voyant parler d'un accent assez haut, me dit,
Nicanis ne te fasche point : avec le temps tu parleras comme nous et tu nous enseigneras ce que tu sçais, nous te
presterons l'oreille plus volontiers qu'à cet opiniastre qui
n'a point d'esprit, auquel nous n'avons nulle créance. Voilà
les éloges qu'ils donnent* [c] *à ce Renégat. Je lui répliquai, si
ceste femme se portoit bien, je serois consolé, mais elle est
pour mourir dans peu de jours et son âme, faute de cognoistre Dieu, sera perdue, que si ton frère me vouloit prester sa
parole* [d]*, je l'instruirois en peu de temps. Sa response* [e] *fut
que je la laissasse et que je sçavois bien que c'estoit un lourdaut. Pour conclusion, on dit les mots qui terminent le
festin et chacun se retira, moi bien dolent* de voir ceste
âme se perdre en ma présence sans la pouvoir secourir, car
le Sorcier ayant commencé à lever le masque et l'Apostat à
m'éconduire* [f] *en sa considération, toutes les espérances
que je pouvois avoir d'aider ceste femme malade et d'instruire les autres commencèrent à s'évanouir. J'ai souvent*

souhaité qu'un Sainct fust en ma place pour opérer en Sainct, les petites âmes crient beaucoup et font peu : il se faut contenter de sa [a] *bassesse. Poursuivons nostre voyage.*

Le douziesme de Novembre, nous commençasmes en fin d'entrer dedans les terres, laissans nos chalouppes et nos canots, et quelqu'autre bagage dans l'isle au grand nom, de laquelle nous sortismes de mer basse, traversans une prairie qui la sépare du continent. Jusques ici nous avons fait chemin dans le pays des poissons, tousjours sur les eaux ou dans les isles, doresnavant nous allons entrer dans le royaume des bestes sauvages, je veux dire de beaucoup plus d'estendue que toute la France.

Les Sauvages passent l'hiver dedans ces bois, courans çà et là, pour y chercher leur vie ; au commencement des neiges, ils prennent le castor dans les petits fleuves et le porc épic dans les terres ; quand la neige est profonde, ils chassent à l'orignac et au caribou, comme j'ai dit.

Nous avons fait dans ces grands bois, depuis le 12 de Novembre de l'an 1633, que nous y entrasmes, jusques au 22 d'Avril de ceste année 1634 que nous retournasmes aux rives du grand fleuve de sainct Laurent, vingt-trois stations, tantost dans des vallées fort profondes, puis sur des montagnes fort relevées, quelque fois en plat pays et tousjours dans la neige. Ces forests où j'ai esté sont peuplées de diverses espèces d'arbres, notamment de pins, de cèdres et de sapins. Nous avons traversé quantité de torrens d'eau, quelques fleuves, plusieurs beaux lacs et estangs, marchans sur la glace. Mais descendons en particulier et disons deux mots de chaque station. La crainte que j'ai d'estre long me fera retrancher quantité de choses que j'ai jugé assez légères, quoi qu'elles puissent donner quelque jour à ces mémoires.

A nostre entrée dans les terres, nous estions trois cabanes de compagnie : il y avoit dix-neuf personnes en la nostre, il y en avoit seize en la cabane du Sauvage nommé Ekhemabamate et vingt [b] *dans la cabane des nouveaux venus. Je ne compte point les Sauvages qui estoient à quelques lieues de nous : nous faisions en tout quarante-trois* [c] *personnes qui devions estre nourris de ce qu'il plairoit à la saincte providence du bon Dieu de nous envoyer, car nos provisions tiroient par tout à la fin* [11].

Voici l'ordre que nous gardions levans le camp, battans la campagne et dressans nos tentes et nos pavillons. Quand nos gens remarquoient qu'il n'y avoit plus de chasse à quelques trois ou quatre lieues à l'entour de nous, un Sauvage qui cognoissoit mieux le chemin du lieu où nous allions, crioit à pleine teste, en un beau matin hors de la cabane, escoutez hommes, je m'en vais marquer le chemin pour décabaner demain au point du jour. Il prenoit une hache et marquoit quelques arbres qui nous guidoient ; on ne marque le chemin qu'au commencement de l'hiver, car quand tous les fleuves et les torrens sont glacés et que la neige est haute, on ne prend pas ceste peine.

Quand il y a beaucoup de pacquets, ce qui arrive lors qu'ils ont tué grand nombre d'eslans, les femmes en vont porter une partie jusqu'au lieu où l'on doit camper le jour suivant. Quand la neige est haute, ils font des traisnes de bois qui se fend et qui se lève comme par feuilles assez minces et fort légères [a] *; ces traisnes sont fort estroites à raison qu'elles se doivent tirer entre une infinité d'arbres fort pressés en quelques endroicts, mais en récompense, elles sont fort longues. Voyant un jour celle de mon hoste dressée contre un arbre, à peine peus je atteindre au milieu, estendant le bras autant qu'il me fut possible. Ils lient leur bagage là dessus et avec une corde qui leur vient passer sur l'estomach, ils traisnent sur la neige ces chariots sans roues.*

Pour ne m'esloigner davantage de mon chemin, si tost qu'il est jour, chacun se prépare pour déloger : on commence par le desjeusner s'il y a de quoi, car par fois on part sans

---

11. L'éditeur a rétabli l'addition avec élégance, mais on ne saurait l'accorder ainsi avec certitude : nulle part ailleurs la cabane d'Ekhemabamate n'est dénombrée, ni celle des nouveaux venus dont on sait seulement qu'ils tiennent dans quatre canots (p. 138). Pour celle de Mestigoït, nous savons qu'elle comprend dix-neuf personnes (ici et p. 118) bien que Lejeune écrive aussi « J'estois seul de François avec *vingt* Sauvages, comptant les hommes, les femmes et les enfans » (p. 128) et plus loin « dixhuict ou vingt personnes que nous estions » (p. 155). On sait d'autre part que ce n'est que le 19 ou le 20 décembre que le groupe d'Ekhemabamate se séparera des deux autres (p. 155). Sur la famille de Mestigoït, voir INP sous Mestigoït.

desjeusner, on poursuit sans disner et on se couche sans souper. Chacun fait son pacquet le mieux qu'il peut, les femmes battent la cabane pour faire tomber la glace et la neige de dessus les escorces qu'elles roulent en faisseaux. Le bagage estant plié, ils jettent sur leur dos ou sur leurs reins de longs fardeaux qu'ils supportent avec une corde qui passe sur leur front, soubs laquelle ils mettent un morceau d'escorce de peur de se blesser. Tout le monde chargé, on monte à cheval sur des raquettes qu'on se lie aux pieds afin de ne point enfoncer dans la neige. Cela fait, on marche en campagne [a], faisant passer devant les petits enfans qui partent bien tost et n'arrivent par fois que bien tard. Ces pauvres petits ont leur pacquet ou leur traisne pour s'accoustumer [b] de bonne heure à la fatigue, et tasche on de leur donner de l'émulation à qui portera ou traisnera davantage. De vous dépeindre la difficulté des chemins, je n'ai ni plume, ni pinceau qui le puisse faire : il faut avoir veu cet object pour le cognoistre et avoir gousté de ceste viande pour en sçavoir le goust. Nous ne faisions que monter et descendre, il nous falloit souvent baisser à demi corps pour passer soubs des arbres quasi tombés et monter sur d'autres couchés par terre dont les branches nous faisoient quelque fois tomber assez doucement, mais tousjours froidement, car c'estoit sur la neige. S'il arrivoit quelque dégel, ô Dieu quelle peine ! il me sembloit que je marchois sur un chemin de verre qui se cassoit à tous coups soubs mes pieds : la neige congelée venant à s'amollir tomboit et s'enfonçoit par esquarres ou grandes pièces, et nous en avions bien souvent jusques aux genoux, quelque fois jusqu'à la ceinture, que s'il y avoit de la peine à tomber, il y en avoit encor plus à se retirer, car nos raquettes se chargeoient de neige et se rendoient si pesantes que quand vous veniez à les retirer, il vous sembloit qu'on vous tiroit les jambes pour vous démembrer. J'en ai veu qui glissoient tellement soubs des souches ensevelies soubs la neige qu'ils [c] ne pouvoient tirer ni jambes ni raquettes sans secours. Or figurez vous maintenant, dans ces chemins [d], une personne chargée comme un mulet et jugez si la vie des Sauvages est douce.

En France, dans la difficulté des voyages encore trouve on quelques villages pour se rafraischir et pour se fortifier ; mais les hostelleries* que nous rencontrions et où nous *beuvions n'estoient que des ruisseaux, encor falloit il rompre la glace pour en tirer de l'eau. Il est vrai que nous ne faisions pas de longues traites, aussi nous eust il esté tout à fait impossible.*

Estans arrivés au lieu où nous devions camper, les femmes alloient couper les perches pour dresser la cabane, les hommes vuidoient la neige, comme je l'ai plus amplement déduit* au Chapitre précédent. Or il falloit travailler à ce bastiment ou bien trembler de froid trois grosses heures sur la neige en attendant qu'il fut fait. Je mettois par fois la main à l'œuvre pour m'échauffer, mais j'estois pour l'ordinaire tellement glacé que le feu seul me pouvoit dégeler. Les Sauvages en estoient estonnés, car ils suoient soubs le travail ; leur tesmoignant quelque fois que j'avois grand froid, ils me disoient, donne tes mains que nous voyons si tu dis vrai, et les trouvans toutes glacées, touchés de compassion, ils me donnoient leurs mitaines échauffées et prenoient les miennes toutes froides ; jusques là que mon hoste, après avoir expérimenté ceci plusieurs fois, me dit, Nicanis n'hiverne plus avec les Sauvages, car ils te tueront ; il vouloit dire, comme je pense, que je tomberois malade et que ne pouvant estre traisné avec le bagage, qu'on me feroit mourir : je me mis à rire et lui repartis qu'il me vouloit espouvanter.

La cabane estant faite, ou sur la nuict ou un peu devant, on parloit de disner et de souper tout ensemble, car sortant le matin après avoir mangé un petit morceau, il falloit avoir la patience qu'on fut arrivé et que l'hostellerie fut faite pour y loger et pour y manger ; mais le pis estoit que ce jour là, nos gens n'allans point ordinairement à la chasse, c'estoit pour nous un jour de jeusne aussi bien qu'un jour de travail. C'est trop retarder, venons à nostre station.

Nous quittasmes les rives du grand fleuve le vingt-deux de Novembre [a], comme j'ai desjà dit, et vinsmes cabaner près d'un torrent, faisans chemin à la façon que je viens de dire, chacun portant son fardeau. Tous les Sauvages se mocquoient de moi de ce que je n'estois pas un bon cheval de malle, me contentant de porter mon manteau qui estoit assez pesant, un petit sac où je mettois mes menues nécessités et leurs gausseries qui ne me pesoient pas tant que mon *corps : voilà ma charge. Mon hoste et l'Apostat portoient sur des bastons croisés en forme de brancard la femme du Sorcier qui estoit fort malade ; ils la mettoient sur la neige en attendant que la cabane fut faite, où elle passoit plus de trois heures sans feu et sans jamais se plaindre, et sans monstrer aucun signe d'impatience : je me mettois plus en peine d'elle qu'elle mesme, car je croïs souvent qu'on fist faire pour le moins un peu de feu auprès d'elle, mais la response estoit qu'elle se chaufferoit la cabane estant faite. Ces Barbares sont faits à ces souffrances : ils s'attendent bien que s'ils tombent malades qu'on les traittera à la mesme monnoie. Nous séjournasmes huict* jours en ceste station, pendant lesquels voici une partie des choses que j'ai remarqué dans mon mémoire.*

C'est ici que les Sauvages consultèrent les Génies du jour en la façon que j'ai couché au Chapitre quatriesme. Or comme je m'estois ris de ceste superstition et qu'à toutes les occasions qui se rencontroient, je faisois voir que tous les mystères du Sorcier n'estoient que jeux d'enfans, m'efforçant de lui ravir ses ouailles pour les rendre avec le temps à celui qui les a rachetées au prix de son sang. Cet homme forcené fist, le jour d'après ceste consulte, [ce] que je vai descrire.

Mon hoste ayant invité au festin tous les Sauvages nos voisins, comme ils estoient desjà venus et assis à l'entour du feu et de la chaudière, attendans l'ouverture du banquet, voilà que le Sorcier qui estoit couché vis à vis de moi se lève tout à coup, n'ayant point encor parlé depuis la venue des conviés, il paroist tout furieux, se jettant sur une des perches de la cabane pour l'arracher, il la rompt en deux pièces, il roule les yeux en la teste, regardant çà et là comme un homme hors de soi, puis envisageant les assistans, il leur dit triniticou nama nitirinisin, *ô hommes j'ai perdu l'esprit, je ne sçai où je suis, esloignez de moi les haches et les espées, car je suis hors du sens. A ces paroles, tous les Sauvages baissent les yeux en terre, et je les lève au ciel d'où j'attendois secours, me figurant que cet homme faisoit l'enragé pour se venger de moi en m'ostant la vie, ou du moins pour m'espouvanter afin de me reprocher par après que mon Dieu me manquoit au besoin, et de publier parmi les siens qu'ayant si souvent tesmoigné que je ne craignois pas leur Manitou qui les fait trembler, je paslissois devant*

*un homme. Tant s'en faut que la peur qui dans les dangers
d'une mort naturelle me faisoit quelque fois rentrer en
moi mesme, me saisit pour lors, qu'au contraire j'envisa-
geois ce forcené avec autant d'asseurance que si j'eusse eu
une armée à mes costés, me représentant que le Dieu que
j'adorois pouvoit lier les bras aux fols et aux enragés aussi
bien qu'aux démons, qu'au reste, si sa Majesté me vouloit
ouvrir les portes de la mort par les mains d'un homme qui
faisoit l'endiablé, que sa Providence estoit tousjours aimable. Ce Thrason redoublant ses fougues fist mille actions de
fol, d'ensorcelé, de démoniaque, tantost il crioit à pleine
teste, puis demouroit tout court comme espouvanté, il
faisoit mine de pleurer, puis il s'éclattoit de rire comme un
diable follet, il chantoit sans règles ni sans mesures, il
siffloit comme un serpent, il hurloit comme un loup ou
comme un chien, il faisoit du hibou et du chathuan, tournant les yeux tout effarés dedans sa teste, prenant mille
postures, faisant tousjours semblant de chercher quelque
chose pour la lancer. J'attendois à tous coups qu'il arrachast
quelque perche pour m'en assommer ou qu'il se jettast sur
moi. Je ne laissai pas néantmoins, pour lui monstrer que je
ne m'estonnois pas de ses diableries, de faire toutes mes
actions à l'ordinaire, de lire, d'escrire, de faire mes petites
prières, et l'heure de mon sommeil estant venue, je me couchai et reposai aussi paisiblement dans son sabbat comme
j'eusse fait dans un profond silence : j'estois desjà aussi
accoustumé de m'endormir à ses cris et à ses bruits de tambour qu'un enfant aux chansons de sa nourrisse.*

*Le lendemain au soir à mesme heure, il sembla vouloir
entrer dans les mesmes fougues et donner une autre fois
l'alarme au camp, disant qu'il perdoit l'esprit. Le voyant
desjà demi fol, il me vint une pensée qu'il pourroit estre
travaillé de quelque fièvre chaude : je l'aborde et lui prends
le bras pour lui toucher l'artère, il me regarde affreuse-
ment*, faisant de l'estonné comme si je lui eusse apporté
des nouvelles de l'autre monde, il roule les yeux çà et là
comme un insensé. Lui ayant touché le pouls et le front,
je le trouvai frais comme un poisson et aussi esloigné de la
fièvre comme j'estois de France : cela me confirma dans
mon opinion qu'il faisoit de l'enragé pour m'estonner et
pour tirer à compassion tous ses gens qui dans nostre disette
lui donnoient ce qu'ils pouvoient avoir de meilleur.*

Le vingtiesme du mesme mois de Novembre, ne se trouvans plus de castors ni de porcs épics en nostre quartier, nous tirasmes pays et ce fut nostre deuxiesme ª station. On porta la femme du Sorcier sur un brancard et la mit on, comme j'ai desjà dit, dessus la neige en attendant que nostre palais fust dressé. Cependant, je m'approchai d'elle lui tesmoignant beaucoup de compassion ; il y avoit desjà quelques jours que je taschois de gagner son affection afin qu'elle me prestast plus volontiers l'oreille, cognoissant bien qu'elle ne pouvoit pas vivre long temps, car elle estoit comme un squelette, n'ayant quasi plus la force de parler. Quand elle appelloit quelqu'un la nuict, je m'esveillois moi mesme et me levois ᵇ, je lui faisois du feu, je lui demandois ce dont elle avoit besoin, elle me commandoit de petites chosettes, comme de fermer les portes ou boucher quelque trou de la cabane qui l'incommodoient ; après ces menus discours et offices de charité, je l'abordai et lui demandai si elle ne vouloit pas bien croire en celui qui a tout fait, et que son âme après sa mort seroit bien heureuse. Au commencement elle me respondit qu'elle n'avoit point veu Dieu et que je lui fisse voir, autrement qu'elle ne pouvoit croire en lui. Elle avoit tiré ceste response de la bouche de son mari. Je lui repartis qu'elle croyoit plusieurs choses qu'elle ne voyoit pas et qu'au reste son âme seroit bruslée pour une éternité si elle n'obéissoit à celui qui a tout fait. Elle s'adoucit petit à petit, et me tesmoigna qu'elle lui vouloit obéir ᶜ. Je n'osois l'entretenir long temps, mais seulement par reprises, ceux qui me voyoient me crians que je la laissasse.

Sur le soir, estans tous dans nostre nouvelle cabane, je m'approchai d'elle, l'appellant par son nom. Jamais elle ne me voulut parler en la présence des autres. Je priai le Sorcier de lui dire qu'elle me respondit et de m'aider à l'instruire, lui représentant qu'il ne pouvoit arriver que du bien de ceste action : il me respond non plus que la malade. Je m'adresse à l'Apostat, le pressant avec de très humbles prières de me prester sa parole : point de response. Je retourne à la malade, je l'appelle, je lui parle, je lui demande si elle ne vouloit pas aller au Ciel : à tout cela pas un mot. Je solicite de rechef le Sorcier son mari, je lui promets une chemise et du pétun, pourveu qu'il dise à sa femme qu'elle m'escoute. Comment veux tu, me dit-

il, que nous croyions en ton Dieu, ne l'ayans jamais veu ?
Je t'ai desjà respondu à cela, lui fis-je, il n'est pas temps
de disputer, cette âme se va perdre pour un jamais si tu
n'en as pitié : tu vois bien que celui qui a fait le Ciel pour
toi te veut donner de plus grands biens que d'aller manger
des escorces en un village qui ne fut jamais, mais aussi te
punira il sévèrement si tu ne crois en lui et si tu ne lui
obéis. Ne pouvant tirer aucune raison de ce misérable
homme, je pressai encor une fois la malade. Mon hoste
me l'entendant nommer par son nom me tança, tais toi,
me dit-il, ne la nomme point, elle est desjà morte, son âme
n'est plus dans son corps. C'est une grande vérité que per-
sonne ne va à Jésus-Christ que son père ne lui tende la
main ! C'est un grand présent que la foi ! Quand ces pau-
vres Barbares voient qu'un pauvre malade ne parle plus
ou qu'il tombe en syncope ou en quelque phrénésie, ils
disent que son esprit n'est plus dans son corps ; si le ma-
lade retourne en son bon sens, c'est l'esprit qui est de
retour ; en fin quand il est mort, il n'en faut plus parler,
ni le nommer en aucune façon. Pour conclure ce point,
il me fallust retirer sans rien faire.

On tint conseil en ce lieu de ce qu'on devoit faire pour
trouver à manger : nous estions desjà réduits à telle extré-
mité que je faisois un bon repas d'une peau d'anguille
boucanée que je jettois aux chiens quelques jours aupa-
ravant. Deux choses me touchèrent ici le cœur : jettant
une fois un os ou une arreste d'anguille aux chiens, un
petit garçon fut plus habile que le chien, il se jetta sur
l'os et le rongea et mangea ; une autre fois, un enfant
ayant demandé à manger, comme on lui eust respondu qu'il
n'y en avoit point, ce pauvre petit s'en prit à ses yeux :
les larmes rouloient sur sa face grosses comme des pois et
ses souspirs et ses sanglots me touchoient de compassion,
encor taschoit il de se cacher. Car c'est une leçon qu'on
fait aux enfans de se monstrer courageux dans la famine.

Le vingt-huictiesme du mesme mois, nous décampas-
mes pour la troisiesme fois. Il neigeoit fort, mais la néces-
sité nous pressant, le mauvais temps ne peut nous arrester.
Je fus bien estonné en cette troisiesme demeure que je ne
vis point apporter la malade. Je n'osois demander ce qu'elle
estoit devenue, car ils ne veulent pas qu'on parle des morts.
Sur le soir, j'accostai le Renégat, je lui demandai, parlant

François, où estoit ceste pauvre femme, s'il ne l'avoit point tuée, voyant qu'elle s'en alloit mourir, comme il avoit autre fois assommé à coups de bastons une pauvre fille qui tiroit à la mort, ainsi que lui mesme l'avoit raconté à nos François. Non, dit-il, je ne l'ai pas tuée. Qui donc, lui fis-je, est ce le jeune Hiroquois? Nenni, me respond-il, car il est parti de grand matin. C'est donc mon hoste ou le Sorcier son mari, car elle parloit encor quand je suis sorti ce matin de la cabane. Il baissa la teste, m'advouant tacitement que l'un des deux l'avoit mise à mort. Un vieillard m'a ce néantmoins dit depuis qu'elle mourut de sa mort naturelle un peu après que je fus parti. Je m'en rapporte à ce qui en est. Quoi que c'en soit, ayant refusé de recognoistre le Fils de Dieu pour son Pasteur pendant sa vie, il n'est que trop probable qu'il ne l'a pas recogneue pour une de ses ouailles après sa mort.

J'ai remarqué jusques ici de trois sortes de médecines naturelles parmi les Sauvages. L'une c'est leur suerie dont j'ai parlé ci dessus, l'autre consiste à se taillarder légèrement la partie du corps qui leur fait mal, la mettant tout en sang qu'ils font sortir de ces découpures en assez grande abondance : ils se servirent une fois de mon canif pour taillarder la teste d'un petit enfant de vingt[a] jours. La troisiesme de ces médecines est composée de raclures d'escorces intérieures de bouleau, du moins cet arbre me sembloit tel. Ils font bouillir ces raclures dans de l'eau qu'ils boivent par après pour se faire vomir. Ils m'ont souvent voulu donner ceste potion pendant que j'estois malade, mais je ne la jugeois pas à mon usage.

Le jour de la sainct François Xavier, nostre prétendu magicien ayant sur le soir battu son tambour et bien hurlé à l'ordinaire, car il ne manquoit point de nous donner[b] ceste aubade toutes les nuicts à nostre premier sommeil, voyant que tout le monde estoit endormi et cognoissant que ce pauvre homme faisoit ce tintamarre pour sa guérison, j'entrai en discours avec lui. Je commençai par un tesmoignage de grand amour en son endroict et par des louanges que je lui jettai comme une amorce pour le prendre dans les filets de la vérité. Je lui fis entendre que si un esprit capable des choses grandes comme le sien cognoissoit Dieu, que tous les Sauvages, induis par son exemple, le voudroient aussi cognoistre. Aussi tost, il prit* *l'essor et se mit à déclarer la puissance, l'authorité et le crédit qu'il a sur l'esprit de ses compatriotes. Il dit que dès sa jeunesse, les Sauvages lui donnèrent le nom de khimou-chouminau, c'est à dire nostre aieul et nostre maistre, que tout passe par ses advis et que chacun suit ses conseils. Je l'aidois à se louer le mieux que je pouvois, car il est vrai qu'il a de belles parties* pour un Sauvage. En fin je lui dis que je m'estonnois qu'un homme de jugement ne peut recognoistre le peu de rapport qu'il y a entre ce tintamarre et la santé. Quand tu as bien crié et bien battu ton tambour, que fait ce bruit sinon de t'estourdir la teste ? Pas un Sauvage n'est malade qu'on ne lui batte les oreilles de ce tambour afin qu'il ne meure point. En as tu veu de dispensés de la mort ? Je te veux faire une proposition : escoute moi patiemment, lui dis-je, bats ton tambour dix jours durant, chante et fais chanter les autres tant que tu voudras, fais tout ce qui sera en ton possible pour recouvrer ta santé ; si tu n'en guéris dans ce temps-là, confesse que ton tintamarre, que tes hurlements ª et que tes chansons ne te sauroient remettre en santé, abstiens toi dix autres jours de toutes ces superstitions, quitte ton tambour et tous ces bruits déréglés, demande au Dieu que j'adore qu'il te donne sa cognoissance, pense et crois que ton âme doit passer à une autre vie que celle ci, efforce toi d'aimer son bien comme tu aime le bien de ton corps, et quand tu auras passé ces dix autres derniers jours en ceste façon, je me retirerai trois jours durant en oraison dans une petite cabane qu'on fera plus avant dans le bois, là je prierai mon Dieu qu'il te donne la santé du corps et de l'âme, toi seul me viendras voir au temps que je dirai et tu feras de tout ton cœur les prières que je t'enseignerai, promettant à Dieu que s'il lui plaist de te rendre la santé, tu appelleras tous les Sauvages de ce lieu et en leur présence, tu brusleras ton tambour et toutes les autres badineries dont tu te sers pour les amasser, que tu leur diras que le Dieu des Chrestiens est le vrai Dieu, qu'ils croient en lui et qu'ils lui obéissent ; si tu promets ceci véritablement et de cœur, j'espère que tu seras délivré de ta maladie, car mon Dieu est tout puissant.*

Or comme cet homme est très désireux de recouvrer sa santé il ouvrit les oreilles et me dit, ton discours est fort bon, j'accepte les conditions que tu me donne, mais commence le premier : retire toi en oraison et dis à ton Dieu qu'il me guérisse, car c'est par là qu'il faut commencer, et puis je ferai tout ce que tu m'as prescrit. Je ne commence-rai point, lui repartis-je, car si tu estois guéri pendant que je prierois, tu attribuerois ta santé à ton tambour que tu n'aurois pas quitté et non pas au Dieu que j'adore, lequel seul te peut guérir. Non, me dit-il, je ne croirai pas que cela vienne de mon tambour : j'ai chanté et fait tout ce que je sçavois et n'ai peu sauver la vie à pas un ; moi mesme estant malade, je fais jouer pour me guérir tous les ressorts de mon art et me voilà plus mal que jamais ; j'ai employé toutes mes inventions pour sauver la vie à mes enfans, notamment au dernier qui est mort depuis peu, et pour conserver ma femme qui vient de trespasser : tout cela n'a point réussi et partant, si tu me guéris, je n'attribuerai point ma santé à mon tambour, ni à mes chansons. Je lui respondis que je ne pouvois [a] *pas le guérir, mais que mon Dieu pouvoit tout, qu'au reste il ne falloit point faire de marchés avec lui, ni lui prescrire des conditions comme il faisoit, disant qu'il me guérisse premièrement et puis je croirai en lui : dispose toi, lui dis-je, de ton costé et sa bonté ne te manquera pas, que s'il ne te donne la santé du corps, il te donnera la santé de l'âme qui est incompara-blement plus à priser. Ne me parle point de l'âme, me repartit-il* [b]*, c'est de quoi je ne me soucie pas : voilà (me monstrant sa chair) ce que j'aime, c'est le corps que je chéris, pour l'âme je ne la voi point, en arrive ce qui pourra. As tu de l'esprit ? lui fis-je, tu parle comme les bestes, les chiens n'aiment que les corps ; celui qui a fait le soleil pour t'éclairer n'a il rien préparé de plus grand à ton âme qu'à l'âme d'un chien ? Si tu n'aime que ton* [c] *corps, tu perdras le corps et l'âme. Si une beste pouvoit parler, elle parleroit que de son corps et de sa chair : n'as tu rien par dessus les bestes qui sont faites pour te servir ? N'aime tu que la chair et le sang ? Ton âme est elle l'âme d'un chien que tu la traitte avec un tel mespris ? Peut estre que tu dis vrai, me respond-il, et qu'il y a quelque chose de bon en l'autre vie, mais nous autres en ce pays ci n'en sçavons rien, que si tu me rends* [d] *la santé je ferai ce que tu voudras. Ce pauvre misérable ne peut jamais relever sa pensée plus haut que la terre. Ne voyant donc aucune disposition en cet esprit superbe qui croyoit pouvoir obliger Dieu s'il croyoit en lui, je le quittai pour lors et me retirai pour reposer, car il estoit bien avant dans la nuict.*

Le troisiesme de Décembre, nous commençasmes nostre quatriesme station, ayans délogé sans trompettes, mais non pas sans tambour, car le Sorcier n'oublioit jamais le sien. Nous plantasmes nostre camp proche d'un fleuve large et rapide, mais peu profond. Ils le nomment ca pititechivets, *il se va dégorger dans le grand fleuve de sainct Laurent, quasi vis à vis de Tadoussac. Nos Sauvages n'ayans point ici de viandes pour faire des festins, ils faisoient des banquets de fumée, s'invitans les uns les autres dans leurs cabanes et faisans la ronde à un petit plat de terre rempli de tabac, chacun en prenoit une cornetée qu'il réduisoit en fumée, remettant la main au plat s'il vouloit pétuner davantage. L'affection qu'ils portent à ceste herbe est au de là de toute créance : ils s'endorment le calumet en la bouche, ils se lèvent par fois la nuict pour pétuner, ils s'arrestent souvent en chemin pour le mesme subject, c'est la première action qu'ils font* rentrans [a] *dans leurs cabanes, je leur ai battu le fusil pour les faire pétuner en ramant dans un canot, je leur ai veu souvent manger le baston de leur calumet, n'ayans plus de pétun, je leur ai veu racler et pulvériser un calumet de bois pour pétuner. Disons avec compassion qu'ils passent leur vie dans la fumée et qu'ils tombent à la mort dans le feu.*

J'avois porté du pétun avec moi, non pour mon usage, car je n'en prends point ; j'en donnai largement selon que j'en avois à plusieurs Sauvages, m'en réservant une partie pour tirer de l'Apostat quelque mot de sa langue, car il ne m'eust pas dit une parole qu'en le payant de ceste monnoie. Quand nos gens eurent consommé ce que je leur avois donné et ce qu'ils avoient en leur particulier, je n'avois plus de paix : le Sorcier me pressoit avec une importunité si audacieuse que je ne le pouvois souffrir ; tous les autres sembloient me vouloir manger quand je leur en refusois : j'avois beau leur dire qu'ils n'avoient point de considération, que je leur en avois plus donné trois fois que je ne m'estois réservé ; vous voyez, leur disois-je, que j'aime vostre langue et qu'il faut que je l'achepte avec cet argent, que s'il me manque on ne m'enseignera pas un mot, vous voyez que s'il me faut un verre d'eau, il faut que j'en aille chercher bien loin ou que je donne un bout de pétun à un enfant pour m'en aller quérir ; vous me dites que le pétun rassasie, si la famine qui nous presse continue, j'en veux faire l'expérience, laissez moi ce peu que j'ai de réserve. Il me fut impossible de résister à leur importunité, il fallut tirer jusques au bout. Ce ne fut pas sans estonnement de voir des personnes si passionnées pour de la fumée.

Le sixiesme du mesme mois, nous délogeasmes pour la cinquiesme fois. Il m'arriva une disgrâce au départ : au lieu de prendre le vrai chemin, je me jettai dans un autre que nos chasseurs avoient fort battu. Je vai donc fort loing sans prendre garde que je me perdois ; ayant fait une longue traitte, je m'apperceu que mon chemin se divisoit en cinq ou six autres qui tiroient qui de çà, qui de là ; me voilà demeuré tout court. Il y avoit un petit enfant qui m'avoit suivi, je ne l'osois quitter, car aussi tost il se mettoit à pleurer. J'enfilai tantost l'un, tantost l'autre de ces sentiers, et voyant qu'ils tournoient çà et là, et qu'ils n'estoient marqués que d'une sorte de raquette, je concluds que ces chemins ne conduisoient point au lieu où mes Sauvages alloient cabaner. Je ne sçavois que faire du petit garçon, car s'estant apperceu de nostre erreur, il ne m'osoit perdre de veue sans se pasmer ; d'ailleurs n'ayant qu'environ six ans, il ne me pouvoit pas suivre, car je doublois mes pas. Je m'advisai de lui laisser mon manteau pour marque que je retournerois, si je trouvois nostre vrai chemin, lui faisant signe qu'il m'attendist, car nous ne nous entendions pas l'un l'autre : je jette [a] *donc mon manteau sur la neige et m'en revai sur mes brisées, criant de temps en temps pour me faire entendre de nos gens, si tant est que le bon chemin ne fust pas loing de moi. Je crie dans ces grands bois, personne ne respond, tout est dans un profond silence, les arbres mesmes ne faisoient aucun bruit, car il ne faisoit point de vent ; le froid estoit si violent que je m'attendois infailliblement de mourir la nuict au cas qu'il me la fallust passer sur la neige, n'ayant ni hache, ni fusil pour faire du feu. Je vai, je viens, je tourne de tous costés, je ne trouve rien qui ne m'égare davantage. La dernière chose que l'homme quitte, c'est l'espérance, je la tenois tousjours par un petit bout, me figurant à toute heure que j'allois trouver mon chemin. Mais enfin, après avoir bien tourné, voyant que ces créatures ne me pouvoient donner aucun secours, je m'arreste* [b] *pour présenter mes petites prières au Créateur dont je voyois ces grands bois tout remplis, aussi bien que le reste du monde. Il me vint une pensée que je n'estois pas perdu, puis que Dieu sçavoit bien où j'estois, et ruminant ceste vérité en mon esprit, je tire doucement vers le fleuve que j'avois traversé au sortir de la cabane, je crie, j'appelle de rechef, tout le monde estoit bien loing. Je commençois desjà à laisser cheoir de mes mains le petit filet de l'espérance que j'avois tenu jusques alors, quand j'advisai quelques vestiges de raquettes derrière des broussailles : je m'y transportai, et* vidi vestigia virorum, et mulierum, et infantium [12] ; *en un mot je trouve ce que j'avois cherché fort long temps. Au commencement je n'estois pas asseuré que c'estoit là un bon chemin, voilà pourquoi je me diligentai* de le recognoistre. Estant desjà bien avancé, je trouve l'Apostat qui nous venoit chercher. Il me demanda où estoit ce petit enfant. Je lui repartis que je l'avois laissé auprès de mon manteau. Il me dit [a], j'ai trouvé vostre manteau et l'ai reporté à la nouvelle cabane, mais je n'ai point veu l'enfant. Me voilà bien estonné : de l'aller chercher, c'estoit me perdre une autre fois ; je prie l'Apostat d'y aller, il fist la sourde oreille. Je tire droit à la cabane pour en donner advis, où enfin j'arrivai tout brisé et tout moulu pour la difficulté et pour la longueur des chemins que j'avois fait sans trouver hostellerie que des ruisseaux glacés. Si tost que les Sauvages me virent, ils me demandent où estoit le petit garçon, crians que je l'avois perdu. Je leur raconte l'histoire, les asseurant que je lui avois laissé tout exprès mon manteau pour l'aller retrouver, mais ayant quitté ce lieu là, je ne sçaurois où l'aller chercher, veu mesmement que je n'en pouvois plus, n'ayant point mangé depuis le grand matin, et deux ou trois bouchées de boucan tant seulement. On me donna pour réconfort un peu d'eau glacée que je fis chauffer dans un chaudron fort sale : ce fut tout mon souper, car nos chasseurs n'ayans rien pris, il fallut jeusner ce jour là. Pour l'enfant, deux femmes m'ayans oui dépeindre l'endroict où je l'avois laissé, conjecturans où il avoit tiré, l'allèrent chercher et le trouvèrent. Il ne faut pas s'estonner si un François se perd quelque fois dans ces forests : j'ai veu de nos plus habiles Sauvages s'y égarer plus d'un jour entier.*

Le vingtiesme de Décembre, quoi que les Sauvages ne se mettent pas ordinairement en chemin pendant le mau-

___

12. « Et je vis des traces d'hommes, de femmes et d'enfants. »

*vais temps, si fallut il décabaner durant la pluie et déloger
à petit bruit* sans desjeusner. La faim nous faisoit marcher,
mais le mal est qu'elle nous suivoit par tout où nous allions,
car nous ne trouvions par tout, ou fort peu, ou point de
chasse. En ceste station qui fut la sixiesme, le Renégat me
vint dire que les Sauvages estoient espouvantés, et mon
hoste m'abordant tout pensif me demanda si je ne sçavois
point quelque remède à leur malheur : il n'y a pas, me
disoit-il, assez de neige pour tuer l'orignac ; des castors et
des porcs épics, nous n'en trouvons quasi point ; que ferons
nous ? ne sçais tu point ce qui nous doit arriver ? ne sens
tu point dans toi mesme ce qu'il faut faire ? Je lui voulus
dire que nostre Dieu estoit très bon et très puissant, qu'il
falloit que nous eussions recours à sa miséricorde, mais
comme je ne parle ᵃ pas bien, je priai l'Apostat de me servir
de truchement ; ce misérable est possédé d'un diable muet :
jamais il ne voulut parler.*

*Le vingt-quatriesme de Décembre, la veille de la nais-
sance de nostre Sauveur, nous décampasmes pour la septiesme fois. Nous partismes sans manger, nous cheminasmes un
assez long temps, nous travaillasmes à faire nostre maison
et pour nostre souper Nostre Seigneur nous donna un porc
épic gros comme un cochon de laict et un lièvre : c'estoit
peu pour dix-huict ou vingt personnes que nous estions,
il est vrai, mais la saincte Vierge et son glorieux Espoux
sainct Joseph ne furent pas si bien traictés à mesme jour
dans l'estable de Béthléem.*

*Le lendemain, jour de resjouissance parmi les Chres-
tiens pour l'enfant nouveau né, fut pour nous un jour de
jeusne : on ne me donna rien du tout à manger. La faim
qui fait sortir le loup du bois m'y fit entrer plus avant pour
chercher des petits bouts d'arbres que je mangeois avec
délices. Des femmes ayans jetté aux chiens, par mesgarde
ou autrement, quelques rognures de peaux dont on fait
les cordes des raquettes, je les ramassai et en fis un bon
disner, quoi que les chiens mesmes, quand ils avoient tant
soit peu à manger, n'en voulussent pas gouster. J'ai souvent
mangé, notamment ce mois ci, des raclures d'escorces, des
rognures de peaux et autres choses semblables, et cependant
je ne m'en suis point trouvé mal.*

*Le mesme jour de Noël, je m'en allai sur le soir visiter
nos voisins. Nous n'estions plus que deux cabanes, celle du*

Sauvage Ekhemabamate avoit tiré d'un autre costé depuis
cinq ou six jours, à raison qu'il n'y avoit pas assez de chasse
pour nourrir tout le monde. Je trouvai deux jeunes chas-
seurs tout tristes pour n'avoir rien pris ce jour là, ni le
précédent : ils estoient comme tous les autres, maigres et
défaits, taciturnes et fort pensifs, comme gens qui ne pou-
voient mourir qu'à regret. Cela me toucha le cœur. Après
leur avoir dit quelque parole de consolation et donné
quelque espérance de chose meilleure, je me retirai en ma
cabane pour prier Dieu. L'Apostat me demanda quel jour
il estoit. Il est aujourd'hui la feste de Noël, lui respondis-je.
Il fut un peu touché et, se tournant vers le Sorcier, il lui dit
qu'à tel jour estoit né le Fils de Dieu que nous adorions,
nommé Jésus. Remarquant en lui quelque estonnement, je
lui dis que Dieu usoit ordinairement de largesse en ces
bons jours et que si nous avions recours à lui qu'il nous
assisteroit infailliblement. A cela point de parole, mais
aussi point de contrariété. Prenant donc l'occasion au poil,
je le priai de me tourner en sa langue deux petites oraisons
dont je dirois l'une et les Sauvages l'autre, espérant que
nous serions secourus. L'extrémité où nous estions réduits
lui fist accorder que de bond* que de volée ce que je de-
mandois. Je composai sur l'heure deux petites prières qu'il
me tourna en Sauvage, me promettant en outre qu'il me
serviroit d'interprète si j'assemblois les Sauvages. Me voilà
fort content. Je recommande l'affaire à Nostre Seigneur,
et le lendemain matin je dresse un petit oratoire, je pends
aux perches de la cabane une serviette que j'avois portée,
sur laquelle j'attache un petit Crucifix et un Reliquaire
que deux personnes fort religieuses m'ont envoyé ; je tire
encore quelque image de mon bréviaire. Cela fait, je fis [a]
appeller tous les Sauvages de nos deux cabanes et je leur
fais entendre, tant par mon bégaiement que par la bouche
du [b] *Renégat, que la crainte de mourir* [c] *faisoit parler,*
qu'il ne tiendroit qu'à eux qu'ils ne fussent secourus.
Je leur dis que nostre Dieu est la bonté mesme, que
rien ne lui estoit impossible, qu'encore bien qu'on l'eust
mesprisé, que si néantmoins on croyoit et si on espéroit en
lui d'un bon cœur, qu'il se monstreroit favorable. Or com-
me ces pauvres gens n'avoient plus d'espérance en leurs
arcs ni en leurs flesches, ils me tesmoignoirent un grand
contentement de ce que je les avois assemblés, m'asseurans
qu'ils feroient tout ce que je leur commanderois. Je prends

*mon papier et leur lis l'oraison que je désirois qu'ils fissent,
leur demandant s'ils estoient contens d'addresser au Dieu
que j'adorois ces paroles de tout leur cœur et sans feintise ;
ils me respondent tous* nimiroueritenan, nimiroueritenan,
*nous en sommes contens, nous en sommes contens. Je me
mets le premier à genoux et eux tous avec moi, jettans les
yeux sur nostre petit oratoire. Le seul Sorcier demeuroit
assis, mais lui ayant demandé s'il n'en vouloit pas estre
aussi bien que les autres il fist comme il me voyoit faire.
Nous estions testes nues, joignans tous les mains et les
eslevans vers le Ciel. Je commençai donc à faire ceste oraison tout haut en leur langue.*

*Mon Seigneur qui avez tout fait, qui voyez tout et qui
cognoissez tout, faites nous miséricorde. O Jésus, fils du
Tout-puissant, qui avez pris chair humaine pour nous, qui
estes né pour nous d'une Vierge, qui estes mort pour nous,
qui estes ressuscité et monté au Ciel pour nous, vous avez
promis que si on demandoit quelque chose en vostre nom
que vous l'accorderiez : je vous supplie de tout mon cœur
de donner la nourriture à ce pauvre peuple qui veut croire
en vous et qui vous veut obéir. Ce peuple vous promet
entièrement que si vous le secourez qu'il croira parfaictement en vous et qu'il vous obéira de tout son cœur. Mon
Seigneur, exaucez ma prière. Je vous présente ma vie pour
ce peuple, très content de mourir à ce qu'ils vivent et qu'ils
vous cognoissent. Ainsi soit il.*

A ces paroles de mourir pour eux [a] *que je proférois
pour gagner leur affection, quoi qu'en effect je les disois de
bon cœur, mon hoste m'arresta et me dit, retranche ces
paroles, car nous t'aimons tous et ne désirons pas que tu
meures. Je vous veux tesmoigner, leur repartis-je, que je
vous aime et que je donnerois volontiers ma vie pour vostre
salut, tant c'est chose grande que d'estre sauvé. Après que
j'eus fait ceste oraison, chacun d'eux à mains jointes, teste
nue et les genoux en terre, comme j'ai remarqué, proféra la
suivante que je prononçai* [b] *devant eux fort posément.*

*Grand Seigneur qui avez fait le ciel et la terre, vous
sçavez tout, vous pouvez tout, je vous promets de tout mon
cœur (je ne sçaurois vous mentir), je vous promets entièrement que s'il vous plaist nous donner nostre nourriture,
que je vous obéirai cordialement, que je croirai asseuré-*

*ment en vous. Je vous promets sans feintise que je ferai
tout ce qu'on me dira devoir estre fait pour vostre amour.
Aidez nous, vous le pouvez faire, je ferai asseurément ce
qu'on m'enseignera devoir estre fait pour l'amour de vous,
je le promets sans feintise, je ne ments pas, je ne sçaurois
vous mentir. Aidez moi à croire en vous parfaictement, puis
que vous estes mort pour nous. Ainsi soit il.*

*Ils firent tous ceste prière, et l'Apostat et le Sorcier
aussi bien que les autres. C'est à Dieu de juger de leurs
cœurs. Je leur dis après cela qu'ils s'en allassent à la chasse
avec confiance, ce qu'ils firent, la plus part tesmoignans
par leur visage et par leurs paroles qu'ils avoient pris plaisir
en ceste action. Mais avant que d'en voir le succès, couchons
en leur langue ces deux oraisons afin qu'on voit* [a] *l'œconomie de leurs paroles et leur façon de s'énoncer* [b].*

Noukhimame missi ca   khichitaien, missi
Capitaine   *tout* *qui a fait*   *tout*

khesteritamen, missi ouiabatamen, chaoueriminan.
qui sçais   *tout* *qui vois*   *aie pitié de nous*

Jésus oucouchicai missi ca   nitaouitat, niran,   ca
Jésus fils   *tout* *qui a fait*   *de nous qui*

outchi   arichiirinicasouien ; niran   ca   outchi
à cause es fait homme   *de nous qui à cause*

iriniouien iscouechich, niran   ca outchi nipien,
es né   *d'une fille* *de nous qui à cause es mort*

niran   ca   outchi   ouascoutchi y toutaien : egou
de nous qui à cause   au ciel   *es allé*   *ainsi*

khisitaie niticheui cassouiniki khigouia
tu disois en mon   nom   *quelque chose*

netou tamagosiuan, niga chaouerikan. khitaia nithitin
si je   suis requis   j'en aurai pitié   je te prie

naspich   ou michini   arichiniriou miri   ca
entièrement la nourriture à ce peuple donne qui

ouitaponetase,   ca   ouipanitase,   arichiriniau
veut croire en toi qui qui te veut obéir ce peuple

khiticou naspich,   ouitchihien khigata pouetatin
te dit   entièrement si tu m'aide je te croirai

naspich,   khiga pomitatin naspich ;
parfaictement je t'obéirai   entièrement

noukhimame   chaoueri tamitaouitou.   oui
mon Capitaine aie pitié de ce que je dis si tu veux

michoutan   nipousin iterimien ouiroau mag
en contre-eschange ma mort prendre   quant à eux

iriniouisonan. Egou inousin.
qu'ils vivent. Ainsi soit il

Voici celle qu'ils prononcèrent.

khikeoukhiman ca   khichitaien ouascou mai asti,
Grand Capitaine qui a fait   le Ciel et la terre

missi khikhisteriten, missi,   khipicoutan, khititin
tout tu sçais   toute chose tu sçais bien je te dis

naspich   tanté boua   outchiran ? khititin
entièrement comment pourrois-je mentir   je te dis

naspich,   ouimiriatchi   nimitchiminan
sans feintise si tu nous veux donner nostre nourriture

ochitau   taponé   khige pamitatin ochitau,
tout exprès asseurément je t'obéirai   tout exprès

taponé   khiga taponetatin khititin   naspich,
en vérité je   te croirai je te le dis entièrement

miga tin missi khé estigaouané   khir   khe autchi
je ferai tout ce qu'on me dira de toi à cause

khian   ouitchi hinan, khiga   khi ouitchihinan,
je le ferai aide nous   tu nous peux aider

naspich   niga tin missi, khe eitigaouané   khir
absolument je ferai tout   ce qu'on me dira de toi

khe outchi khian   khititin naspich
à cause   je le ferai je le dis sans feintise

nama nitchrassin nama khinita   khirassicatin,
je ne mens pas je [ne] te sçaurois mentir

ouitchi hinan khigai taponetatinan   naspich ;
*aide nous   afin que nous te croyons parfaictement
à croire en toi*

ouitchinan mag missi   iriniouakhi ouetchi nipouané.
aide nous puis de tous les hommes à cause tu es mort

Egou inousin.
Ainsi soit il.

*Voilà comme ils procèdent en leurs discours. Si ces
deux petites oraisons sont mises soubs la presse, je supplie
l'imprimeur de prendre garde aux mots Sauvages : ceux
qui estoient dans la Relation de l'an passé ont esté corrom-
pus et remplis de fautes à l'impression ; pour le François,
si l'imprimeur ou moi y manquons, on nous peut aisément
redresser, mais pour le langage de Sauvage, je serois bien
aise de le voir bien correct. Retournons à nostre subject* [a].

*Nos chasseurs ayans fait leurs prières s'en allèrent, qui
de çà, qui de là, chercher de quoi manger. Mon hoste et
deux jeunes hommes s'en vont voir une cabane de castors
qu'ils avoient voulu quitter, désespérans d'y rien prendre.
Il en prit trois pour sa part. L'estant allé voir après midi,
je lui en vis prendre un de mes yeux ; ses compagnons en
prirent aussi, je ne sçai pas combien. Le Sorcier estant allé
ce jour là à la chasse avec un sien jeune nepveu prit un
porc épic et découvrit la piste d'un orignac qui fut depuis
tué à coups de flesches contre l'attente de tous tant qu'ils
estoient, n'y ayant que fort peu de neige. Un jeune Hiroquois, dont je parlerai ci après, tua aussi un fort beau porc
épic. Bref, chacun prit quelque chose, il n'y eut que l'Apostat qui revint les mains vuides. Le soir, mon hoste apportant trois castors, comme il rentroit dans la cabane, je lui
tendis la main, il s'en vint tout joyeux vers moi, recognoissant le secours de Dieu et demandant ce qu'il devoit faire.
Je lui dis, Nicanis, mon bien aimé, il faut remercier Dieu
qui nous a assisté. Voilà bien de quoi, dit l'Apostat, nous
n'eussions pas laissé de trouver cela sans l'aide de Dieu. A
ces paroles, je ne sçai quels mouvements ne sentit mon
cœur, mais si ce traistre m'eust donné un coup de poignard,
il ne m'eust pas plus attristé : il ne falloit que ces paroles
pour tout perdre. Mon hoste ne laissa point de me dire qu'il
feroit ce que je voudrois et il s'en fust mis en devoir si le
Sorcier ne se fust point jetté à la traverse, car l'Apostat n'a*

point d'authorité parmi les Sauvages. Je voulu attendre le festin qu'on devoit faire, où tous les Sauvages se devoient trouver, afin qu'ayans devant leurs yeux les présens que Nostre Seigneur leur avoit fait, ils fussent mieux disposés à recognoistre son assistance. Mais comme je vins à leur vouloir parler, le Renégat, fasché de ce que lui seul n'avoit rien pris, non seulement ne me voulut pas aider, ains au contraire il m'imposa silence, me commandant tout nettement de me taire. Non ferai pas, lui dis-je, si vous estes ingrat, les autres ne le seront pas. Le Sorcier, voyant qu'on estoit assez disposé à m'escouter, croyant que si on me prestoit l'oreille il perdroit autant de son crédit, me dit d'une façon arrogante, tais toi, tu n'as point d'esprit : il n'est pas temps de parler, mais de manger. Je lui voulu demander s'il avoit des yeux, s'il ne voyoit pas manifestement le service de Dieu, mais il ne me voulut pas escouter ; les autres, qui estoient dans un profond silence, voyans que le Sorcier m'estoit contraire, n'osèrent pas m'inviter à parler, si bien que celui qui faisoit le festin se mit à le distribuer et les autres à manger. Voilà mes pourceaux qui dévorent le gland sans regarder celui qui leur abbat. C'est à qui se resjouira davantage, ils estoient remplis de contentement et moi de tristesse ; si fallut il bien se remettre à la volonté de Dieu : l'heure de ce peuple n'est pas encore venue.

Ceci se passa le Lundi, le Mercredi suivant[13]*, mon hoste et un jeune chasseur tuèrent à coups de flesches l'orignac dont ils avoient veu les traces. Ils en virent d'autres depuis, mais comme il y avoit fort peu de neige, ils n'en peurent jamais approcher à la portée de leurs arcs. Si tost qu'ils eurent ceste proie, ils la mirent en pièces, en apportant une bonne partie dans nos cabanes et ensevelissans le reste soubs la neige. Voilà tout le monde en joie. On fait un grand banquet où je suis invité ; voyant les grandes pièces de chair qu'on donnoit à un chacun, je demandai à l'Apostat si c'estoit un festin à manger tout, et m'ayant dit qu'oui, il est impossible, lui repartis-je, que je mange tout ce qu'on m'a donné ; si faut il bien, me respondit-il, que vous le mangiez, les autres sont assez empeschés* à manger leur part, il faut que vous mangiez la vostre. Je lui fais entendre que Dieu deffendoit ces excès et que je ne le*

13. Le mercredi 29 décembre 1634.

*commettrois point, y allast il de la vie. Ce méchant blasphé-
mateur, pour animer les autres contre moi, leur dit que
Dieu estoit fasché de ce qu'ils avoient à manger. Je ne dis
pas cela, lui répliquai-je en Sauvage, mais bien qu'il deffend
de manger avec excès. Le Sorcier me repart, je n'ai jamais
plus grand bien sinon quand je suis saoul. Or comme je ne
pouvois venir à bout de ma portion, j'invite un Sauvage
mon voisin d'en prendre une partie, lui donnant du pétun
en récompense de ce qu'il mangeoit pour moi, j'en jette une
autre partie secrettement aux chiens. Les Sauvages s'en
estans doubtés par la querelle qui survint entre ces animaux, se mirent à crier contre moi, disans que je contami-
nois leur festin, qu'ils ne prendroient plus rien et que nous
mourrions de faim. Les femmes et les enfans ayans sceu
cela, me regardoient par après comme un très meschant
homme, me reprochans avec dédain que je les ferois mourir, et véritablement si Dieu ne nous eust donné rien de
long temps, j'estois en danger d'estre mis à mort pour avoir
commis un tel sacrilège. Voilà jusques où s'estend leur
superstition. Pour obvier à cet inconvénient, les autres fois,
on me fit ma part plus petite et encore me dit on que je
n'en mangeasse*[a] *que ce que je voudrois, qu'eux man-
geroient le reste, mais sur tout que je me donnasse bien de
garde de rien jetter aux chiens.*

*Le trentiesme du mesme mois de Décembre, nous déca-
banasmes. Faisans chemin, nous passasmes sur deux beaux
lacs tout glacés ; nous*[b] *tirions vers l'endroict où estoit la
cache de noste orignac qui ne dura guère en ceste huicties-
me demeure.*

*Le Sorcier me demanda si en vérité j'aimois l'autre vie
que je lui avois figuré remplie de tous biens. Ayant respondu que je l'aimois en effect, et moi, dit-il, je la haïs, car il
faut mourir pour y aller, et c'est de quoi je n'ai point
d'envie ; que si j'avois la pensée et la créance que ceste vie
est misérable et que l'autre est pleine de délices, je me
tuerois moi mesme pour me délivrer de l'une et jouir de
l'autre. Je lui repars que Dieu nous deffendoit de nous
tuer ni de tuer autrui, et que si nous nous faisions mourir,
nous descendrions dans la vie de malheur pour avoir contrevenu à ses commandements. Hé bien, dit-il, ne te tue
point toi mesme, mais moi je te tuerai pour te faire plaisir
afin que tu ailles au Ciel et que tu jouisses des plaisirs que*

tu dis. Je me sousris, lui répliquant que je ne pouvois pas consentir qu'on m'ostast la vie sans pécher : je vois bien, me dit-il [a], *en se mocquant, que tu n'as pas encore envie de mourir non plus que moi. Non pas, répliquai-je, en coopérant à ma mort.*

En ce mesme temps nos chasseurs ayans poursuivi un orignac et ne l'ayans peu prendre, l'Apostat se mit à blasphémer, disant aux Sauvages, le Dieu qui est marri quand nous mangeons est maintenant bien aise de ce que nous n'avons de quoi disner ; et voyant une autre fois qu'on apportoit quelques porcs épics, Dieu, disoit-il, se va fascher de ce que nous nous saoulerons. O langue impie que tu seras chastié ! esprit brutal, que tu seras confus si Dieu ne te fait miséricorde ! que les Anges et les sainctes Ames redoublent autant de fois leur Cantique d'honneur et de louanges que cet athée le blasphèmera. Ce pauvre misérable ne laisse pas par fois d'avoir quelques craintes de l'enfer qu'il tasche d'étouffer tant qu'il peut. Comme je le menaçois un jour de ces tourmens, peut estre, me fit-il, que nous autres n'avons point d'âme, ou que nos âmes ne sont pas faites comme les vostres ou qu'elles ne vont point en mesme endroict : qui est jamais venu de ce pays là pour nous en dire des nouvelles ? Je lui repartis qu'on ne pouvoit voir le ciel sans cognoistre qu'il y a un Dieu, qu'on ne peut concevoir qu'il y a un Dieu [b] *sans concevoir qu'il est juste et par conséquent qu'il rend à un chacun selon ses œuvres, d'où s'ensuivent de grandes récompenses ou de grands chastimens. Cela est bon, répliqua-il, pour vous autres que Dieu assiste, mais il n'a pas soing de nous, car quoi qu'il fasse, nous ne laisserons pas de mourir de faim ou de trouver de la chasse. Jamais cet esprit hébété ne peut concevoir que Dieu gouverne la grande famille du monde avec plus de cognoissance et plus de soing qu'un Roi ne gouverne son royaume et un père de famille sa maison. Je serois trop long de rapporter tout ce que je lui dis sur ses blasphèmes et sur ses resveries.*

Le quatriesme de Janvier de ceste année mil six cens trente-quatre, nous allasmes faire nostre habitation, [la neufiesme] depuis nostre départ des rives du grand fleuve, cherchans tousjours à vivre. J'objectai en cet endroict au Sorcier qu'il n'estoit pas bon prophète, car il m'avoit asseuré les deux dernières fois que nous avions décabané, qu'il

*neigeroit abondamment aussi tost que nous aurions changé
de demeure, ce qui se trouva faux. J'ai rapporté ceci à mon
hoste pour lui oster une partie de la créance qu'il a en cet
homme qu'il adore : il me respondit que le Sorcier ne
m'avoit pas asseuré qu'il neigeroit, mais qu'il en avoit
seulement quelque pensée. Non, dis-je il m'a asseuré qu'il
voyoit venir la neige et qu'elle tomberoit aussi tost que
nous aurions cabané.* Khikhirassin, *me dit-il, tu as menti.
Si tost que vous leur dites quelque chose qu'ils ne veulent
point accorder, ils vous payent de ceste monnoie.*

*La veille des Rois, mon hoste me dit qu'il avoit fait un
songe qui lui donnoit bien de l'appréhension : j'ai veu,
dit-il, en dormant que nous estions réduits en la dernière
extrémité de la faim et celui que tu nous dis qui a tout fait
m'a asseuré que tu tomberas dans une telle langueur que
ne pouvant plus mettre un pied devant l'autre, tu mourras
seul, délaissé au milieu des bois ; je crains que mon songe
ne soit que trop véritable, car nous voilà autant que jamais
dans la nécessité, faute de neige. J'eus quelque pensée que
ce songeur me pouvoit bien jouer quelque mauvais traict
et m'abandonner tout seul pour faire du prophète ; voilà
pourquoi je me servis de ses armes, opposant* altare contra
altare [14], *songe contre songe : et moi, lui dis-je, j'ai songé
tout le contraire, car j'ai veu dans mon sommeil deux orignaux dont l'un estoit desjà tué et l'autre encore vivant.
Bon, dit le Sorcier, voilà qui va bien, aie espérance, tu
raconte de bonnes nouvelles. En effect, j'avois fait ce songe
quelques jours auparavant. Hé bien, dis-je à mon hoste,
lequel de nos deux songes sera trouvé véritable ? Tu dis
que nous mourrons de faim et moi je dis que non. Il se mit
à rire. Alors je lui dis que les songes n'estoient que des men-
songes, que je ne m'appuyois point là dessus, que mon
espérance estoit en celui qui a tout fait, que je craignois
néantmoins qu'il nous chastiast, veu qu'aussi tost qu'ils
avoient à manger, ils se gaussoient de lui, notamment
l'Apostat. Il n'a point d'esprit, dirent-ils, ne prends pas
garde à lui.*

14. M. François Berrier, qui me signale qu'on attendrait plus haut
(p. 154) *puerorum* et non *infantium* en latin classique, me trouve
l'intertexte : « *Et exclamavit* contra altare : *Altare, Altare, haec
dicit dominus, etc.* » (au XVIIᵉ siècle : III, Reg, XIII, 2 ; actuellement : I, Reg, XIII, 2) : il s'agit de la condamnation de l'autel
de Bethel.

Le jour que les trois Rois adorèrent Nostre Seigneur, nous receusmes trois mauvaises nouvelles. La première, que le jeune Hiroquois estant allé à la chasse le jour précédent n'estoit point retourné et comme on sçavoit bien que, la faim l'ayant affoibli, il ne se pouvoit pas beaucoup esloigner, on creut qu'il estoit mort ou demeuré en quelque endroict si débile pour n'avoir de quoi manger, que la faim et le froid le tueroient. En effect, il n'a plus paru depuis. Quelques-uns ont pensé qu'il pourroit bien s'estre efforcé de retourner en son pays, mais que la plus part asseurent qu'il est mort en quelque endroict sur la neige. C'estoit l'un des trois prisonniers, à Tadoussac, dont j'ai parlé ès premières lettres que j'ai envoyé de ce pays ci [15]. Ses deux compatriotes furent exécutés à mort avec des cruautés nompareilles ; pour lui, comme il estoit jeune, on lui sauva la vie à la requeste du sieur Emery de Can [16] que nous priasmes d'intercéder pour lui. Ce pauvre jeune homme s'en souvenoit fort bien. Il avait grande envie de demeurer en nostre maison, mais le Sorcier à qui il appartenoit ne le voulut jamais donner ni vendre.

La seconde mauvaise nouvelle nous fut apportée par un jeune Sauvage qui venoit d'un autre quartier, lequel nous dit qu'un Sauvage d'une autre cabane plus esloignée estoit mort de disette, que ses gens estoient fort espouvantés ne trouvans pas de quoi vivre et, nous voyant dans la mesme nécessité, cela l'estonnoit encore d'avantage [a].

La troisiesme fut que nos gens découvrirent la piste de plusieurs Sauvages qui nous estoient plus voisins que nous ne pensions, car ils venoient chasser jusques sur nos marches*, enlevans nostre proie et nostre vie tout ensemble. Ces trois nouvelles abbatirent grandement nos Sauvages ; l'allarme estoit par tout, on ne marchoit plus que la teste baissée. Je ne sçai comme j'estois fait, mais ils me paroissoient tous fort maigres, fort pensifs et fort mornes. Si l'Apostat m'eust voulu aider à parler [b] et à gagner le Sorcier, c'estoit bien le temps, mais son diable muet lui lioit la langue [c].

Il faut que je remarque en ce lieu le peu d'estime que font de lui les Sauvages. Il est tombé dans une grande con-

---

15. Dans la *Brève relation de 1632*, RJ, V, 26-32, 48-50 ; voir INP à Hiroquois (le jeune H. anonyme) et plus haut, p. 67, note 1.
16. Emery de Caen, voir INP.

fusion : voulant éviter un petit reproche, il a quitté les Chrestiens et le Christianisme, ne pouvant souffrir quelques brocards* des Sauvages qui se gaussoient par fois de lui, de ce qu'il estoit Sédentaire et non vagabond comme eux, et maintenant il est leur jouet et leur fallot*, il est esclave du Sorcier devant lequel il n'oseroit bransler. Ses frères et les autres Sauvages m'ont dit bien souvent qu'il n'avoit point d'esprit, que c'estoit un busart, qu'il ressembloit à un chien, qu'il mourroit de faim si on ne le nourrissoit, qu'il s'égaroit dans les bois comme un Européan ; les femmes en font leur entretien : si quelque enfant pleuroit, n'ayant pas de quoi manger, elles lui disoient, tais toi, tais toi, ne pleure point, Petrichtrich, c'est ainsi qu'on le nomme par mocquerie, rapportera un castor et tu mangeras ; quand elles l'entendoient revenir, allez voir, disoient-elles aux enfans, s'il n'a point tué un orignac, se gaussans de lui comme d'un mauvais chasseur, qui est un grand blasme parmi les Sauvages, car ces gens là ne sçauroient trouver ou retenir des femmes. L'Apostat en a desjà eu quatre ou cinq à la faveur de ses frères : toutes l'ont quitté, celle qu'il avoit cet hiver me disoit qu'elle le quitteroit au printemps et, si elle eust esté de ce pays, elle l'auroit quitté dès lors ; j'apprends qu'en effect elle l'a quitté.

Certain jour, nos chasseurs estans tous dehors, il se tint un conseil des femmes dans nostre cabane ; or comme elles ne croyoient pas que je les peusse entendre, elles parloient tout haut et tout librement, déchirans en pièces ce pauvre Apostat. L'occasion estoit que le jour précédent, il n'avoit rien rapporté à sa femme d'un festin où il avoit esté invité et qui n'estoit pas à tout manger. O le gourmand, disoient-elles, qui ne donne point à manger à sa femme ! Encore s'il pouvoit tuer quelque chose ; il n'a point d'esprit, il mange tout comme un chien. Il y eut une grande rumeur entre les femmes sur ce subject, car comme elles ne vont point ordinairement aux festins, elles seroient bien affligées si leurs maris perdoient la bonne coustume qu'ils ont de rapporter leurs restes à leurs familles. Le Renégat survenant pendant que ces femmes le dépeignoient, elles sceurent fort bien dissimuler leur jeu, lui tesmoignans un aussi bon visage qu'à l'ordinaire, voire mesme celle qui en disoit le plus de mal lui donna un bout de pétun, qui estoit pour lors un grand présent.

Le neufiesme de Janvier, un Sauvage nous venant visiter nous dit qu'un homme et une femme du lieu dont il venoit estoient morts de faim et que plusieurs autres n'en pouvoient plus. Le pauvre homme jeusna le jour de sa venue aussi que nous, pource qu'il n'y avoit rien à manger ; encore fallut il attendre jusques au lendemain à dix heures de nuict que mon hoste rapporta deux castors qui nous firent grand bien.

Le jour suivant, nos gens tuèrent le second orignac, ce qui causa par tout une grande joie ; il est vrai qu'elle fut un peu troublée par l'arrivée d'un Sauvage [17] et de deux ou trois femmes, et d'un enfant que la famine alloit bien tost égorger s'ils n'eussent fait rencontre de nostre cabane. Ils estoient fort hideux, l'homme particulièrement plus que les femmes dont l'une avoit accouché depuis dix jours dans les neiges et dans la famine, ayant passé plusieurs jours sans manger.

Mais admirez s'il vous plaist l'amour que ces barbares se portent les uns aux autres : on ne demanda point à ces nouveaux hostes pourquoi ils venoient sur nos limites*, s'ils ne sçavoient pas bien que nous estions en aussi grand danger qu'eux, qu'ils nous venoient oster le morceau de la bouche, ains au contraire, on les receut, non de paroles, mais d'effect, sans courtoisie extérieure, car les Sauvages [a] n'en ont point, mais non pas sans charité : on leur jetta de grandes pièces de l'orignac nouvellement tué, sans leur dire autre parole, sinon [b] mitisouchou, mangez ; aussi leur eust on fait grand tort d'appliquer pour lors leurs bouches à autre usage. Pendant qu'ils mangeoient, on prépara un festin auquel ils furent traictés à grands plats, je vous en réponds, car la portion qu'on leur donna à chacun sortoit beaucoup hors de leurs ouragans qui sont très capables*.

Le seiziesme du mesme mois, nous battismes la campagne et, ne pouvans arriver au lieu où nous prétendions, nous ne fismes que gister dans une hostellerie que nous

17. Il s'agit du même Montagnais qui vint les visiter le 9 janvier : Lejeune a précisé plus haut cet épisode (p. 63-64) : il est d'autant plus édifié que tout le monde savait à son retour qu'il avait dérobé durant la nuit une partie de l'orignal qu'on venait de tuer.

dressasmes à la haste, et le lendemain, nous poursuivismes nostre chemin, passans sur une montagne si haute, qu'encore que nous ne montassions point jusques au sommet, qui me paroissoit armé d'horribles* rochers, néantmoins le Sorcier me dit que si le ciel obscurci d'un brouillard eust esté serain nous eussions veu à mesme temps Kébec et Tadoussac, esloignés l'un de l'autre de quarante lieues pour le moins. Je voyois au dessous de moi avec horreur des précipices qui me faisoient trembler, j'appercevois des montagnes au milieu de quelques plaines qui ne paroissoient que ᵃ des petites tours, ou plustost comme de petits chasteaux, quoi qu'en effect elles fussent fort grandes et fort hautes. Figurez vous quelle peine ont ces Barbares de traisner si haut leur bagage : j'avois de la peine à monter, j'en trouvois encore plus à descendre, car quoi que je m'esloignasse des précipices, néantmoins la pante estoit si roide qu'il estoit fort aisé de rouler à bas et de s'aller fendre la teste contre un arbre.

Le vingt-neufiesme, nous achevasmes de descendre ceste montagne, portans nostre maison sur la pante d'une autre où nous allasmes. Voilà le terme de nostre pélerinage : nous commencerons doresnavant à tourner bride et à tirer vers l'isle où nous avons laissé nostre chalouppe. Nous vismes ici les sources de deux petits fleuves qui se vont rendre dans un fleuve aussi grand, au dire des Sauvages, que le fleuve de sainct Laurent : ils l'appellent Oueraouachticou.

Ceste douziesme demeure nous a délivré de la famine, car les neiges se trouvans hautes assez pour arrester les grandes jambes de l'eslan, nous eusmes de quoi manger. Au commencement, ce n'estoit que festins et que dances, mais cela ne dura pas, car on se mit bien tost à faire seicherie. Passant de la famine dans la bonne nourriture, je me portai bien, mais passant de la chair fraische au boucan je tombai malade, et ne recouvrai point entièrement ᵇ la santé que trois sepmaines après mon retour en nostre petite maisonnette. Il est vrai que depuis le commencement de Février jusques en Avril nous eusmes toujours de quoi manger, mais d'un boucan si dur et si sale et en si petite quantité, horsmis quelques jours d'abondance qui se passoient en festins, que nos Sauvages comptoient ces derniers mois aussi bien que les précédens entre les mois et les hivers de

*leurs famines. Ils me disoient que pour estre traicté médio-
crement et sans pastir, il nous falloit un eslan gros comme
un bœuf en deux jours, tant à raison du nombre que nous
estions comme aussi qu'on mange beaucoup de chair quand
on n'a ni pain ni autre chose pour faire durer la viande ;
adjoustez qu'ils sont fort grands disneurs et que la chair
de l'eslan ne demeure pas long temps dans l'estomach.*

*Je me suis oublié de dire ailleurs que les Sauvages
comptent les années par les hivers : pour dire, quel âge
as tu ? ils disent, combien d'hivers as tu passé ? Ils comptent
aussi par les nuicts comme nous faisons par les jours : au
lieu que nous disons, il est arrivé depuis trois jours, ils
disent, depuis trois nuicts.*

*Le cinquiesme de Février, nous quittasmes nostre
douziesme demeure pour aller faire la treiziesme. Je me
trouvois fort mal, le Sorcier me tuoit avec ses cris, ses hurlements et son tambour. Il me reprochoit incessamment que
je faisois l'orgueilleux et que le Manitou m'avoit fait
malade aussi bien que les autres. Ce n'est pas, lui disois-je,
le Manitou ou le diable qui m'a causé ceste maladie, mais
la mauvaise nourriture qui m'a gasté l'estomach et les
autres travaux qui m'ont débilité. Tout cela ne le contentoit point ᵃ : il ne laissoit pas de m'attaquer, notamment
en la présence des Sauvages, disant que je m'estois mocqué
du Manitou et qu'il s'estoit vangé de moi comme d'un
superbe. Un jour, comme il me faisoit ces reproches, je me
lève en mon séant, je lui dis, afin que tu sçache que ce n'est
point ton Manitou qui cause les maladies et qui tue les
hommes, escoute comme je lui parlerai. Je m'escrie en leur
langue, grossissant ma voix, approche Manitou, viens démon, massacre moi si tu as le pouvoir, je te deffie, je me
mocque de toi, je ne te crains point, tu n'as point de pouvoir sur ceux qui croient et aiment Dieu, viens et me tue si
tu as les mains libres, tu as plus de peur de moi que je n'ai
de toi. Le Sorcier fut espouvanté et me dit, pourquoi l'appelle tu puis que tu ne le crains pas ? C'est signe que tu
l'appelle afin qu'il te tue. Non pas, lui dis-je, mais je l'appelle afin que tu aies cognoissance qu'il n'a point de puissance sur ceux qui adorent le vrai Dieu et pour te faire
voir qu'il n'est pas la seule cause des maladies comme
tu crois.*

Le neufiesme du mesme mois de Février, nous battismes la campagne. Le Sorcier, nonobstant ma maladie, me vouloit faire porter du bagage à toute force, mais mon hoste eust pitié de moi, voire mesme, m'ayant rencontré en chemin que je n'en pouvois quasi plus, il prit de son bon gré ce que je portois et le mit sur sa traisne.

Le quatorziesme et le quinziesme, nous fismes de longues traictes pour aller planter nostre cabane proche de deux petits orignaux que mon hoste avoit tué. Faisant chemin, on recogneut la piste d'un troisiesme. Mon hoste fist arrester le camp pour l'aller descouvrir. J'estois en l'arrière-garde de nostre armée, c'est à dire que je venois doucement derrière les autres, quand tout à coup je vis paroistre cet eslan qui couroit droit à moi et mon hoste après qui lui donnoit la chasse ; la neige estoit fort haute, voilà pourquoi il ne fist qu'environ cinq cens pas devant que d'estre mis à mort. Nous cabanasmes auprès et en fisme curée.

L'Apostat, continuant ici ses blasphèmes, me demandoit devant ses frères pour les animer* contre Dieu pourquoi je priois celui qui n'entendoit ni ne voyoit rien. Je le repris fort vertement et lui imposai silence.

Le sixiesme jour de Mars, nous changeasmes de demeure. Le Sorcier, le Renégat et deux jeunes chasseurs tirèrent devant nous droit aux rives du grand fleuve. L'occasion de cette séparation fut que mon hoste, brave chasseur, ayant découvert quatre orignaux et quantité de cabanes de castors, ne pouvant lui seul en mesme temps chasser en tant d'endroicts fort séparés, le Sorcier mena ces jeunes chasseurs pour courre les orignaux et lui demeura pour les castors. Cette séparation me fist du bien et du mal. Du bien pource que je fus délivré du Sorcier : je n'ai point de paroles pour déclarer l'importunité de ce meschant homme. Du mal pource que mon hoste ne prenant point d'orignaux, nous ne mangions que du boucan qui m'estoit fort contraire, que s'il prenoit des castors on en faisoit seicherie, excepté des petits que nous mangions, les plus beaux et les meilleurs estoient réservés pour les festins qu'ils devoient faire au printemps, au lieu où ils s'estoient donnés le rendez-vous.

Le treiziesme du mesme mois, nous fismes nostre dix-huictiesme demeure proche d'un fleuve dont les eaux me sembloient sucrées après la saleté des neiges fondues que

*nous beuvions ès stations précédentes dans un chaudron
gras et enfumé. Je commençai à ressentir en ce lieu l'incommodité du coucher sur la terre bien froide pendant l'hiver
et fort humide au printemps, car le costé droit sur lequel
je reposois s'estourdit tellement par la froidure qu'il n'avoit
quasi plus de sentiment. Or craignant de ne remporter que
la moitié de moi mesme dans nostre petite maison, l'autre
demeurant paralytique, je promis une chemise et une petite
robbe à un enfant pour un meschant bout de peau d'orignac que sa mère me donna. Ceste peau non passée estoit
bien aussi dure que la terre, mais non pas si humide : j'en
fis mon lict qui se trouva si court que la terre qui avoit
jusques alors prit possession de tout mon corps en retint
encore la moitié.*

*Depuis le départ du Sorcier, mon hoste prenoit plaisir
à me faire des questions, notamment des choses naturelles.
Il me demanda un jour comme la terre estoit faite, et m'ap-
portant une escorce et un charbon, il me la fist descrire.
Je lui despeins donc les deux hémisphères et, après lui
avoir tracé l'Europe, l'Asie et l'Affrique, je vins à nostre
Amérique, lui monstrant comme elle est une grande isle.
Je lui descrivis la coste de l'Acadie, la grande isle de Terre-
neuve, l'entrée et golfe de nostre grand fleuve de sainct
Laurent, les peuples qui habitent ses rives, le lieu où nous
estions pour lors, je montai jusques aux Algonquains, aux
Hiroquois, aux Hurons, à la nation des neutres, etc., lui
désignant les endroicts plus et moins peuplés, je passai à la
Floride, au Pérou, au Brasil, etc., lui parlant en mon jargon
de ces contrées le mieux qu'il m'estoit possible. Il m'inter-
rogea plus particulièrement des pays dont il a cognoissance,
puis m'ayant escouté fort patiemment, il s'escria, prononçant une de leurs grandes admirations, amonitatinanioui-
khi ! ceste robbe noire dit vrai ! parlant à un vieillard qui
me regardoit, puis se tournant devers moi, il me dit, Nicanis, mon bien aimé, tu nous donne en vérité de l'admiration, car nous cognoissons la plus part de ces terres et de
ces peuples, et tu les as descrit comme ils sont. J'insiste là
dessus. Comme tu vois que je dis vrai parlant de ton pays,
aussi dois tu croire que je ne mens pas parlant des autres.
Je le croi ainsi, me repartit-il ; je poursuis ma pointe : comme je suis véritable en parlant des choses de la terre, aussi
dois tu te persuader que je ne voudrois pas mentir quand*

*je te parle des choses du ciel et partant tu dois croire ce
que je t'ai dit de l'autre vie. Il s'arresta un peu de temps
tout court, puis ayant un peu pensé à part soi : je te croirai,
dit-il, quand tu sçauras bien parler, nous avons maintenant
trop de peine à nous faire entendre.*

*Il m'a fait mille autres questions, du soleil, de la ron-
deur de la terre, des antipodes, de la France et fort souvent
il me parloit de nostre bon Roi. Il admiroit quand je lui
disois que la France estoit remplie de Capitaines et que le
Roi estoit le Capitaine de tous les Capitaines ; il me prioit
de le mener en France pour le voir et qu'il lui feroit des
présens. Je me mis à rire, lui disant que toutes leurs richesses n'estoient que pauvreté à comparaison des grandeurs
du Roi. Je veux dire, me fit-il, que je ferai des présens à
ceux de sa suitte, pour lui, je me contenterai de le voir. Il
racontoit par après aux autres ce qu'il m'avoit oui dire.
Il me demanda une autre fois s'il y avoit de grands sauts
dans la mer, c'est à dire des cheutes d'eau ; il y en a beaucoup dans les fleuves de ce pays ci : vous verriez une belle
rivière coulant *a* fort doucement tomber tout à coup dans
un lit plus bas, les terres ne s'abbaissans pas également,
mais comme par degrés en certains endroicts ; nous voyons
un de ces sauts proche de Kébec nommé le saut de Montmorency : c'est une rivière qui vient des terres et qui se préci-
pite de fort haut dans le grand fleuve de sainct Laurent,
les rives qui le bornent estans fort relevées en cet endroict.
Or quelques Sauvages croyoient que la mer a de ces cheutes
d'eau dans lesquelles se perdent quantité de navires. Je lui
ostai cet erreur, ces inégalités ne se trouvans point dans
l'océan.*

Le vingt-troisiesme de Mars, nous repassasmes le fleuve
ca pititetchioueth *b, que nous avions passé le troisiesme de
Décembre.*

*Le trentiesme du mesme mois, nous vismes cabaner
sur un fort beau lac, en ayans passé un autre plus petit en
nostre chemin. Ils estoient encore autant glacés qu'au milieu de l'hiver. Mon hoste me consoloit ici, me voyant fort
foible et fort abbatu, ne t'attriste point, me disoit-il, si tu
t'attristes, tu seras encore plus malade, si ta maladie aug-
mente, tu mourras ; considère que voici un beau pays,
aime le, si tu l'aime, tu t'y plairas, si tu t'y plais, tu te*

*resjouiras, si tu te resjouis, tu guériras. Je prenois plaisir
d'entendre le discours de ce pauvre Barbare.*

 *Le premier jour d'Avril, nous quittasmes ce beau lac
et tirasmes à grande erre* vers nostre rendez-vous. Nous
passasmes la nuict dans un meschant trou enfumé, et dès
le matin continuasmes nostre chemin, faisans plus en ces
deux journées que nous n'avions fait en cinq. Dieu nous
favorisa d'un beau temps, car il gela bien fort et l'air fut
serain ; s'il eust fait un dégel, comme les jours précédens,
et que nous eussions enfoncé dans la neige, comme quelques fois il nous est arrivé, ou il m'eust fallu traisner, ou
je fusse demeuré en chemin tant j'estois mal. Il est bien vrai
que la nature a plus de force qu'elle ne s'en fait accroire. Je
l'expérimentai en ceste journée en laquelle j'estois si foible
que m'asséant de temps en temps sur la neige pour me
reposer, tous mes membres me trembloient, non pas de
froid, mais par une débilité qui me causoit une sueur au
front. Or comme j'estois altéré, voulant puiser de l'eau dans
un torrent que nous rencontrasmes, la glace que je cassois
avec mon baston tomba dessous moi et fist un grand
esquarre* : quand je me vis avec mes raquettes aux pieds
sur ceste glace flottante sur une eau fort rapide, je sautai
plustost sur le bord du torrent que je n'eus consulté si je
le devois faire, et la nature qui suoit de foiblesse trouva
assez de force pour sortir de ceste grande eau, n'en voulant
pas tant boire à la fois. Je n'eus que la peur d'un péril qui
fut plustost évité que recognu.*

 *Le danger passé, je poursuivis mon chemin assez lente-
ment, aussi ne pouvois je pas estre bien fort, car outre la
maladie qui ne m'avoit point quitté parfaictement depuis
le dernier jour de Janvier, je ne mangeois ces derniers
jours que trois bouchées de boucan le matin et cheminois
quasi tout le reste du jour sans autre rafraischissement
qu'un peu d'eau quand j'en pouvois rencontrer. En fin
j'arrivai après les autres sur les rives du grand fleuve et trois
jours après nostre arrivée, sçavoir est le quatriesme du
mesme mois d'Avril nous fismes nostre vingt-troisiesme
station, allans planter nostre cabane dans l'isle où nous
avions laissé nostre chalouppe. Nous y fusmes très mal
logés, car outre que le Sorcier s'estoit remis avec nous, nous
estions si remplis de fumée que nous n'en pouvions plus.
D'ailleurs le grand fleuve estant ici salé et l'isle estant sans* ᵃ

fontaines*, nous ne beuvions que des eaux de neige ou de pluie encore très sales. Je ne fis pas long séjour en ce lieu : mon hoste voyant que je ne guérissois point, prit résolution de me remener en nostre maisonnette ; le Sorcier l'en voulut détourner, mais je rompis [a] *ses menées. J'obmets mille particularités pour tirer à la fin.*

Le cinquiesme du mois [b] *d'Avril, mon hoste, l'Apostat et moi nous embarquasmes dans un petit canot pour tirer à Kébec sur le grand fleuve, après avoir pris congé de tous les Sauvages. Or comme il faisoit encore froid, nous ne fusmes pas loing que nous trouvasmes une petite glace, formée pendant la nuict, qui servoit de superficie aux eaux. Voyans qu'elle s'estendoit fort loing, nous donnons dedans, l'Apostat qui estoit devant la brisant avec son aviron. Or soit qu'elle fut trop tranchante* [c] *ou l'escorce de nostre gondole trop foible, il se fist une ouverture qui donna entrée à l'eau dans nostre canot et à la crainte dans nostre cœur : nous voilà aussi tost tous trois en action, mes deux Sauvages de ramer et moi de jetter l'eau. Nous tirons à force de rames dans une isle que nous rencontrasmes fort à propos et, mettans pied à terre, les Sauvages empoignent leur canot, le tirent de l'eau, le renversent, battent leur fusil, font du feu, recousent l'escorce fendue, y appliquent de leur brai* qui est une espèce d'encens qui découle des arbres, remettent le canot à l'eau, nous nous rembarquons et continuons nostre chemin. Je leur dis, voyant ce péril, que s'ils croyoient rencontrer souvent de ces glaces tranchantes, qu'il valloit mieux retourner d'où nous estions partis et attendre que le temps fut plus chaud. Il est vrai, me fist mon hoste, que nous avons pensé périr, si l'ouverture eust esté un peu plus grande c'estoit fait de nous. Poursuivons néantmoins nostre chemin : ces petites glaces ne m'estonnent pas. Sur les trois heures du soir, nous apperceusmes devant nous un banc de glaces espouvantables* qui nous bouchoit le chemin, s'estendant au travers de ce fleuve de plus de quatre lieues loing. Nous fusmes un peu estonnés ; mes gens ne laissent pas pourtant de les aborder, ayans remarqué une petite esclaircie, ils se glissent là dedans, faisans tournoyer nostre petite gondole, tantost d'un costé et puis tantost de l'autre, pour gaigner tousjours pays ; en fin nous trouvasmes ces glaces si fort serrées qu'il fut impossible d'avancer ni de reculer, car le mouvement de l'eau nous*

*enferma de toutes parts. Au milieu de ces glaces, s'il y fut
survenu un vent un peu violent, nous estions froissés et
brisés, et nous et nostre canot, comme le grain entre les
deux pierres d'un* ª *moulin, car figurez vous que ces glaces
sont plus grandes et plus espaisses que les meules et la
trémue* [18] *tout ensemble. Mes Sauvages, nous voyans si
empressés, sautent de glaces en glaces comme des* ᵇ *escurieux d'arbres en arbres, et les repoussans avec leurs avirons
font passage au canot dans lequel j'estois tout seul, plus
prest de mourir par les eaux que de maladie. Nous combat-
tismes en cette sorte jusques à cinq heures du soir que nous
prismes terre. Ces Barbares sont très habiles en ces rencon-
tres ; ils me demandoient par fois dans la plus grande presse
des glaces si je ne craignois point : véritablement la nature
n'aime point à jouer à ce jeu là et leurs sauts de glaces en
glaces me sembloient des sauts périlleux et pour eux et
pour moi, veu mesme que leur père, à ce qu'ils me disoient,
s'est autre fois noyé en semblable occasion. Il est vrai que
Dieu, dont la bonté est par tout aimable, se trouve aussi
bien dessus les eaux et parmi les glaces que dessus la terre.
Nous eschappasmes encore de ce danger qui ne leur sembla
pas si grand que le premier.*

*Arrivés que nous fusmes à terre, nostre maison fut de
nous coucher auprès* ᶜ *d'un arbre. Nous mangeasmes un
peu de boucan, beusmes un peu d'eau de neige fondue, je
fis mes petites prières et me couchai auprès d'un bon feu
qui contrequarra la gelée et le froid de la nuict.*

*Le lendemain, nous nous embarquasmes de bonne heu-
re. La marée qui nous avoit amené ces armées de glaces les
porta la nuict d'un autre costé. Nous fismes donc quelque
chemin, délivrés de cette importunité, mais le vent s'animant et nostre petite gondole commençant à dancer sur les
vagues, nous nous jettasmes incontinent à terre. J'avois prié
mes gens de prendre avec eux des escorces pour nous faire
la nuict une cabane et des vivres pour quelques jours,
n'estans pas asseurés du retardement que le mauvais temps
nous pourroit apporter. Ils ne firent ni l'un ni l'autre, si
bien qu'il fallut coucher à l'air et manger en quatre jours
les vivres d'une journée. Ils s'attendoient d'aller à la chasse,
mais les neiges se fondans, ils ne pouvoient courre. Le*

---

18. *Trémue** pour *trémuie*, actuellement *trémie*.

temps faisant mine de s'appaiser, nous nous rembarquasmes, mais à peine avions nous fait trois lieues que le vent
se renforçant, nous va jetter dans des glaces que la marée
nous ramenoit et nous d'enfiler viste un petit ruisseau, de
sauter tous trois sur ces grandes glaces qui estoient aux
bords et de gagner la terre, nos Sauvages portans sur leurs
espaules nostre navire d'escorce.

Nous voilà donc logés à une pointe de terre exposée
à tous les vents. Nous mettons nostre canot derrière nous
pour nous abrier et, comme nous craignions la pluie ou la
neige, mon hoste jette une meschante peau sur des perches,
et voilà nostre maison faite. Les vents furent si violens
toute la nuict qu'ils nous pensèrent enlever nostre canot.
Le lendemain, la tempeste continuant dessus l'eau, mes
gens n'ayans de quoi manger vont à la chasse par un très
mauvais temps. Le Renégat ne prit rien, mon hoste rapporta un perdreau qui nous servit de desjeusner, de disner et
de souper, vrai que j'avois mangé quelques feuilles de
fraisiers que la terre nouvellement descouverte de neige
en quelques endroicts me donna. Nous passasmes donc
cette journée sans faire chemin. La nuict, les tempestes, les
foudres de vent et le froid nous assaillirent avec telle furie
qu'il fallut céder à la force. Nous estions couchés à platte
terre, car ils n'avoient pas pris la peine de la couvrir de
branches de pin ; nous nous levasmes tout glacés [a] pour
entrer dans le bois et emprunter des arbres l'abri contre le
vent et le couvert contre le ciel. Nous fismes un bon feu
et nous nous endormismes sur la terre encore tout humide
pour avoir servi de lict à la neige peut estre la nuict précédente. Dieu soit béni, sa providence est adorable : nous
mettions ce jour et ceste nuit dans le catalogue des jours
et des nuicts malheureux, et ce nous fut un temps de
bonheur, car si ces tempestes et ces vents ne nous eussent
tenus prisonniers sur terre pendant qu'ils escartoient les
glaces, les poussans à val la rivière, elles se fussent resserrées
au travers des isles où nous devions passer et nous eussent
fait mourir de trop boire, écrasans nostre canot, ou de trop
peu manger, nous arrestans dans quelque isle déserte. Bref
si nous eussions eschappés, c'eust esté à grande peine. De
plus j'estois si débile et si malade quand je m'embarquai
que si j'eusse préveu les travaux du chemin j'aurois creu
devoir mourir cent fois, et néantmoins Nostre Seigneur

commença à me fortifier dans ces difficultés, en sorte que j'aidai mes Sauvages à ramer, notamment sur la fin de nostre voyage.

Le jour qui suivit, ces tempestes paroissans encor animées des vents, mon hoste et l'Apostat s'en allèrent à la chasse. Une heure après leur départ, le soleil paroit [a] beau, l'air serain, les vents s'appaisent, les vagues cessent, la mer se calme, en un mot il abonit, pour parler en matelot : me voilà bien en peine de vouloir suivre mes Sauvages à la trace pour les appeller, c'estoit mettre une tortue après des lévriers. Je jette les yeux au Ciel comme au lieu de refuge, les abbaissant vers la terre, je vis mes gens courre comme des cerfs sur l'orée du bois, tirans vers moi. Aussi tost je me lève, portant nostre petit bagage vers la rivière, mon hoste arrivant, eco, eco, pousitau, pousitau, viste, viste, embarquons nous, embarquons nous. Plustost fait qu'il n'est dit. Le vent et la marée nous favorisent, nous allons à rames et à voile, nostre petit vaisseau d'escorce fendant les ondes d'une vitesse incomparable. Nous arrivasmes en fin sur les dix heures du soir à la pointe de la grande isle d'Orléant : il n'y avoit plus que deux lieues jusques à nostre petite maison ; mes gens n'avoient point mangé tout le jour, je leur donne courage, nous nous efforçons de passer outre, mais le courant de la marée, qui descendoit encor, estant fort rapide, il fallut attendre le flot pour traverser la grande rivière. Nous entrasmes cependant dans une anse de terre et nous nous endormimes sur le sable auprès d'un bon feu que nous allumasmes.

Sur la minuict, le flot retournant, nous nous rembarquasmes. La lune nous esclairant, le vent et la marée nous faisoient voler. Mon hoste n'ayant pas voulu tirer du costé que je lui dis, nous pensasmes nous perdre dans le port, car comme nous vinsmes pour entrer dans nostre petite rivière, nous la trouvasmes encore toute glacée ; nous voulusmes approcher du rivage, mais le vent y avoit rangé un grand banc de glaces qui se choquans [b] les unes contre les autres nous menaçoient de mort si nous les abordions ; si bien qu'il fallut tourner bride, mettre le cap au vent et se roidir contre la marée. C'est ici que je vis les vaillances de mon hoste : il s'estoit mis devant comme au lieu le plus important dans les grands périls, je le voyois au travers de *l'obscurité de la nuict, qui nous donnoit de l'horreur et augmentoit nostre danger, bander ses nerfs, se roidir contre la mort, tenir nostre petit canot en estat dans les vagues capables d'engloutir un grand vaisseau. Je lui crie,* Nicanis, ouabichtigoueiakhi, ouabichtigoueiakhi, *mon bien aimé à Kébec, à Kébec, tirons là. Quand nous vismes à doubler le saut au Matelot, c'est le détour de nostre rivière dans le grand fleuve, vous l'eussiez veu céder à une vague, en couper une autre par le milieu, éviter une glace, en repousser une autre, combattre incessamment contre un furieux vent de nordest qu'il avoit en teste.*

Ayans éviter ce danger, nous voulusmes aborder la terre, mais une armée de glaces animées par la fureur des vents nous en deffendoit l'entrée : nous allons donc jusques devant le fort, costoyans le rivage, cherchans dans les ténèbres un petit jour ou une petite esclaircie parmi ces glaces. Mon hoste ayant apperceu un ravin[a] *ou détour qui est au bas du fort où les glaces ne bransloient point pour estre à l'abri du vent, en détourne avec son aviron trois ou quatre furieuses qu'il rencontre et nous jette là dedans ; il saute viste hors du canot, craignant le retour des glaces, criant,* capatau, desembarquons nous. *Le mal estoit que les glaces estoient si hautes et si espaisses sur le rivage qu'à peine y pouvois je atteindre avec les mains ; je ne sçavois à quoi m'aggraffer pour sortir du canot et monter sur ces rives glacées : je prends mon hoste par le pied d'une main et de l'autre un coing de glace que je rencontre et je me jette en sauveté avec les deux autres. Un lourdaut devient habile homme en ces occasions. Estans sortis du canot, ils l'enlevèrent par les deux bouts et le mettent en lieu d'asseurance. Cela fait, nous nous regardons tous trois et mon hoste, reprenant son haleine, me dit,* nicanis khegat nipiacou, *mon grand ami, nous avons pensé mourir. Il avoit encore horreur de la grandeur du péril. Il est vrai que s'il n'eust eu des bras de géant (il est homme grand et puissant) et une industrie non commune ni aux François ni aux Sauvages, ou une vague nous eust engloutis, ou le vent nous eust renversé, ou une glace nous eust escrasé. Disons plustost que si Dieu n'eust été nostre nocher*, les ondes qui battent les rives de nostre demeure auroient esté nostre sépulchre. De vérité, quiconque habite parmi ces peuples*[b] *peut bien dire avec le Roi Prophète,* anima mea in manibus meis sember [19] : *depuis peu, un de nos François s'est* [a] *noyé en semblable occasion et encore moindre, car il n'y avoit plus de glaces.*

Estans échappés de tant de périls, nous traversasmes nostre rivière sur la glace qui n'estoit point encore partie, et sur les trois heures après minuict, le Dimanche de Pasque fleurie neuf d'Avril [20], *je rentrai dans nostre petite maisonnette. Dieu sçait avec quelle joie de part et d'autre je trouvai la maison remplie de paix et de bénédiction, tout le monde en bonne santé par la grâce de Nostre Seigneur. Monsieur le Gouverneur sçachant mon retour, m'envoya deux des principaux de nos François pour sçavoir de ma santé : son affection nous est très sensible ; l'un des chefs de l'ancienne famille du pays accourut aussi pour se resjouir de mon retour* [21]. *Ils avoient cognu par le peu de neige qu'il y a eu cet hiver, moins rigoureux que les autres, que les Sauvages et moi par conséquent estions pressés de la faim. C'est ce qui en resjouit quelques-uns jusques aux larmes, me voyans reschappé d'un si grand danger. Nostre Seigneur soit béni dans les temps et dans l'éternité.*

J'ai bien voulu descrire ce voyage pour faire voir à vostre Révérence les grands travaux qu'il faut souffrir en la suitte des Sauvages, mais je supplie pour la dernière fois ceux qui auroient envie de les aider de ne point prendre l'espouvante, non seulement pource que Dieu se fait sentir plus puissamment dans la disette et dans les délaissements des créatures, mais aussi pource qu'il ne sera plus besoin de faire ces courses quand on aura la cognoissance des langues et qu'on les aura réduites en préceptes [22]. *J'ai rapporté quelques particularités qui se pouvoient obmettre, j'en ai passé beaucoup soubs silence qu'on auroit peu lire avec plaisir, mais la crainte d'estre long et mon peu de loisir me font* [b] *tomber dans le désordre. Il est vrai que j'escris à une personne* qua ordinabit in me charitatem [23].

---

19. « Mon âme toujours dans mes mains » (Psaume, CXIX, 109).
20. Lejeune revient de son hivernement le dimanche 9 avril, mais Pâques était le 16 avril en 1634 (voir p. 15, note 14).
21. Soit Guillaume Couillard de Lespinay, gendre de Marie Rollet, soit Guillaume Hubou, son second époux, voir INP.
22. Voir p. 124-125, note 7.
23. « Qui a exercé sa charité envers moi » (Cantiques, II, 4).

Les autres qui verront cette Relation par son entremise me feront la mesme faveur. Je dirois volontiers ces deux mots à quiconque lira ces escrits : ama et fac quod vis. *Retournons à nostre journal.*

Le trente et uniesme de Mai, arriva une chalouppe de Tadoussac qui apportoit nouvelle que trois vaisseaux de Messieurs les Associés estoient arrivés ; deux estoient dans le port et le troisiesme au Moulin Baude, c'est un lieu proche de Tadoussac que les François ont ainsi nommé. On attendoit le quatriesme dans lequel commandoit Monsieur du Plessis, Général de la flotte, qui vint bien tost après et loua grandement le Capitaine Bontemps pour s'estre rendu fort recommandable en la prise du navire Anglois dont j'ai parlé ci dessus [24]. *Si tost que ces bonnes nouvelles furent portées à Monsieur de Champlain, comme il n'obmet aucune occasion de nous tesmoigner son affection, il nous en fist donner advis par homme exprès, nous envoyant en outre les lettres du Révérend Père Lalemant* [25] *qui m'escrivoit qu'il estoit arrivé avec nostre Frère Jean Ligeois en bonne santé et qu'au premier vent il seroit des nostres. Il est aisé à conjecturer avec quelle joie nous bénismes et remerciasmes Nostre Seigneur de ces bonnes et si favorables nouvelles. Il arriva deux jours après dans la barque que commandoit Monsieur de Castillon* [26] *qu'on dit s'estre fort bien comporté en la prise de l'Anglois.*

Le quatriesme jour de Juin, feste de la Pentecoste, le Capitaine de Nesle arriva à Kébec, dans son vaisseau estoit

24. Comme il n'a été question en aucune manière de la prise d'un vaisseau anglais jusqu'ici, on peut raisonnablement supposer qu'une partie du texte a été sautée entre ce paragraphe et le précédent. Ce texte n'a pas été enlevé par l'éditeur puisqu'il ne se trouve pas non plus dans le manuscrit ; il a donc été ignoré, probablement par inadvertance, au moment de la mise en forme de la *Relation*. Pour ce qui est de la prise du navire elle-même, comme je n'en trouve pas trace dans les manuels d'histoire, je me contente de l'hypothèse suivante : dans une lettre qu'il écrit au cardinal de Richelieu le 15 août 1633 (*Œuvres*, éd. Biggar, VI, 375-377), Champlain lui demande de sévir contre les Anglais qui viennent commercer à Tadoussac en dépit du traité de Suse ; il s'agit peut-être de la réponse du cardinal : la flotte de Du Plessis-Bochart se serait emparée, vers la fin du mois de mai, du navire anglais qui sera conduit à Québec par le capitaine de Lormel le 24 juin.

25. Charles Lalemant, voir INP à ce nom, de même qu'à Jean Ligeois.

26. Jacques de Castillon, voir INP.

Monsieur Giffard [27] *et toute sa famille, composée de plusieurs personnes qu'il amène pour habiter le pays ; sa femme s'est monstrée fort courageuse à suivre son mari : elle estoit enceinte quand elle s'embarqua, ce qui lui faisoit appréhender ses couches, mais Nostre Seigneur l'a grandement favorisée, car huict jours après son arrivée, sçavoir est le Dimanche de la saincte Trinité, elle s'est délivrée fort heureusement d'une fille qui se porte fort bien et que le Père Lalemant baptisa le lendemain.*

Le vingt-quatriesme du mesme mois, feste de sainct Jean Baptiste, le vaisseau de l'Anglois commandé par le Capitaine de Lormel monta jusques ici et nous apporta le Père Jacques Buteux en assez bonne santé. Monsieur le Général nous honorant de ses lettres me manda que ce bon Père avoit esté fort malade pendant la traversée et le Père nous dit qu'il avoit esté secouru et assisté si puissamment et si charitablement de Monsieur le Général et de son Chirurgien qu'il en restoit tout confus ; maintenant il se porte mieux que jamais il n'a fait [a].

Le premier jour de Juillet, le Père Brébeuf et le Père Daniel [28] *partirent dans une barque pour s'en aller aux Trois Rivières au devant des Hurons ; la barque alloit commencer une nouvelle habitation en ce quartier là. Le Père Davost* [29] *qui estoit descendu de Tadoussac pour l'assistance de nos François suivit nos Pères trois jours après, en la compagnie de Monsieur le Général qui se vouloit trouver à la traitte avec ces peuples. Ils attendirent là quelque temps les Hurons qui ne sont point descendus en si grand nombre cette année qu'à l'ordinaire, à raison que les Hiroquois estans advertis que cinq cens hommes de cette nation tiroient en leur pays pour leur faire la guerre, leur allèrent au devant au nombre de quinze cens dit on et ayans surpris ceux qui les vouloient surprendre, ils en ont tué environ deux cens et pris plus d'une centaine de prisonniers, dont Louis* [b] *Amantacha est du nombre. On disoit que son père estoit mis à mort, mais le bruit est maintenant qu'il*

---

27. Robert Giffard de Moncel ; sa femme, Marie Regnouard, accouche ici de Marie-Françoise qui deviendra plus tard mère Marie de Saint-Ignace, voir INP.
28. Antoine Daniel, voir INP.
29. Ambroise Davost, voir INP.

*s'est sauvé des mains de l'ennemi. On nous rapporte que
ces Hiroquois triomphans ont renvoyé quelques Capitaines
aux Hurons pour traitter de paix, retenans par devers eux
les plus apparens, après avoir cruellement massacré les
autres.*

*Cette perte a esté cause que les Hurons sont venus en
petites troupes. Au commencement ils ne sont descendus
que sept canots : le Père Brébeuf en ayant eu nouvelle, les
aborde et fait tout ce qu'il peut pour les engager à le recevoir, et ses compagnons, et les porter en leur pays ; ils s'y
accordent volontiers. Là dessus un Capitaine Algonquain,
nommé la Perdrix qui demeura en l'isle* ᵃ *fist une harangue
par laquelle il recommandoit qu'on n'embarquast aucun
François. Voilà les Hurons qui doivent passer par le pays
de ce Capitaine à leur retour entièrement refroidis. Sur ces
entrefaictes arrive Monsieur du Plessis, tout ceci se passoit
en un lieu nommé les Trois Rivières, trente lieues plus haut
que Kébec, comme il désiroit ardamment que nos Pères
pénétrassent dans ces nations, il fist rassembler les Algonquains en Conseil, notamment ce Capitaine, pour lui faire
rendre raison de sa défence : il en rapporte plusieurs, on
lui satisfaict sur le champ ; il insistoit, comme je le conjecture des lettres du Père Brébeuf, sur le désordre qui arri-
veroit au cas que quelque François mourust aux Hurons :
on lui repart que les Pères n'estans point en son pays, la
paix entre les François et ses compatriotes ne seroit point
rompue, quoi qu'ils mourussent d'une mort naturelle ou
violente. Voilà les Algonquains contens, mais les Hurons
commencèrent à s'excuser sur leur petit nombre qui ne
sçauroit passer tant de François sur la petitesse de leurs
canots, et sur leurs maladies ; en un mot ils eussent bien
voulu embarquer quelques François bien armés, mais non
pas de ces longues robbes qui ne portent point d'harque-
buses. Monsieur du Plessis presse tant qu'il peut, prend
nostre cause en main : on trouve place pour quelques-uns ;
un certain Sauvage s'addresse au Père et lui dit, fais moi
traitter mon pétun pour de la porcelaine et mon canot
estant deschargé je prendrai un François. Le Père n'en
avoit point, mais Monsieur du Plessis sçachant cela et
Monsieur de l'Espinai* ³⁰ *achetèrent ce pétun. Voilà de la*

---

30. Guillaume Couillard de Lespinay, voir INP.

place pour six personnes. Quand se vint à s'embarquer, les Sauvages qui estoient malades en effect disent qu'ils n'en sçauroient porter que trois, deux jeunes hommes François et un Père. Les Pères promettent qu'ils rameront, ils font des présents, Monsieur du Plessis en fait aussi, insiste tant qu'il peut, ils n'en veulent point recevoir davantage.

Le Père Brébeuf a recours à Dieu, voici comme il parle en sa lettre. Jamais je ne vis embarquement tant balotté et plus traversé par les menées, comme je croi, de l'ennemi commun du salut des hommes. C'est un coup du Ciel que nous soyons passés outre et un effect du pouvoir du glorieux sainct Joseph auquel Dieu m'inspira dans le désespoir de toutes choses de promettre vingt sacrifices en son honneur ; ce vœu fait, le Sauvage qui avoit embarqué Petit Pré, l'un de nos François, le quitta pour me prendre, veu mesme que Monsieur du Plessis insistoit fort que cela se fist. Et ainsi le Père Brébeuf, le Père Daniel et un jeune homme nommé le Baron furent acceptés de ces Barbares qui les portent en leur pays dans des canots d'escorces. Restoient le Père Davost et cinq de nos François. Ne demandez pas si le Père estoit triste, voyant partir ses compagnons sans lui et sans quasi rien porter des choses nécessaires pour leur vie et pour leurs habits. De vérité ils ont monstré qu'ils avoient un grand cœur, car le désir d'entrer dans le pays de la Croix leur fist quitter leur petit bagage pour ne point charger leurs Sauvages qui se trouvoient mal, se contentans des ornements de l'Autel et se confians du reste en la providence de Nostre Seigneur. Leur départ des Trois Rivières fut si précipité qu'ils ne peurent pas rescrire, mais estans arrivés au long Saut, à quelque quatre-vingts lieues de Kébec, et rencontrans des Hurons qui descendoient, ils nous envoyèrent quelques lettres, dans l'une desquelles le Père Brébeuf ayant raconté les difficultés de son embarquement parle ainsi : Je prie vostre Révérence de remercier, mais de bonne façon, Monsieur du Plessis auquel après Dieu nous devons grandement en nostre embarquement, car outre les présents qu'il a fait aux Sauvages, tant publics que particuliers et la porcelaine qu'il a traittée, il a tenu autant de Conseils que nous avons désiré, il nous a fourni de vivres au départ et nous a honorés de plusieurs coups de canon, et le tout avec un grand soing et un tesmoignage d'une très particulière affection [a]. *Nous nous en allons à petites jour-*

*nées, bien sains quant à nous, mais nos Sauvages sont tous
malades, nous ramons continuellement, et ce d'autant plus
que nos gens sont malades ; pour Dieu et pour les âmes
rachetées du sang du Fils de Dieu, que ne faut il faire !
Tous nos Sauvages sont très contents de nous et ne voudroient pas en avoir embarqué d'autres ; ils disent tant de
bien de nous à ceux qu'ils rencontrent qu'ils leurs persuadent de n'en embarquer point d'autres. Dieu soit béni.
Vostre Révérence excuse et l'escriture et l'ordre et le tout :
nous partons si matin, gistons si tard et ramons si continuellement que nous n'avons quasi pas le loisir de satisfaire à
nos prières, de sorte qu'il m'a fallu achever la présente à
la lueur du feu. Ce sont les propres paroles du Père qui
adjouste en un autre endroict que les peuples par où ils
passent sont quasi tous malades et meurent en grand nombre. Il y a eu quelque espèce d'épidimie cette année qui
s'est mesme communiquée aux François, mais Dieu merci
personne n'en est mort : c'estoit une façon de rougeolle et
une oppression d'estomach. Revenons aux Trois Rivières.*

Ceux qui attendoient quelque autre occasion pour
s'embarquer furent consolés par la venue de trois canots
dans lesquels Monsieur du Plessis fist embarquer le Père
Davost et deux de nos François avec une vigilance incomparable, comme m'escrit le Père. A quelque temps de là
vindrent encore d'autres Hurons : il plaça dans leurs canots
et hommes et bagage, en un mot tout ce qui restoit, si bien
que trois de nos Pères et six de nos François sont montés
aux Hurons.

Ils ont trois cens lieues à faire dans des chemins qui
font horreur à en ouir parler. Les Hurons avec lesquels ils
vont cachent de deux jours en deux jours de leur farine
pour manger au retour. Il n'y a point d'autres hostelleries
que ces cachettes ; s'ils manquent à les retrouver ou si
quelqu'un les desrobe, car ils sont larrons au dernier point,
il se faut passer de manger ; s'ils les retrouvent, ils ne font
pas pour cela grande chère : le matin ils détrempent un peu
de cette farine avec de l'eau et chacun en mange environ
une escuellée, là dessus ils jouent de leur aviron tout le jour
et sur la nuit ils mangent comme au point du jour. C'est la
vie que doivent mener nos Pères jusques à ce qu'ils soient
arrivés au pays de ces Barbares, où estans, ils se feront
bastir une maison d'escorce dans laquelle ils vivront de

*bled et de farine d'Inde, de poisson en certain temps ; pour
la chair, comme il n'y a point de chasse où ils vont, ils n'en
mangent pas six fois l'an s'ils ne veulent manger leurs
chiens comme fait le peuple qui en nourrit comme on fait
des moutons en France ; leur boisson, c'est de l'eau. Voilà
les délices du pays, pour les sains et pour les malades. Le
pain, le vin, les diverses sortes de viandes, les fruits et mille
rafraischissements qui sont en France ne sont point encore
entrés dans ces contrées.*

*La monnoie dont ils achèteront leurs vivres, leur bois,
leur maison d'escorce et autres nécessités, sont de petits
canons ou tuyaux de verre, des cousteaux, des alesnes*, des
castelognes, des chaudières, des haches et choses semblables : c'est l'argent qu'il faut porter avec soi. Si la paix se
fait entre les Hurons et les Hiroquois, je prévoi une grande
porte ouverte à l'Evangile : nous dirons alors avec joie et
avec tristesse,* messis quidem multa, operarii vero pauci [31],
*car on verra la disette de personnes qui entendent les lan-
gues. J'apprends qu'en 25 ou 30 lieues de pays qu'occupent les Hurons, d'autres en mettent bien moins, il se
trouve plus de trente mille âmes, la nation Neutre est bien
plus peuplée, les Hiroquois le sont grandement, les Algonquains ont un pays de fort grande estendue. Je ne souhait-
terois maintenant que cinq ou six de nos Pères en chacune
de ces nations et cependant je n'oserois les demander quoi
que pour un qu'on désire il s'en présente dix tout prests
de mourir dans ces travaux* ᵃ *; mais j'apprends que tout ce
que nous avons en France pour cette mission est peu : comme donc prendrons nous les enfans, notamment de ces
nations peuplées, pour les nourrir et les instruire ? Las !
faut il que les biens de la terre empeschent le bien* ᵇ *du
Ciel ? que n'avons nous tant seulement les mies de pain
qui tombent de la table des riches du monde pour donner
à ces petits enfans ! Je ne me plains point, je ne demande
rien à qui que ce soit, mais je ne puis tenir mes sentiments
quand je voi que la fange (que sont autres choses les biens
d'ici bas ?) empesche que Dieu ne soit cogneu et adoré de
ces peuples. Et si quelqu'un trouve estrange que je parle en
cette sorte, qu'il vienne, qu'il ouvre les yeux, qu'il voit ces*

31. « La moisson est abondante et les ouvriers peu nombreux »
(Matthieu, IX, 57 ; Luc, X, 2).

*peuples crier après le pain de la parole de Dieu, et s'il n'est
touché de compassion et s'il ne crie plus haut que moi, je
me condamnerai à un perpétuel silence.*

*Le troisiesme jour d'Aoust, Monsieur de Champlain,
retournant de Trois Rivières où il estoit allé après le départ
de nos Pères, nous dit qu'un truchement François pour la
nation Algonquine venant d'avec les Hurons avoit rapporté nouvelle que le Père Brébeuf souffroit grandement, que ses Sauvages estoient malades, qu'il ramoit
incessamment pour les soulager, que le Père Daniel
estoit mort de faim ou en grand danger d'en mourir à
raison que les Sauvages qui l'ont embarqué, quittans
le chemin ordinaire où ils avoient fait les caches de
leurs vivres, avoient tiré dans les bois, espérans trouver une certaine nation qui leur donneroit à manger,
mais n'ayans point trouvé ce peuple errant qui s'estoit
transporté ailleurs, on conjecture qu'ils sont tous, et Sauvages et François, en danger de mort, veu mesmement qu'il
n'y a point de chasse en ce quartier là et que la pluspart de
ces Barbares sont malades. Dieu soit béni de tout. Ceux qui
meurent allans au martyre ne laissent pas d'estre martyrs.
Quant au Père Davost, il se porte bien, mais les Sauvages
qui le mènent lui ont desrobé une partie de son bagage :
j'ai desjà dit qu'estre Huron et larron ce n'est qu'une mesme chose* [32]. *Voilà ce qu'a rapporté ce truchement. Les
Pères nous escriront l'an qui vient, s'il plaist à Dieu, toutes
les particularités de leur voyage : nous ne sçaurions pas
avoir de leurs nouvelles devant ce temps là* [33]. *Si leur petit
équipage est perdu ou volé, ils sont pour beaucoup endurer
en ces contrées si esloignées de tout secours.*

*Le quatriesme, Monsieur du Plessis descendit de Trois
Rivières. Comme je l'allai saluer, il me dit qu'il nous ame-
noit un petit Sauvage orphelin, nous en faisant présent
pour lui servir de père. Si tost qu'on aura moyen de recueillir ces pauvres enfans, on en pourra avoir quelque nombre
qui serviront par après à la conversion de leurs compatrio-*

32. Plus haut, p. 69 et note 3.
33. Si la *Relation de 1635* de Jean de Brébeuf illustre mieux les
    difficultés du voyage en Huronie, elle nous apprend aussi que
    les rumeurs de mort rapportées ici par Lejeune sont fausses :
    les trois Jésuites arrivent en Huronie le 5 août et décident de
    s'installer au village d'Ihonatiria (Résidence de Saint-Joseph)
    déjà connu par Brébeuf.

tes. Il nous dit encore qu'on travailloit fort et ferme au lieu nommé les Trois Rivières, si bien que nos François ont maintenant trois Habitations sur le grand fleuve de sainct Laurent : une à Kébec, fortifiée de nouveau, l'autre à quinze lieues plus haut dans l'isle de saincte Croix où Monsieur de Champlain a fait bastir le fort de Richelieu ; la troisiesme demeure se bastit aux Trois Rivières, quinze autres lieues plus haut, c'est à dire à trente lieues de Kébec [34]. *Incontinent après le départ des vaisseaux, le Père Jacques Buteux et moi irons là demeurer pour assister nos François. Les nouvelles habitations estans ordinairement dangereuses, je n'ai pas veu qu'il fut à propos d'y exposer le Père Charles Lalemant ni autres. Le Père Buteux y vient avec moi pour estudier à la langue* [35].

Vostre Révérence cognoistra maintenant que la crainte qu'ont eu quelques-uns que l'estranger ne vint une autre fois ravager le pays et empescher la conversion de ces pauvres Barbares n'est pas bien fondée puis que les familles s'habituent ici, puis qu'on y bastit des forts et des demeures en plusieurs endroicts et que Monseigneur le Cardinal favorise cette entreprise honorable devant Dieu et devant les hommes. Cet esprit capable d'animer quatre corps, à ce que j'apprends, void de bien loing, je le confesse, mais j'ai quelque créance qu'il n'attend point de nos Sauvages, qui entendent la parole de Dieu et les vérités du Ciel par son entremise, car c'est lui qui nous a honorés de ses commandemens, nous renvoyans en ces contrées avec la bienveillance de Messieurs les Associés, je croi, dis-je, qu'il n'attend point de cette vigne qu'il arrose de ses soings, les fruicts qu'elle lui présentera en terre et qu'il les goustera un jour dedans les Cieux. Pleust à Dieu qu'il vist cinq ou six cens

34. Champlain fait la même description de l'état de la Nouvelle-France à la fin de l'été 1634 (lettre au cardinal de Richelieu du 18 août 1634, *Œuvres*, éd. Biggar, VI, 378-379).

35. Dans la longue lettre qu'il écrit à Barthelemy Jaquinot, Lejeune est moins discret : « J'ai esté fort longtemps en balance qui y pourroit aller. Le P. Brébeuf et le P. de Noue estoient d'advis que je demeurasse à Kébec ; mais j'ai recogneu que le P. Lalemant appréhendoit cette nouvelle demeure, y croyant qu'il n'en reviendroit pas si on l'y envoyoit, s'offrant néantmoins de bon cœur à faire ce qu'on voudroit » (RJ, VI, 42). La flotte de Du Plessis-Bochart quitte Québec le 12 août et Lejeune part avec Jacques Buteux le 3 septembre suivant pour fonder la Résidence de la Conception de Trois-Rivières.

*Hurons, hommes grands, forts et bien faits, prester l'oreille
aux bonnes nouvelles de l'Evangile qu'on leur va porter
cette année. Je me figure qu'il honoreroit par fois la nouvelle France d'un de ses regards et que cette veue lui donneroit autant de contentement que ces grandes actions dont
il remplit l'Europe, car de procurer que le sang de Jésus
Christ soit appliqué aux âmes pour lesquelles il est respan-
du, c'est une gloire peu cogneue des hommes, mais enviée
des grandes intelligences du Ciel et de la terre.*

*Il est temps de sonner la retraitte, les vaisseaux sont
prests à partir et cependant je n'ai pas encore releu ni
interponctué cette grande Relation qui peut suffire pour
trois années. Vostre Révérence jugera par la nécessité que
j'ai eu d'emprunter la main d'autrui pour lui escrire que
je n'ai pas tout le loisir que je pourrois désirer* [36]. *Je ne
sçai comme cela se fait que les nouvelles s'escrivent tousjours avec empressement, aussi n'y recherche on pas tant la
politesse que la vérité et la naisveté. Mon cœur a plus parlé
que mes lèvres et, n'estoit la pensée que j'ai qu'en escrivant
à une personne je parle à plusieurs, il se respandroit bien
davantage.*

*Encore un mot, puis que vostre Révérence nous aime
si tendrement et que ses soings nous viennent si puissamment secourir jusques au bout du monde : donnez nous,
mon Révérend Père, s'il vous plaist, des personnes capables
d'apprendre les langues. Nous pensions nous y appliquer
cette année, le Père Lalemant, le Père Buteux et moi, cette
nouvelle Habitation nous sépare. Qui sçait si le Père Daniel
est encore en vie ? et si le Père Davost arrivera aux
Hurons, car les Sauvages ayans commencé à le dérober, lui
pourront bien jouer un autre plus mauvais traict. Depuis
la mort d'un pauvre misérable François massacré aux
Hurons* [37], *on a découvert que ces Barbares avoient fait
noyer le Révérend Père Nicolas Récolect* [38], *tenu pour un*

36. Sur « la nécessité que j'ai eu d'emprunter la main d'autrui »,
    voir la bibliographie, 225-226.
37. Il s'agit d'Étienne Brûlé assassiné en Huronie autour de juin
    1633 ; voir INP.
38. C'est la première fois ici qu'on rencontre l'hypothèse du mar-
    tyre de Nicolas Viel mort accidentellement le 25 juin 1625 ;
    cette version fera fortune dans les manuels d'histoire jusqu'au
    livre magnifique de Marcel Trudel (voir TR, 340-343 et INP).

grand homme de bien : tout ceci nous fait voir qu'il est besoin de tenir ici le plus de Pères qu'on pourra, car si par exemple le Père Brébeuf et moi venions à mourir, tout le peu que nous sçavons de la langue Huronne et Montagnaise se perdroit, et ainsi ce seroit tousjours à recommencer et à retarder le fruict que l'on désire recueillir de cette Mission. Dieu suscitera des personnes qui auront compassion de tant d'âmes, secourant ceux qui les viennent chercher parmi tant de dangers ; c'est en lui que nous remercions tous vostre Révérence de son affection si cordiale et de son assistance, la suppliant très humblement de se souvenir à l'Autel et à l'Oratoire de ses enfans et de ses subjects, notamment de celui qui en a plus besoin, lequel se dira confidemment ce qu'il est de tout son cœur

Mon révérend PERE,

    vostre très humble et très obéissant
    serviteur en N. S. Jésus Christ

     Paul le Jeune

De la petite maison de nostre Dame des Anges, en la nouvelle France, ce 7 d'Aoust 1634.

Vostre Révérence nous permettra, s'il lui plaist, d'implorer prières de tous nos Pères et Frères de sa Province. Nostre grand secours doit venir du Ciel.

ÉPILOGUE

De la conversion
et de la mort de quelques Sauvages (1635) [a]

....

Je rapporterai en ce lieu [1] *le chastiment manifeste que Dieu a tiré du misérable Sorcier et de son frère, dont j'ai parlé bien amplement dans la Relation de l'an passé. Ce meschant homme pour me déplaire s'attaquoit par fois à Dieu comme j'ai dit. Il disoit certain jour aux Sauvages en ma présence, je me suis bien mocqué de celui que la robbe noire nous dit qui a tout fait. Je ne peus supporter ce blasphème, je lui dis tout haut que s'il estoit en France on le feroit mourir. Au reste qu'il se mocquast de moi tant qu'il voudroit, que je le souffrirois, mais qu'il me tueroit et massacreroit plustost que d'endurer qu'il se rist de mon Dieu où je serois présent ; qu'il ne porteroit pas loing ceste impudence, Dieu estant assez puissant pour le brusler et le jetter dans les enfers s'il continuoit ses blasphèmes. Il ne tint jamais plus ces discours devant moi, mais en mon absence il ne relaschoit rien de ses boufonneries et de ses impiétés. Dieu n'a pas manqué de l'attraper, car l'année n'estoit pas encore expirée que le feu s'estant mis en sa cabane, je ne sçai par quel accident, il a esté tout grillé, rosti et misérablement bruslé, à ce que m'ont rapporté les Sauvages, non sans estonnement.*

1. Le deuxième chapitre de la *Relation de 1635* est structuralement équivalent à celui de la *Relation de 1634* où, après la description des sept baptêmes de l'année, Lejeune écrit : « je conclurai ce Chapitre par un chastiment assez remarquable », ici, manifeste, « d'une autre Canadienne... » (plus haut, p. 22), écart rigoureusement parallèle à celui qui décrit la profanation du corps de Jacques Michel à la fin du premier chapitre (p. 6-7). Nous reproduisons ici l'écart qui termine la description des vingt-deux baptêmes de 1635. L'année suivante, la même structure se déroule sur quatre chapitres, encore à partir du deuxième :

Ils m'ont dit encor que Mestigoït [a], lequel j'avois pris pour mon hoste, a esté noyé : j'aurois bien plus souhaité que Dieu leur eust touché le cœur ; j'ai esté marri particulièrement de mon hoste, car il avoit de bonnes inclinations, mais s'estant mocqué en quelque compagnie de Sauvages des prières que je leur avois fait faire en nostre extrémité, il a esté enveloppé dans la mesme vengeance, tombant dans une maladie qui lui fist perdre l'esprit, si bien qu'il couroit çà et là tout nud comme un fol ; s'estant trouvé de basse mer sur le bord du grand fleuve, la marée montante l'a étouffé dans ses eaux.

Quasi tous ceux qui estoient dans la cabane où le Sorcier m'a assez mal traité sont morts, qui d'un costé, qui de l'autre, et tous d'une mort déplorable. Il n'y a que trois jours qu'on m'a amené le fils du Sorcier pour le mettre dans un séminaire que nous voulons commencer : j'avois grand désir de le prendre et de lui faire autant de bien que son père m'a fait de mal, mais comme il a les escrouelles d'une façon fort horrible auprès de l'oreille, la crainte que nous avons eu qu'il ne donnast ce mal aux petits garçons que nous tenons en nostre Maison nous l'a fait esconduire. Monsieur Gand [2], homme tout a fait charitable, fait penser et pense lui mesme cet enfant ; s'il guérit nous le mettrons en nostre séminaire.

Quant à l'Apostat, il nous est venu voir, faisant mine de se vouloir réconcilier à l'Eglise. Nous lui avons demandé quelques preuves de sa bonne volonté, savoir est qu'il nous vint voir non dans la famine des Sauvages qui lui fait rechercher les François, mais dans leur abondance ; que s'il retourne en ce temps là, nous le recevrons et retiendrons quelques mois avant de lui donner l'entrée de l'Eglise.

chapitre II, « Des Sauvages baptisés cette année et de quelques enterremens » ; chapitre III, « Continuation de la mesme matière » ; chapitre IV, « Continuation des Sauvages baptisés » : on assiste au début de l'envahissement du thème de l'édification missionnaire qui tentera, dans les *Relations,* de plier un genre essentiellement mouvementé aux règles d'un registre de comptabilité. Or ce qui était un écart à la fin du deuxième chapitre des *Relations* de 1634 et de 1635 est normalisé en 1636 dans le chapitre dont nous reproduisons ici le début.

2. François Derré de Gand, voir INP.

De la mort misérable
de quelques Sauvages (1636)

Un certain disoit que Dieu avoit des pieds de laine et des mains de plomb : il me semble qu'il a eu des pieds de cerf et des bras de fer ou de bronze en la punition de quelques Sauvages. L'Apostat duquel j'ai amplement parlé les années passées mènera la bande. Je me suis souvent estonné, repassant par ma mémoire comme Dieu avoit foudroyé, pour ainsi dire, les trois frères avec lesquels j'ai hiverné, pour avoir meschamment faussé la promesse qu'ils lui avoient faite de le recognoistre pour leur souverain, de l'aimer et de lui obéir comme à leur Seigneur. Ils avoient eu recours à sa bonté dans leur famine extrême ; il les avoit secourus, leur donnant de quoi manger abondamment : Adhuc escae erant in ore ipsorum, et ira Dei ascendit super eos* [3]. Ils n'avoient pas encore avalé le morceau que Dieu les prit à la gorge. Avant que l'année fust expirée, l'aisné qui estoit ce misérable Sorcier, qui m'a bien donné de l'exercice, fut bruslé tout vif dans sa propre maison. Le second qui estoit mon hoste, homme d'un assez bon naturel, mais qui pour complaire à son frère voulut déplaire à Dieu, fut noyé, ayant perdu la cervelle comme j'ai desjà escrit. Restoit l'Apostat, le plus jeune des trois. Je croi que le charactère de Chrestien lui a pour un peu de temps arresté la justice divine, mais comme il ne s'est pas voulu recognoistre, le mesme carreau de foudre qui a frappé ses frères l'a réduit en cendres. Ce misérable est mort cette année de mal-faim, délaissé dans les bois comme un chien ; chose bien remarquable qu'il n'ait pas eu de quoi manger dans l'abondance, car il y a peut estre dix ans que les Sauvages n'ont tué tant d'eslans, qu'ils ont fait cet hiver, la neige*

---

3. « Leur nourriture était encore dans leur bouche et la colère de Dieu monta contre eux » (Psaume, LXXVIII, 30).

ayant eu toutes les conditions qu'ils désirent pour leur chasse. Je ne sçai pas bien les particularités de cet accident : les Sauvages m'ont dit seulement qu'on l'avoit trouvé mort de faim dans les bois. C'estoit bien la raison que cette bouche impie manquast de vivres, qui avoit si souvent blasphémé Dieu et que Dieu condamnast à ce genre de mort celui qui avoit veu mourir devant ses yeux de pauvres malades, sans jamais me vouloir aider à leur donner un morceau de pain de la parole de Dieu. En un mot l'Apostat est mort ; s'il est mort Apostat, je n'en sçai rien, du moins il est mort sans aucun secours de la terre ; je ne sçai s'il en a eu du Ciel : je serois bien aise qu'il fust ainsi. Quelqu'un me tesmoignant, n'y a pas longtemps, qu'il estoit bien aise de sa mort, m'objectoit que je l'avois encor cette année invité à me venir trouver, sçachant bien que c'estoit un meschant homme. J'avoue qu'il estoit meschant, je confesse que l'année passée et encore celle ci, j'avois escrit à Tadoussac pour le faire venir auprès de moi. Je dis bien davantage : s'il estoit en mon pouvoir de le tirer des fers et de la cadène* où peut estre il est maintenant, que je l'en tirerois pour, en contre-eschange du mal qu'il m'a fait, lui procurer le plus grand bien que l'on puisse procurer à une créature raisonnable : le salut éternel. Hélas ! est ce donc si peu de chose qu'une âme soit damnée ? Toutes les grandes affaires des Conclaves, des Cours souveraines, des Palais et des Cabinets ne sont que jeux d'enfans en comparaison de sauver ou de perdre une âme. Mais passons outre.

VARIANTES

P. *2* — a. *Le nom de Lejeune* (que, pour plus de simplicité, nous écrivons *en un seul mot dans l'apparat critique*) a deux occurrences dans le *manuscrit : en première et dernière page. D'abord sous le titre* (Relation de ce qui s'est passé en la Nouvelle France sur le grand *fleuve de Sainct Laurens en l'année 1634*), on lit : « L'auteur est un jésuite apellé Paul le jeune », *puis, en fin de texte, la signature est encore en trois mots, mais avec la majuscule :* Paul le Jeune.

P. *3* — a. PE, barbarres. *Sur l'emploi de ce mot, voir le* Glossaire du vocabulaire commun, *p. 234*.

P. *4* — a. MS, je les ai veu de mes yeux, ou je les ai tirés, *corrigé en* ... je l'ai tiré.

P. *5* — a. MS, Des bons départements *de nos* François.
b. MS *porte ici par exception* Quebec.
c. PE, nue.

P. *8* — a. PE, *et* SE *portent* faicts : *nous régulariserons partout la graphie* fait, *plus fréquente*.
b. PE, SE, Hiver. *Sur l'usage de la majuscule, voir les* Notes linguistiques, *p. 215*.
c. *Sur le non-accord du participe passé en relative et en général sur les règles d'accord du participe passé, voir les* Notes linguistiques, *p. 221*.
d. *Sur l'usage de l'italique, voir encore les* Notes linguistiques, *p. 215*.
e. *A propos du style direct et des règles qui régissent son intégration au discours narratif, voir les* Notes linguistiques, *p. 222-223*.
f. *Le* MS *ne fait pas de ce qui suit un paragraphe distinct et ne le place pas non plus entre guillemets*.

P. *9* — a. PE, SE, S ; MS, St : *nous développons partout ces abréviations*.

P. *10* — a. PE, soin.
b. *Nous corrigeons partout la graphie* traine *qui se rencontre ici, de même que* trainer.
c. MS, ... cela *nous* estona car...

P. 11 — a. PE, ... ce qui les *espouventa* d'autant ... *comme* MS *porte quelques lignes plus bas :* ... sortit dehors tout *espouventé* et ...

P. 12 — a. PE, Manitouchatche.

P. 14 — a. *Toutes les versions donnent ici* remettant *qui est un contresens. Sur la participiale, voir les* Notes linguistiques, *p. 219-221.*
b. MS, ne pouvant *plus* attendre que...

P. 15 — a. MS *ne va pas à la ligne.*
b. autres *manque dans* MS.
c. MS *ne va pas à la ligne.*

P. 16 — a. MS, l'enterrerions.
b. PE, un peu d'eaue au fonds ; MS *aussi* fonds, *mais le* s *est rayé. Nous avons rétabli la graphie* eau, *plus générale.*
c. MS, colere.
d. MS, SE, ... que nous *leur* avions recommandé ... *Mais nous suivons toujours sur ce point la leçon de PE (qui suit ordinairement MS, et que suit SE) lorsqu'elle marque le pluriel de ce pronom. Voir les* Notes linguistiques, *p. 221-222.*

P. 17 — a. PE, Ouitapimoueou.
b. SE, vint.
c. SE, jugeoit.
d. MS, ... qu'il *eust* bien voulu.
e. MS, *écrit en deux mots :* Matoue tchiouanouecoueau.
f. MS, aagé. *Nous rétablirons partout* âgé *comme l'orthographie ici* PE, *de même que* aage *qui se rencontre de la même façon.*

P. 18 — a. MS, chanter.
b. MS *ne va pas à la ligne.*
c. tira *manque dans le* MS.
d. PE, SE, ... dont l'âme beuvoit de ce laict.

P. 19 — a. MS, aagée environ d'un an.
b. *Cet accord est de nous, on trouve partout :* cet enfant, travaillé.
c. PE, Memichtigouchiouiscoueou.
d. PE, Pichibabich.
e. PE, Ouroutiuoucoueu.

P. 20 — a. *En ajoutant la ponctuation, l'éditeur interprète différemment le texte du manuscrit :* ... elle fut contente. Quand je commençai à ...

P. 21 — a. MS, s'accusa tout haut ; SE, toute seule.
b. PE, SE, que je ne m'enivrerai plus ni que je ne dirai plus de paroles deshonnestes ...

P. 22 — a. MS *ne va pas à la ligne.* PE, Le lendemain, quelques François *m'*étans venu voir ...

b. MS, ... voyans *les deux Sauvages morts* [*rayé*] que nous avions receu avec beaucoup d'amour les deux Sauvages chrestiens. Monsieur ...
c. MS *ne va pas à la ligne.*

P. 24 — a. MS, ... qui gastent et la Religion et le Trafique ; *rayé, puis en surcharge et d'une autre main :* ruynent [*un mot de trois lettres illisible*] la religion.
b. PE, SE, ... plus de cent prisonniers.

P. 26 — a. PE, guari, *graphie que nous régularisons à* guéri.
b. PE, SE, De semer des poids ...
c. PE, SE, quelques uns. MS, quelqu'unes : *le manuscrit orthographie régulièrement* quelqu'uns/unes.

P. 28 — a. MS, *ne va pas à la ligne.*
b. MS *ne va pas à la ligne.*

P. 30 — a. ... les Sauvages *croient* que ...

P. 32 — a. Le monde *manque dans* MS.
b. MS ... voulut *avoir* ce qu'il y avoit dans ce présent ;

P. 33 — a. MS, ... c'est celui qui *amène* le Printemps et l'Esté.

P. 34 — a. MS *ne va pas à la ligne.*
b. PE, SE, De plus, ils croient qu'il y a certains Génies du jour, ou Génies de l'air ...
c. MS, *ne va pas à la ligne.*
d. MS, un *gros* cercle.

P. 35 — a. MS, ... avec telles violences ...

P. 36 — a. MS, ... les autres respondirent.
b. ... qu'il beuvoit et mangeoit bien ...

P. 37 — a. MS, ... de nostre *Royaume* ...

P. 38 — a. *C'est nous qui corrigeons la version du manuscrit reprise par l'éditeur :* ... [et] comment donc, *leur* fis-je, peuvent ... ; *on rencontre souvent de ces glissements, mais ils ne sont pas toujours aussi nets qu'ici où Lejeune s'adresse manifestement au seul Sorcier ; ailleurs ils produisent un certain flou qui donne l'impression que Lejeune s'adresse à une foule. On retrouvera le même glissement au niveau lexicologique dans la dénomination* les Sauvages *pour désigner la vingtaine de Montagnais qu'il accompagne.*
b. MS, ... du feu que jettoit *le* jongleur ...
c. PE, SE, leurs ingratitudes.
d. MS, rendent, *manque.*

P. 39 — a. MS, ... et de leurs donner toujours en leurs guerre. *L'éditeur a ajouté* quelqu'un *que nous mettons au pluriel.*
b. MS, ... des hommes et des femmes *tués.*

P. 40 — a. *L'éditeur ne va pas à la ligne.*
    b. PE, gai, *mais plus loin :* guayable.
    c. à gai *manque dans* MS.
    d. MS, ... elles *seroient* glacées ...
    e. MS, leurs village ; PE, SE, leurs villages.

P. 41 — a. MS, ... on en *void* aucun.

P. 43 — a. PE, Aiasé manitou, aiasé manitou, aiasé manitou, ahiham, hehinham, hanhan, heninakhé hosé heninakhé, enigouano bahano anihé ouibini naniaouai nanahouai nanahouai aouihé ahahé aouihé. *Rappelons que nous ne retenons, pour les transcriptions du montagnais, que la seule version du manuscrit.*

P. 44 — a. MS, ouragaves, *mais le manuscrit portera plus loin (p. 85), l'orthographe retenue ici par l'éditeur.*

P. 46 — a. PE, ... puis se *cachant,* il ...
    b. PE, ... qu'on *essuya* exprès pour ...

P. 47 — a. PE, ... ils me *repartent* qu'il ...
    b. MS, ... tu *as* mal à la teste ...

P. 50 — a. MS, ... sur quoi on m'*a rapporté* une chose ...

P. 51 — a. MS, ... changeat. Et de dire ...

P. 52 — a. encore *manque dans* MS.
    b. MS, squellete ; PE, SE, squelets.
    c. MS, ... vrai que je n'ai point ...

P. 54 — a. MS, ... que les chiens n'en *mangent* tant soit peu ...

P. 55 — a. MS, ... dont ils me payent, et dont ils se payent bien souvent, et les autres sans s'altérer. *L'éditeur ne va pas à la ligne.*
    b. MS, ... une cuisse d'*une* aigle ...

P. 56 — a. PE *écrit souvent comme ici* negeoit.
    b. MS, ... *comme* cet ours fut apporté ...

P. 58 — a. MS *ne va pas à la ligne.*
    b. *L'éditeur précise :* ... elle est mariée *ou l'a été,* leur dis-je ...
    c. MS ... leur *dis-je* ...
    d. PE, *écrit parfois comme ici* bonet.

P. 61 — a. MS, ... de toutes les *matières* qu'une ...

P. 64 — a. PE, S'estant *doncques* enquis ...
    b. MS, ... s'ils se rencontrent par après tous, ils ...

P. 65 — a. PE, ... mon hoste de ce que l'on ne l'attendoit pas [*l'éditeur saute une partie de la phrase et poursuit :*] n'estant qu'à deux pas de la cabane.
    b. PE, Ils passeront un jour, deux et trois jours sans manger ...

P. 66 — a. PE, ... aucune *subjection* à qui que ce soit ...
  b. MS, auctorité *que nous régulariserons, comme* autorité *qui se rencontre dans* PE.
  c. *L'éditeur orthographie ordinairement* aie; *le* MS *toujours* ait.

P. 67 — a. MS, ... de lui donner *les* viandes qui ...

P. 68 — a. MS, ... ils *croiront* que ...
  b. MS, ... mais *entre* les estrangers.
  c. PE, ... que la crainte et l'espoir, en un mot que ...

P. 71 — a. MS, ... car *baillez* à deux Sauvages ...
  b. *Conservons ici le gai lapsus de l'éditeur :* ... que le chastiement de ...

P. 72 — a. PE, ...c'est *un* génie que...

P. 73 — a. MS, ...avec la fumée...
  b. MS, ...s'ils ne croiroient, pour...
  c. PE *va ici à la ligne.*
  d. PE, On leur *repart* qu'on...

P. 74 — a. PE, ...nous nous *metterions* tous à...
  b. PE, Jamais ils ne *balient* leur maison...

P. 75 — a. MS, ...comme des *bœufs,* rejetter... leurs restes là dedans, comme c'est... ; *et* PE : *car* c'est la coutume.
  b. MS, PE, ...de *poil* d'orignaux... de *poil* de bestes... *De même, à la page précédente :* ...ces branches sont pleines de *poil,* de plumes, de cheveux...
  c. MS, ...des *chauderons* noirs... ; *orthographe qu'on trouve parfois dans* PE.

P. 78 — a. MS, PE, caribons; *mais plus loin, p. 41* : MS, PE, ...ils chassent à l'orignac et au *caribou,* comme j'ai dit.
  b. MS, ...ne *valent* pas une...

P. 79 — a. PE, ...comme les oignons de martagons rouges...
  b. PE, ...tous les ans *a apporté* en grande quantité.
  c. *Cette forme est de nous :* MS, PE, ...comme nous *morderions* dans une pomme...
  d. PE, D'autres ayant ramassé...

P. 80 — a. et l'anguille manque dans MS.
  b. *L'éditeur a soustrait la suite de ce chapitre (voir p. 84, note a) : ce passage équivaut à deux pages du manuscrit réparties sur trois : f° 48 v°, 49 r°/v°.*

P. 81 — a. *On pourrait aussi lire* teste.

P. 83 — a. *Plus loin, p. 138,* MS, *acoumahouchan,* c'est un festin à tout manger.

b. PE, ...tout le monde se *trouvoit, les* hommes, femmes et...

P. 84 — a. PE, ...et rosti avec une corde qui pend et tourne devant le feu. *Cette variante démontre, si on pouvait en douter, que la fin du chapitre précédent n'a pas été sautée par inadvertance.*

b. PE, ...le mal est qu'ils *font* trop souvent *des* festins...

P. 85 — a. MS, ...de là vient qu'ils *donnent* à un seul homme...

b. *Cette forme est de nous :* MS, PE, ...je les voyois *enflés* jusques à la gorge...

c. *L'éditeur a ajouté au MS où on lit seulement :* ...aussi courbées les unes que les autres...

d. PE *va ici à la ligne.*

e. *A la page 15, il écrivait :* Manitousiouets.

P. 87 — a. PE, ...que je n'*entendis* pas.

P. 88 — a. *Le reste de la phrase, depuis* d'autres fois *jusqu'à* du bouillon, *a été ajoutée au MS.*

P. 90 — a. PE, J'ai quelque pensée qu'on pourra avec le temps...

b. MS, ...le castor fait parfaictement bien...

P. 91 — a. PE, L'estage *d'embas* est... ; *nous analysons toujours cette forme comme le* MS, *de même que* enhaut.

P. 94 — a. *Le pluriel est de nous :* MS, PE, ...où il se retire, passans plusieurs mois sans manger, et cependant il ne laisse pas d'estre fort gras...

b. MS, Je lui ai veu *tirer* quelques...

P. 95 — a. *Ce début de phrase est de l'éditeur ;* MS *porte seulement :* ...ces pierres, puis se retirant...

b. PE, ...rodans doucement... : *subtilité de l'éditeur qui accorde le participe aux « deux Sauvages », laissant tous les autres au singulier de celui qui harponne.*

P. 97 — a. *L'accord est de nous :* MS, PE, ...il sentait si mal...

P. 98 — a. *L'éditeur saute la phrase suivante et reprend après une virgule :* il bruit en volant...

b. *Après avoir troqué* paré *pour* doré, *l'éditeur ajoute, pour finir en beauté :* ceux qui l'appellent l'oiseau fleur diroit mieux en mon jugement, le nommant la fleur des oiseaux.

P. 99 — a. MS *ne va pas à la ligne.*

P. 100 — a. autre *manque dans* MS.

b. PE, originaux. *L'éditeur hésite souvent entre cette forme et celle que nous retiendrons.*

c. *Nous corrigeons* il les couppent *et passons à la ligne avec l'éditeur.*

d. *Nous corrigeons encore :* MS, PE, ...dont *ils* s'enveloppent...

P. *101* — a. *L'éditeur a écarté les quatre pages du manuscrit qui suivent* (f° *63, v° ; 64, r°/v° ; 65, r°/v°*) : *cette malheureuse coupure assombrissait irrémédiablement le livre de Lejeune. Voir p. 103, note a.*
b. MS, ...selon le *dessein* qu'ils...
c. MS, martre ; *comme souvent* marte ; *nous conservons l'usage de l'éditeur qui ne reproduit pas ce texte.*

P. *102* — a. MS, un couteaux, *ce qui pourrait signifier le duel de l'ancien et du moyen français peu probable dans le contexte.*

P. *103* — a. *Ici s'achève le texte inédit ; l'éditeur reproduit le* MS *à partir du paragraphe suivant.*
b. PE, ...ils les *traittent* tous faits...
c. MS, ...dans leurs *maisons.*

P. *104* — a. *L'éditeur enlève encore la fin de ce paragraphe* (f° *66, v°/r°*).

P. *106* — a. MS, *ne va pas à la ligne.*
b. PE, *agglutine* : ...les arrestent sur le *coudepié* avec...
c. PE, ...comme jamais ils ne *les essuyent,* elles...

P. *107* — a. PE, *La* pauvreté...
b. vie *manque dans* PE.

P. *108* — a. PE, ...dont je ne me *suis* enquis. *En niant le subjonctif, Lejeune dit le contraire.*
b. *Rappelons que nous ne donnons jamais les variantes des transcriptions du Montagnais. Ici, par exemple, l'éditeur a interprété le texte de la façon suivante :* PE, ...je vois une pierre, *niouahaten,* ainsi en Grec...

P. *109* — a. PE, ...cheminant *sur* terre...
b. « si c'est faisant chemin par eau, *nikimiouahen* » : *ne se trouve pas dans* MS.

P. *110* — a. PE, ...mais vous ne les *entendez* pas.

P. *111* — a. PE, ...richesses que je n'ai peu encor découvrir jusques ici.
b. PE, Montagnard, *nous régulariserons toujours cette appellation.*
c. PE, Le P. Brébeuf m'a dit que...

P. *112* — a. « par toutes les langues », *addition de l'éditeur.*

P. *113* — a. *Ce mot est de nous :* MS, PE, raquilles.

P. *115* — a. PE, *écrit ici comme plus loin* : ploton.
b. PE, ...n'ont rien de *tolérable* et...

P. *117* — a. PE, ...leurs *rendans* volontiers...
b. PE, ...ils nous passoient *souvent* et sur la face et...
c. *Notons que* MS *porte toujours* soutane *et* PE sotane.

P. *118* — a. *Cette orthographe est encore de nous :* MS, PE, **salmigodies.**
    b. PE, Je m'affamai *devant* que la famine nous *acceuillist.*
    c. MS *ne va pas à la ligne.*

P. *119* — a. estoffe *manque dans* MS.

P. *120* — a. PE, ...je fis mon *conte* que Dieu m'avoit *condamné* à
    mourir... *On trouve aussi* conte *dans* MS, *nous corrigeons partout*
    cette erreur.
    b. voulais *manque dans* MS.

P. *121* — a. PE, Ils m'avoient accordé *ces conditions,* mais...

P. *124* — a. MS, ...de mille *bravades* et de...
    b. PE *ne va pas à la ligne.*

P. *126* — a. MS, ...cognoissance de *la* langue.

P. *127* — a. « qu'il ne la pouvoit pas renvoyer pour lors : voyant donc »
    manque dans MS.
    b. PE, ...je l'*écondui* le plus doucement...

P. *128* — a. MS, ...que nous *apportasmes* au magasin...
    b. PE, ...de maistre *de* nos écoles.

P. *129* — a. MS, craimaillaire ; PE, cramaillere.

P. *130* — a. MS, ...allons, *dit*-il, embarquons nous...
    b. MS, ...et *voyans* à la faveur de la lune...

P. *131* — a. PE, Comme nous arrivasmes sur la *minuict,* nos gens...
    b. PE, ...contraints *pour* le mauvais temps...
    c. MS, ...un Peintre *auroit* à faveur...
    d. que *manque dans* PE.

P. *132* — a. MS, Qui n'eust entré en *berne* contre...

P. *134* — a. MS, Je *repartis,* pour...
    b. MS, ...qu'estans *asseurés* de celui...

P. *135* — a. MS, Je voi bien, me *dit*-il, que...
    b. PE, ...ceste malheureuse islete et...

P. *136* — a. PE, Ekhennabamate *qui sera aussi la leçon de* MS, *p. 141.*
    b. MS, ...poussé par trois *rames* alloit...
    c. fort *manque dans* PE.

P. *137* — a. MS, ...son midi, *marquez* moi...
    b. PE, ...de cette nation me *le* dit, voyant...

P. *139* — a. MS, PE, khichicouakhi ; *nous avons conservé l'orthographe*
    de la première occurrence, p. 34.
    b. PE, ...*quand* tu vois le *fouyer* qui...

P. 140 — a. MS, ...me *repart-il,* apprends...

    b. MS, ...l'âme de *sa* femme, de son frère le Sorcier...

    c. PE, ...les éloges qu'*il donnoit* à ce Renégat.

    d. MS, ...prester *la* parole...

    e. MS, *Sa* réponse fut...

    f. MS, ...l'Apostat à me *conduire* en sa considération...

P. 141 — a. PE, ...il se faut contenter de *la* bassesse.

    b. PE, ...et *dix* ans la cabane des nouveaux venus. *Voir note 11.*

    c. PE, ...nous faisions en tout *quarante cinq* personnes. *Voir note 11.*

P. 142 — a. PE, ...et fort *longues;* ces *traisnées* sont... *Nous écrirons plutôt* traisne *avec MS.*

P. 143 — a. PE, cela fait, on marche en campagne *et en montagne,* faisant...

    b. MS, ...pour *les* accoustumer...

    c. PE, ...soubs la neige, *qui* ne pouvoient...

    d. « dans ces chemins » *manque dans PE.*

P. 144 — a. PE *porte par erreur :* Nous quittasmes les rives du grand fleuve le 12 de Novembre. *Comme MS, nous écrirons les dates en lettres.*

P. 145 — a. PE, Nous séjournasmes *trois* jours...

P. 147 — a. MS, ...ce fut nostre *seconde* station.

    b. PE, ...je me *levois* moi mesme et l'*éveillois*...

    c. MS, ...elle *y* vouloit obéir.

P. 149 — a. PE, ...la teste d'un enfant de *dix* jours.

    b. MS, ...de nous *bailler* ceste aubade...

P. 150 — a. MS, ...que *ton hurlement* et que...

P. 151 — a. MS, ...que je ne *voulois* pas le guérir...

    b. PE, ...me *repart*-il...

    c. MS, Si tu n'aime que *le* corps...

    d. MS, ...si tu me *veux rendre* la santé...

P. 152 — a. MS, ...qu'ils sont *retournans* dans leurs cabanes...

P. 153 — a. PE, ...car nous ne nous *attendrions* pas l'un l'autre : je *jettai* donc...

    b. PE, ...je m'*arrestai* pour présenter...

P. 154 — a. PE, Je lui *repars* que je l'avais laissé auprès de mon manteau : j'ai, me dit-il, trouvé vostre manteau et...

P. 155 — a. PE, ...mais comme je ne *parlois* pas bien, je...

P. 156 — a. PE, Cela fait, je *fais* appeler...

    b. PE, ...par la bouche *d'un* Renégat...

    c. PE, ...que la crainte de mourir *de faim* faisoit parler...

P. *157* — a. « de mourir pour eux » *est souligné d'un trait fin dans le manuscrit comme très souvent à partir d'ici les éléments du lexique montagnais.*
b. PE, ...que je prononçois devant eux...

P. *158* — a. MS, ...afin qu'on [*après un espace blanc, le texte reprend :*] l'œconomie de...
b. *Dans le manuscrit (f° 111, r°/v°), le texte montagnais et sa traduction française sont disposés sur deux lignes, chaque mot ou groupe de mots étant séparé par un trait vertical. Comme l'éditeur, nous inversons l'ordre, plaçant d'abord le texte montagnais et, en dessous, sa traduction littérale.*

P. *160* — a. *Cette digression d'un paragraphe a été ignorée par l'éditeur (f° 111, v° - 112, r°). Voir les* Notes linguistiques *p. 216.*

P. *162* — a. PE, ...que je n'en mangeasse *sinon* que ce que je voudrois...
b. MS, ...lacs tout glacés, *mais* tirons vers...

P. *163* — a. PE, ...me *fit-il*...
b. « qu'on ne peut concevoir qu'il y a un Dieu » *manque dans* MS.

P. *165* — a. PE *ne va pas à la ligne.*
b. PE, ...aider à *porter* et à gagner...
c. PE, ...lui lioit *sa* langue.

P. *167* — a. MS, ...mais *de fait ;* sans courtoisie extérieure, car *ils* n'en ont point...
b. sinon *manque dans* PE.

P. *168* — a. PE, ...qui *me* paraissoient *comme* de petites tours...
b. entièrement *manque dans* MS.

P. *169* — a. MS, Tout cela ne le contentoit *pas* : il...

P. *172* — a. MS, ...une belle rivière *courant* fort doucement...
b. *Écrit en un seul mot et de façon légèrement différente de la* p. 152 *où on lit* ca pititechivets.

P. *173* — a. PE, ...et l'isle *n'ayant aucune* fontaine...

P. *174* — a. MS, ...mais je *romps* ses menées.
b. MS, Le cinquiesme d'Avril...
c. PE, Or soit qu'elle fut trop *trenchante* ou...

P. *175* — a. PE, ...les deux pierres *du* moulin...
b. *L'accord est de nous :* MS, un ; PE, comme *un* écririeux *(sic)*...
c. PE, ...fut de nous coucher *au pied* d'un arbre...

P. *176* — a. MS, PE, ...tout *glassés* pour... *que nous régularisons toujours.*

P. *177* — a. MS, ...le soleil *parrut* beau...
b. PE, un banc de glace *(sic)*, qui se *choquoient* les unes...

P. *178* — a. *C'est la lecture que nous proposons, le manuscrit portant distinctement* rerin, *recopié par l'éditeur.*
b. MS, ...quiconque habite *avec ce peuple* peut...

P. *179* — a. PE, ...un de nos François *fut* noyé en...
b. PE, ...me *fait* tomber dans...

P. *181* — a. *C'est nous qui déplaçons ce paragraphe qui se trouve à la suite du suivant dans le manuscrit (f° 136, v° et 137, r°), de même que dans ce qu'on peut considérer comme le « premier tirage » de la première édition* (McCoy, n° 10 ; Thwaites, *RJ, VI, 319-320*).
b. *Le prénom* Louis *est laissé en blanc dans le manuscrit et remplacé par des points de suspension.*

P. *182* — a. PE, ...qui *demeure en ville,* fit...

P. *183* — a. PE *va ici à la ligne.*

P. *185* — a. PE, ...mourir dans ces *croix* ; mais...
b. PE, ...empeschent *les biens* du Ciel...

P. *192* — a. *Sur les éditions que nous recopions ici, voir la première section de la* Bibliographie, *p. 227.*

P. *193* — a. *L'éditeur écrit* Mestigoü ; *nous suivons, dans ces deux extraits, les mêmes règles que pour le texte qui précède : nous écrivons* meschant *et non* méchant, *nous analysons* dequoi, *nous n'accordons pas les participes passés, etc.*

APPENDICES

NOTES LINGUISTIQUES

En éditant la *Relation* de Paul Lejeune, nous avions deux objectifs contradictoires : en faciliter la lecture tout en restant fidèle au détail linguistique, ou plutôt, la *rendre*, telle quelle, objet de plaisir et d'étude, synonymes pervertis. Comme toute demi-mesure, notre entreprise était dès le départ vouée à l'échec, insuccès dont nous entendons faire profiter notre lecteur. Nous avons un manuscrit et une première édition de la *Relation de 1634* (dont on trouvera les références et les descriptions dans l'appendice suivant) : on peut donc choisir pour l'un ou l'autre deux éditions différentes, la modernisation ou la recopie. Nous prétendons toutefois que la modernisation de la langue du XVIIe siècle est impossible ou qu'elle en serait une traduction. En effet, à quel niveau va-t-on arrêter la modernisation du texte ? Le refraîchissement de la graphie ne pose pas de difficultés, sinon sentimentales (psychanalytiques si on interprète le tabou linguistique qu'une censure sublime dans quelques graphies, Roy, Foy, qui laissent une pigmentation similiclassique) : la notation *je* n'enlève rien au vieux *ie*, mais elle en propose une saisie plus immédiate. La modernisation véritable commence au moment où on veut rajeunir l'orthographe, mais alors elle ne s'arrête plus puisque l'orthographe est déjà la morphologie (*je peu* sera *je peux* ou *je pus*) et celle-ci déjà la syntaxe (il y a peu de la morphologie à la syntaxe des formes en *-ant*), et puisqu'on y est, pourquoi ne pas ajouter quelques plumes à Mestigoït ? Toutefois, la recopie du texte nous a paru inutile. D'abord, elle existe déjà : l'édition Cramoisy (elle-même assez répandue) a été reprise par R.G. Thwaites (RJ, VI, VII) et L. Campeau reprendra le mot à mot du manuscrit dans le prochain volume des *Monumenta Novae Franciae* (II) ; ensuite, ce travail, quoique nécessaire (il ne vieillit jamais et permet une grande précision en économisant les erreurs qu'ajoute toujours une transcription), ne rend pas justice au texte qu'il reproduit : on veut croire en effet qu'un texte a une valeur littéraire dans la mesure où, dépouillé de la typographie qui en fait un

« document d'époque », il continue à vivre. Or ce sont justement ces éléments vétustes qui nuisent au texte de Lejeune. Trois siècles après Cramoisy, nous avons décidé d'entreprendre le travail de l'éditeur qui consiste simplement, après avoir modernisé la graphie, à supprimer toutes les coquilles et les erreurs manifestes du manuscrit et à *régulariser* l'orthographe et quelques règles morphologiques d'ordre graphique.

En groupant dans cet appendice la plupart des règles de transcription que nous avons suivies pour éditer le texte de Lejeune, nous en donnerons du même coup une description linguistique qui, sans avoir arrêté le lecteur au cours de la *Relation,* pourra le mettre en possession d'une information approchée de celle qu'il aurait s'il avait lu plus difficilement l'édition originale à laquelle il peut toujours se reporter par ailleurs. Les variantes que nous avons rapportées à la suite du texte, lorsqu'elles n'indiquent pas une correction ou qu'elles ne signalent pas une contradiction, sont toutes des additions ou des corrections de Sébastien Cramoisy : elles présentent peu d'intérêt littéraire, mais une certaine importance linguistique dans la mesure où ce lecteur contemporain nous propose une série de commutations grammaticales que nous avons parfois retenues en dépit du manuscrit. C'est pourtant lui que nous avons ordinairement suivi, en adoptant les règles que nous décrirons maintenant.

1. Typographie

Notre première opération de transcription est systématique : nous avons partout ramené l'ancienne représentation des lettres à la graphie moderne ; transcrit le *i* en *j* (ie → je), le *y* en *i* (ay → ai), le *u* en *v* (cuue → cuve), le ſ en *s* (iſle → isle), le *z* en *s* (aimez → aimés), analysé tous les tildes en faisant suivre les lettres *o* ou *a* qu'ils surmontent du *n* (õ → on ; venãs → venans) et ajouté tous les accents de l'usage moderne (ame → âme ; desia → desjà ; aymez → aimés ; dés → dès ; etc.) sauf lorsque la voyelle est suivie du *s* que l'accent remplace maintenant (baston, traisne ou esté). Cette opération, qui n'enlève aucune information, rajeunit d'un seul coup la présentation du texte et en permet la lecture rapide ; elle enlève au texte un vernis qui n'est pas sans attrait (il est certainement une des raisons pour lesquelles Marcel Trudel préfère citer Champlain dans l'édition de H.P. Biggar) et qui est chargé de signaler au lecteur qu'il a entre les mains un « vieux texte », un document. Même s'il ne nous a pas été possible d'évacuer partout cette fonction signalétique (à la fois phatique et poétique, aux sens arrêtés par R. Jakobson), cette première règle de transcription en réduit considérablement l'impact.

Pour la même raison, nous avons réduit l'usage de la majuscule chargée au XVIIe siècle de souligner les noms communs. Dans le texte qui nous occupe, nous n'avons pu mettre à jour aucune systématique de cet usage, sinon que les noms d'animaux, de saisons et de mois étaient ordinairement marqués de la majuscule, de même que les mots thèmes de certains contextes (ainsi Truchement et Cabane qu'on trouve aussi sans majuscule). Nous avons conservé cet usage pour les noms de mois et pour certains mots comme Barbare, Chapitre, Ciel, Relation ou Sauvage, dont la mise en relief paraissait justifiée par le texte. Nous avons laissé l'élision où nous la trouvions dans le texte (*jusqu'aux* ou *jusques aux, entr'eux* ou *entre eux*, etc.), sauf pour *quelqu'uns* qu'on trouve presque toujours dans le manuscrit. Pour le trait d'union, nous l'avons écarté de façon systématique entre le verbe et son sujet dans l'inversion sauf en incise, et nous n'avons jamais ajouté le *-t-* euphonique qu'on ne trouve presque jamais dans notre texte bien qu'il se prononce au XVIIe siècle ; le trait d'union lie encore quelques rares mots composés (passe-temps, rendez-vous, Terre-neuve, etc.) de même que les numéraux. Enfin, nous avons partout développé les abréviations, essentiellement, *P.* pour *Père, S.* pour *sainct* et *N.S.* pour *Nostre Seigneur.*

L'usage de l'italique pose un problème un peu plus sérieux. Au cours des premiers chapitres, le manuscrit signale les mots du lexique montagnais en les écrivant en gros caractères (plus hauts et plus larges, mais de la même calligraphie que l'ensemble du texte) ; plus loin (voir p. 157, note a) ils seront soulignés, mais toujours de façon arbitraire puisque plusieurs mots montagnais ou latins ne le sont pas alors que quelques noms propres français le sont. D'autre part, chez l'éditeur l'usage est si arbitraire qu'il permet de distinguer les différents exemplaires d'une même édition entre eux. Nous avons donc arrêté la règle suivante : nous soulignons tout mot étranger qui a par ailleurs sa traduction française. Les noms propres, soit de personnes, soit de héros mythologiques, n'ont pas de traduction française et nous décidons de ne pas les souligner ; pourtant, il en est un, Manitou, qui a pour le missionnaire sa traduction : nous ne l'avons pas souligné.

En ce qui concerne l'orthographe des vocables montagnais, il ne peut s'agir que d'un problème typographique puisque cette langue orale n'a jamais été systématisée et que nous ne possédons aujourd'hui aucun moyen d'en rétablir la transcription du XVIIe siècle. Or l'orthographe de tous ces mots varie non seulement d'un texte à l'autre, non seulement à l'intérieur du même texte, mais le même mot, au même endroit du texte, change d'un exemplaire à l'autre. Le paragraphe de Lejeune qui suit la transcription des deux oraisons et qui a été ignoré par Cramoisy (voir p. 160, note a) est symptomatique à cet égard et nous met en garde, si on pouvait l'oublier, contre l'énorme matériel de la lexicologie montagnaise contenu dans les *Relations* et dont l'analyse critique reste à faire. Ici, nous avons reproduit l'orthographe du manuscrit et toujours souligné ses propres contradictions, mais nous n'avons pas donné les variantes de l'éditeur, d'abord parce qu'il aurait fallu rappeler plus de la moitié du lexique montagnais de la *Relation*, et ensuite parce qu'elles sont toujours sans intérêt puisque Cramoisy ne connaît rien à cette langue. Nous avons toutefois donné les variantes pour les noms propres de personnes (en général mieux recopiés) car ce sont elles qu'on pourra trouver dans les index de la Nouvelle-France qui n'ont pu être établis que sur les textes imprimés.

2. Orthographe

L'orthographe relève, dans la plupart des cas, de la graphie et cela est facile à vérifier en considérant seulement les premières pages de la *Relation*, pour lesquelles les deux premières éditions présentent les variantes suivantes : *tesmoignent/témoignent, barbare/barbarre, traicteront/traiteront*. Bien que nous suivions toujours le texte du manuscrit, nous avons adopté l'orthographe de la première édition dont nous avons écarté toutes les coquilles sans jamais les signaler : il y a peu d'intérêt à indiquer, par exemple, que l'éditeur écrit une fois *caillious* pour *caillous* (44) ou « Un fer semblable, *et* celui qu'on attache à une porte pour la tirer » pour « Un fer semblable *à* celui... » (50). Une fois ces erreurs écartées (qui sont, soulignons-le, très nombreuses dans l'édition de Cramoisy et qu'on pourra estimer en se reportant à l'édition fidèle qu'en a donnée R.G. Thwaites), il restait beaucoup de contradictions orthographiques que nous avons tenté d'unifier aux cas les plus fréquents — dans la mesure du possible puisque nous ne possédons pas d'index de ce texte et que nous devions retenir que l'on rencontre ordinairement *fait* et non *faict*, alors qu'on trouve *parfaict* et *parfaictement* ; *défence*, mais *defendu*, etc.

Notre objectif n'était pas de changer ou de moderniser l'orthographe, mais d'en régulariser la graphie ; aussi, de façon générale, on pourra considérer que pour tous les vocables qui n'apparaîtront pas ici et qui n'ont pas été signalés en variante, nous nous sommes toujours conformés à l'usage orthographique de la première édition, ce qui est attendu puisque seuls les mots fréquents peuvent être *unifiés*, un mot n'apparaissant qu'une fois ne peut être que *changé*, ce que nous ne nous sommes jamais permis sans l'indiquer expressément en note.

L'inconséquence la plus répandue du texte de Lejeune est celle qui conserve ou non le *s* qui suit la voyelle qu'on remplace aujourd'hui par l'accent; on trouve *baston/baton* [1], *chaisne/chaine, traisner(r)/traine(r)* ou *mouche/mousche*. Voici la liste des graphies telles que nous les avons retenues :

découvrir	égarer	esloigner	fresche
délivrer	épais	espouvante(r)	meschant
déloger	esclatter	estang	mesnage
dérober	escole, -ier	estoille	porc épic
échouer	escorce	estonner	répandre
éclairer	escouter	estroite	réveiller
éclater	escrire	étendre	tesmoigner
éconduire	escuelle	évanouir	

Parfois, l'accent est marqué par le redoublement d'une consonne : *défence/deffence, deffier/défier, défunct/deffunct* et *paslir/pallir*. Mais de nombreux vocables redoublent ou non une de leurs consonnes selon leurs occurrences :

aboutir/abboutir	estroite/estroitte
addresser/adresser	exaggération/exagération
appanage/apanage	femelle/femmelle
abbatre/abatre	gondole/gondolle
barbare/barbarre	hostellerie/hostelerie
barbotter/barboter	infidelle/infidele
batement/battement	marmitte/marmite
bonnet/bonet	platte/plate
boucaner/boucanner	prattiquer/pratiquer
cabaner/cabanner	robbe/robe
chappelle/chapelle	sabbat/sabat
chalouppe/chaloupe	secrettement/secretement
compatriote/compatriotte	suitte/suite
conclure/conclurre	troupe/trouppe
cuitte/cuite	
estoille/estoile	*succer et* faisseau *ne varient pas.*

1. À partir d'ici, la barre de fraction (/) signifiera toujours qu'on rencontre dans le texte aussi bien la graphie de droite que celle de gauche que nous jugeons plus fréquente et que nous avons adoptée.

Enfin, plusieurs vocables s'écrivent de façons différentes selon leurs occurrences ; nous les rangeons en deux groupes selon que la variation porte sur une consonne ou sur une voyelle :

variantes consonantiques	*variantes vocaliques*
cognoistre/connoistre	ardant/ardent
dance(r)/danse(r)	arroser/arrouser
défence/deffence/défense	chute/cheute
défunct/deffunct/defunt	découpure/découpeure
endroict/endroit	foyer/fouyer
enlacer/enlasser	fraische/fresche
haut/hault	gresse/graisse
instruict/instruit	guérir/guarir
joinct/joint	neige/nege
lict/lit	notamment/notemment
loing/loin	pante/pente
nuict/nuit	raclure/racleure
offence(r)/offense(r)	seicherie/secherie
poutre/poultre	serain/serein
quartier/cartier	soutane/sotane
sainct/saint	venger/vanger
saut/sault	
soing/soin	
soubs/sous	
subject/sujet	

Quelques mots s'écrivent avec ou sans la lettre *h* : *authorité/ auctorité/autorité*, *charactère/caractère*, *cholère/colère*, *harquebuse/arquebuse* ; mais *ancre/anchre*. **Nous** transcrivons *sainct Laurent* et *isle d'Orléant* alors qu'on rencontre *S. Laurens* et *isle d'Orléans*.

Pour les variantes orthographiques de la morphologie verbale, nous nous sommes ordinairement contenté de recopier notre texte, surtout à cause des difficultés que pose l'analyse d'un très grand nombre de verbes irréguliers de faibles fréquences ; nous rétablissons la première personne du singulier de l'indicatif : *je vis/vi, fis/fi*, etc., mais *je sçai/sçais, vai/vais* ou *croi/crois* [2]. Nous avons toujours écrit *fist* (sauf en incise, *fit-il*), *plaist* et tenté de distinguer *eut* et *fut* de *eust* et *fust*. C'est par erreur que nous n'avons pas régularisé *achepter* ou *acheter, gagner* ou *gaigner* et *horsmis* ou *hormis* ; nous avons laissé *encor, encore* ou *encores* où nous les trouvions dans le texte.

2. Mais nous avons transcrit *je crois, vais* ou *sçais* chaque fois qu'on le trouvait à la fois dans MS et PE.

Signalons enfin que nous avons écrit en un seul mot *cependant, doresnavant, pluspart, plustost* et *tantost*, tandis que nous avons analysé *aussi tost, autre fois, bien tost, de là, de quoi, de rechef, en bas, en haut, en fin, long temps, par fois, par tout* et *quelque fois* que l'on trouve parfois en un seul mot.

On remarquera que nous n'avons pas *changé* l'orthographe, ni même corrigé : par exemple, nous avons laissé *penser* qui est fautif dans ses occurrences de la p. 193 et discutable dans celle de la p. 15. C'est l'orthographe de Lejeune ou de son éditeur que nous reproduisons, gardant seulement à l'esprit l'objectif du typographe qui écrit partout *meschant* et *bonheur* et non tantôt cette graphie et tantôt *méchant* et *bon-heur*.

3. *Morphologie*

Nous n'avons pas procédé autrement pour la morphologie, si ce n'est que notre action y est encore moins présente. Encore une fois, nous avons corrigé les coquilles qui s'y trouvaient, mais on remarquera qu'une erreur morphologique n'est jamais aussi manifeste qu'une faute graphique : on n'hésite pas à corriger *ecririeux* en *escurieux*, mais on hésitera entre *escurieu* ou *escurieux* dans « [ils] sautent de glace en glace comme un *ecririeux...* » (175). Toutefois, bien que ces fautes soient assez répandues dans la première édition, elles donnent lieu à très peu d'hésitations lorsqu'elles ne sont pas corrigées par la version du manuscrit. Ainsi, puisque l'adjectif *leur* est partout ailleurs correctement accordé, on corrigera sans difficulté... « tenans *leur* deux coudes sur *leur* deux genoux et *leur* testes entre *leur* mains... » (40) ou « *leur* discours sont puants » (71). Nous nous sommes permis de régulariser trois accords dont le premier recouvre une inconséquence très répandue dans ce texte, l'accord des formes en -*ant* ; celui de certains participes passés et celui des adjectifs numéraux sont négligeables.

Le gérondif, au XVIIe siècle, ne se distingue du participe présent qu'au prix d'une subtile analyse grammaticale [3] ; or cette analyse qui porte sur le sens du verbe-adjectif est appelée à justifier l'absence de la marque formelle du nombre lorsqu'il est en solidarité syntagmatique avec un verbe qui accorde un pluriel. Mais Lejeune ne pratique pas cette distinction. Comme aujourd'hui, le gérondif marqué syntaxiquement (« *en* dormant », 33,42 ; « *en* chantant », 42 ; etc.) ne s'accorde ja-

---

3. Par exemple, F. Brunot, *Histoire de la langue française...*, I, 461s., III, 595s.

mais (on trouve pourtant, par exemple : « pour les faire pétuner *en ramants* », 152). Dans tous les autres cas — qui, justement, ne peuvent pas exister — il ne se distingue pas du participe présent et, par conséquent, on ne saurait sans artifice décider d'appliquer une règle que le texte ne connaît pas. Un exemple : « Secondement, je leur demande ce que mangeoient ces pauvres âmes, *faisant* un si long chemin » (40). Comme le verbe-adjectif n'est pas accordé, si l'on s'en tenait aux règles arrêtées par les grammairiens du xviie siècle, on jugerait qu'il s'agit d'un gérondif, logiquement équivalent au français moderne « *en* faisant un si long chemin ». Toutefois, l'analyse du texte montre qu'il s'agit tout simplement d'une erreur : on remarque d'abord que les verbes-adjectifs de sens approché sont ordinairement accordés (« Nous avons subject de nous consoler *voyans* un chef si zélé », 5) ; ensuite un très grand nombre de participes présents ne sont pas accordés, or plusieurs de ces cas de non-accord du participe présent sont contradictoires en ce qu'ils sont en équivalence avec un participe accordé :

> Ces pauvres gens furent ravis, *voyants* cinq Prestres revestus de surplis honorer ce petit ange Canadien, *chantant* ce qui est ordonné par l'Église, *couvrans* son cercueil d'un beau parement et le *parsemant* de fleurs (18).
>
> ...ces manches sont fort larges par haut, *couvrant les épaules,* et se *venans* quasi joindre derrière le dos (105).
>
> Les femmes et les enfans *ayans* sceu cela, me regardoient par après comme un très meschant homme, me *reprochant* avec dédain que je les ferois mourir (162).
>
> [Les glaces] nous eussent fait mourir de trop boire, *écrasant* nostre canot, ou de trop peu manger, nous *arrestans* dans quelques isle déserte (176).
>
> [Les Pères], se *contentants* des ornements de l'autel et se *confiant* du reste en la providence (183).

Nous avons donc décidé d'accorder toute forme en *-ant,* sauf lorsqu'elle était précédée de la préposition *en* qui marque le gérondif. Cette décision nous paraît imposée par la logique de texte et, contre l'apparence, elle est moins arbitraire que celle qui nous aurait fait procéder partout à des analyses de détail.

La fréquence des formes en *-ant* est l'écart le plus remarquable entre la langue de ce texte et celle du français moderne. Comme aujourd'hui, la participiale peut avoir comme pivot n'importe quel élément de la phrase (même le verbe, puisqu'il définit le gérondif) : elle ne se distingue chez Lejeune que par sa haute fréquence. Mais contrairement à notre usage, la participiale a aussi pour pivot un élément d'une autre proposition ou d'une phrase autre que celle où elle se trouve (on dit, « sans antécédent exprimé ») et peut même avoir son sujet propre, la participiale absolue. « Les nouvelles habitations estans ordinairement dangereuses je n'ai pas veu... » (187). Or cette autonomie pose un problème de lecture : « Sa maladie l'ayant terrassée, et les Sauvages voulans décabaner, la portèrent à cette honneste famille habituée ici depuis un assez long temps ; mais n'*ayant* pas où la loger, ces Barbares la traisnèrent au fort » (22). C'est uniquement l'accord qui indique que ce n'est pas « les Barbares », mais cette « honneste famille » qui n'a pas où la loger. Ainsi, en accordant partout les formes en -*ant*, on facilite la lecture du texte et on évite de nombreux contresens.

Signalons encore que la ponctuation sépare le verbe de son sujet chaque fois que celui-ci est suivi d'une participiale : « Les Sauvages estans remplis d'erreurs, le sont aussi de superbe et d'orgueil » (66). Nous nous sommes en général conformés à cet usage.

Les participes passés et les numéraux sont ordinairement correctement accordés ; aussi rétablissons-nous les quelques accords fautifs : « Ils la portent [leur robe] sur un bras et sous l'autre, ou bien *estendu* sur leur dos... » (104), « ...une petite islette *nommé*... » (131), « les âmes *rachetés*... » (184) ou encore, « Par fois on y trouve cent ou deux cens anguilles d'une marée, d'autre fois trois *cent* » (95), puisqu'on lit ailleurs, [ils] allèrent au devant au nombre de quinze *cens* dit on [...], ils en ont tué environ deux *cens* et pris... » (181). Toutefois, il existe dans cette *Relation* un fait d'accord assez répandu pour que nous nous interdisions de le régulariser : le non-accord du participe passé employé avec avoir dans une relative. En dehors de très rares cas (auxquels nous n'avons pas touché), le participe passé ne s'accorde jamais sur un relatif :

...les particularités [...] que nos Pères m'ont *raconté* à mon retour (8).
...c'est une résolution ou une promesse qu'il a *fait* afin de... (55).
Dans la famine que nous avons *enduré* (57. 84).
...les mets qu'on a *présenté*... (88).
...la crainte qu'on *eu* quelques-uns... (187).
...deux petits orignaux que mon hoste avait *tué* (170).
...en la façon que j'ai *couché* au Chapitre quatriesme (145). Etc.

Un autre fait du même ordre est l'absence de désinence à la deuxième personne du singulier des verbes en -*er* : « tu te trompe » (40), « tu aime » (64, 69, 151), « tu raconte » (164), etc. Nous avons encore laissé le pronom *leurs* chaque fois que nous l'avons rencontré (« Je *leurs* dis que Dieu... », 47) : cette inconséquence, puisque ce pronom n'est pas toujours accordé, n'arrête jamais la lecture et ne nuit jamais au sens : elle suit ce qui aurait dû être la loi analogique du français dont on verra encore de nombreuses « curiosités morphologiques » que nous avons laissées inchangées.

4. Syntaxe

Contrairement à ce qu'on croit souvent, la ponctuation n'est pas un fait typographique, mais syntaxique, bien qu'elle n'existe que dans la langue écrite : c'est par abus de métaphores qu'on parle de pauses, de soupirs ou d'intonations à son égard ; depuis la fin de la Renaissance, la lecture silencieuse ne mime plus les exclamations ou interrogations qu'*image* la langue écrite. Certes la ponctuation du XVIIᵉ siècle nous paraît aujourd'hui plus près de la langue parlée que celle du français moderne, mais c'est la syntaxe moins rigide du français classique qui y est comparable. Un seul exemple : « Ce peuple est fort peu touché de compassion, quand quelqu'un est malade dans leurs cabanes, ils ne se laissent pas pour l'ordinaire de crier, de tempester et de faire autant de bruit, comme si tout le monde estoit en santé ; etc. » (67). Comme nous le faisons fréquemment, nous avons supprimé les deux dernières virgules. Tout le problème porte sur la première de cette phrase qui illustre justement autre chose qu'un problème de virgule. En effet, on serait tenté de la remplacer par un point : c'est quand quelqu'un est malade qu'ils ne laissent de crier, et cela devient l'illustration de la première phrase : « Ce peuple est fort peu touché de compassion. » Or ce n'est pas ce qui est dit ici, puisqu'il est *ponctué* qu'il l'est « quand quelqu'un est malade... » Notre syntaxe moderne, et en particulier notre ponctuation, aurait arrêté ici un sens précis — mais Lejeune ne l'a pas fait. Aussi serait-il arbitraire et contradictoire de vouloir couler la phrase essentiellement mouvante de sa *Relation* dans le moule rigide de notre ponctuation : nous nous sommes contentés de soustraire les virgules qui précèdent les conjonctions (toujours celle qui précède *et*) et les relatifs, de remplacer des virgules par des points-virgules là où il n'y avait aucune ambiguïté et de corriger, là comme ailleurs, les erreurs manifestes.

Toutefois, si la ponctuation est souvent flottante (au sens actif où elle laisse flotter le sens), elle possède aussi au XVIIᵉ siècle ses règles rigides et une de celle-ci va nous occuper maintenant : celle qui régit le style direct. La règle du « ça c'est à moi » de nos sociétés capitalistes a son reflet dans les normes prétendues arbitraires des conventions graphiques tout autant que dans la structure même des œuvres. On aura remarqué, par exemple, que les brefs textes de Jean de Brébeuf qui sont intégrés dans la *Relation* ne sont pas nettement délimités (et cela deviendra une règle des *Relations*) ; or il en est de même des paroles que Lejeune rapporte. Le style direct est intégré au discours narratif, mais il n'en est pas moins bien signalé : d'abord par l'incise (dit-il, fit-il) qui n'est jamais absente du style direct, ensuite par le changement de temps chaque fois que le discours est rapporté dans un récit au passé et enfin par l'impératif ou le pronom d'ouverture séparé de la narration par une simple virgule ; ces trois marques produisent le même décrochage que les deux-points-ouvrez-les-guillemets du français moderne (« elles lui disoient, *tais* toi, tais toi, ne pleure pas... » (166), « ...ils lui dirent *nous* nous estonnons...» 50), mais intègrent harmonieusement les paroles au récit et soulignent la responsabilité du narrateur.

En dehors donc de quelques virgules et de certains accords de participes présents dont nous avons déjà parlé et qui, de loin, peuvent relever de la syntaxe, nous nous sommes contenté de la reproduire, sans plus. On aura remarqué les phrases qui n'en finissent plus, les cascades de la conjonction *que* (particulièrement dans le style indirect) et les constructions alambiquées : tout cela ne pose pas d'autres difficultés que celles des textes qui sont contemporains de cette *Relation* que nous avons voulu donner à lire ici ; l'unification des inconséquences et la correction de quelques erreurs la rendront plus abordable, croyons-nous, sans rien lui enlever de sa saveur, sinon le plaisir de lire tant de fautes sous la plume d'un Jésuite qui écrit, par ailleurs, si majestueusement et si joliment mal.

1. La Relation de 1634

a) Le manuscrit (abrégé MS)

RELATION DE CE QUI S'EST PASSE EN LA NOUVELLE
FRANCE SUR LE GRAND FLEUVE DE SAINCT LAURENS EN
L'ANNEE 1634. L'AUTEUR EST UN JESUITE APELLE PAUL
LE JEUNE.

Ce manuscrit est conservé à la Bibliothèque nationale de
Paris (BN) sous la cote F.FR. 24,226. Il est répertorié dans le
catalogue comme suit : xviie siècle, papier, 136 feuillets, in-
folio, 320 sur 210 millimètres, rel. parchemin (Sorbonne 1047).
Comme il en existe un numéroté *135 bis,* le nombre exact de
feuillets est de 137 ; ces feuillets sont divisés en quatorze
cahiers, le premier de 14 feuillets, les deux suivants et le dernier de 8 et tous les autres de 10 ; les deux premiers cahiers
seuls ne comportent pas de réclames. Sauf le premier et le
dernier, tous les feuillets sont utilisés recto et verso ; chaque
page comporte de 22 à 25 lignes d'une écriture très régulière
et facilement lisible qui date manifestement du xviie siècle.

La calligraphie change brusquement au verso du feuillet
28 (soit de la page numérotée 54, la p. 53 de notre édition) ;
un certain nombre de facteurs indiquent que le scripteur
change à ce moment : le dessin de la page n'est plus le même
(marqué, dans la première partie, par la hauteur de la lettre
C), la forme des lettres, et particulièrement des lettres *e, f* et *l,*
change nettement, les traits qui terminent les lignes sont plus
foncés, l'italique (« gros caractères ») disparaît et enfin la
ponctuation et les majuscules sont plus fortement marquées.

Le manuscrit est partout très *propre :* je veux dire par là
qu'en dehors de celle signalée p. 24 note *a,* il n'existe aucune
surcharge et les ratures sont suivies de leur correction dans
le corps de la ligne. On remarque deux anomalies signalées

p. 181, notes *a* et *b* : l'inversion d'un paragraphe et l'absence du prénom bien connu de Louis Amantacha.

Ce manuscrit faisait partie de la bibliothèque de la Sorbonne transférée à la BN en 1796 ; il y portait le numéro 1047 et en faisait déjà partie au milieu du xviiie siècle puisqu'il est répertorié au numéro 1347 des deux catalogues manuscrits de Guédier de Saint-Aubin (BN, Nouv. Acq. Lat. 100 et 101 ; anc. Arsenal 6268). Sans savoir comment il a pu y parvenir, on peut être assuré qu'il s'agit bien du manuscrit qu'a eu entre les mains Sébastien Cramoisy qui le reproduit mot pour mot dans tous ses détails, conservant même l'inversion du paragraphe (p. 181, note *a*) qu'il rétablira par la suite ; il ignore seulement quelques pages (voir p. 83, note *a* et p. 101, note *a*) qui sont pour nous inédites.

Enfin, il ne nous est pas possible de nommer le ou les deux scripteurs que nous y décelons. Nous avons entre les mains deux spécimens de l'écriture de Lejeune. D'abord quelques notes jetées à la hâte en 1647 (Chantilly, ASJP, fond Brotier, f° 35) qu'il est impossible de comparer au manuscrit ; ensuite la lettre qu'il écrit à Richelieu le 1er août 1635 (Arch. Aff. Et., Amérique, 4, f° 162-163) qui présente, de loin, quelques analogies avec la première partie du manuscrit. D'autre part, on lit à la fin de la *Relation* la phrase suivante : « Vostre Révérence jugera par la nécessité que j'ai eu d'emprunter la main d'autrui pour lui escrire que je n'ai pas tout le loisir que je pourrais désirer » (188). Cette affirmation peut porter aussi bien sur la *Relation* que sur les lettres qu'il écrit en même temps à son Supérieur, mais plusieurs raisons me portent à croire qu'il s'agit bien de la *Relation* : Lejeune aurait pu inverser par erreur le paragraphe dont nous avons déjà parlé, mais il ne pouvait pas ignorer le prénom d'Amantacha, comme il devait bien se souvenir d'être revenu de son hivernement non pas à Pâques, mais le dimanche précédent (p. 179, note 20) et enfin, le saut logique que nous avons signalé (p. 180, note 24) à propos de la prise du navire anglais pourrait indiquer que ce manuscrit n'est pas une copie de l'auteur. Je propose donc l'hypothèse suivante : Lejeune a un brouillon de la *Relation* qu'il recopie ou fait recopier jusqu'à la page 54 puis confie le travail, qu'il destine à l'éditeur, à un autre missionnaire.

C'est le texte de ce manuscrit que j'ai transcrit selon les règles décrites dans l'appendice précédent.

b) Première édition (abrégée PE)

RELATION DE CE QUI S'EST PASSE EN LA NOUVELLE FRANCE, EN L'ANNEE 1634. ENVOYEE AU R. PERE PROVIN-

CIAL DE LA COMPAGNIE DE JESUS EN LA PROVINCE DE FRANCE. PAR LE P. PAUL LE JEUNE DE LA MESME COMPAGNIE, SUPERIEUR DE LA RESIDENCE DE KEBEC. — A Paris, Chez Sébastien Cramoisy, Imprimeur ordinaire du Roy, rue S. Jacques, aux Cicognes. M.DC. XXXV. Avec privilège du Roy.

La BN possède plusieurs exemplaires de cette édition ; nous avons utilisé celui conservé sous la cote 8°.LK.12.732.(2). *Rés.*, décrit par McCoy sous le numéro 12 comme la troisième variante de la première édition [1]. Si je reproduis le texte du manuscrit, c'est l'orthographe de cette édition que je suis : elle diffère d'ailleurs très peu des autres exemplaires ou impressions que j'ai consultées.

c) Seconde édition (abrégée SE)

J'ai utilisé la seule que possède la BN (8°.LK.12.732.A(2). *Rés.*) décrite par McCoy au numéro 14 comme la seconde édition, « variante Bell ».

d) Editions modernes

Les éditions modernes de la *Relation de 1634* se confondent avec les deux éditions d'ensemble des *Relations* que nous donnons ici une fois pour toutes :

RELATIONS DES JESUITES CONTENANT CE QUI S'EST PASSE DE PLUS REMARQUABLE DANS LES MISSIONS DES PERES DE LA COMPAGNIE DE JESUS DANS LA NOUVELLE FRANCE, 3 vol., Québec, Augustin Côté, 1858

THE JESUITS RELATIONS AND ALLIED DOCUMENTS, TRAVELS AND EXPLORATIONS OF THE JESUITS MISSIONARIES IN NEW FRANCE, 1610-1791, The original french, latin, and italian texts, with english translations and notes ; illustrated by portraits, maps, and facsimiles, EDITED BY REUBEN GOLD THWAITES, Cleveland, 1896-1901, 73 vol.

2. *Œuvres de Paul Lejeune*

Si l'on sépare les *Relations* d'Acadie, du Saint-Laurent (Québec) et de la huronie (des Hurons), on peut préciser que Paul Lejeune est l'auteur des onze premières *Relations du Saint-Laurent* de 1632 à 1642 (sur l'attribution de cette dernière relation, voir Victor Morin, « Aux sources de l'histoire

---

1. Je me contente de renvoyer, ici comme au paragraphe suivant, aux descriptions de James C. McCoy, dans *Jesuit Relation of Canada* (Paris, Arthur Rau, 1937, xv - 314 p.), descriptions précises, accompagnées de reproductions photographiques, auxquelles il n'y a rien à ajouter.

de Montréal », in *Mémoires de la Société royale du Canada,*
III (1942), sect. I, p. 83-94) ; il rédige encore les deux derniers
chapitres de la *Relation de 1643* et il édite probablement,
comme Procureur des Missions, celles de 1652, 1653, 1657
et 1658.

Les courts extraits des relations de 1635 et 1636 que j'ai
transcrits ici sous le nom d'« *Epilogue* » sont lus dans les
exemplaires suivants :

RELATION DE CE QUI S'EST PASSE EN LA NOUVELLE
FRANCE EN L'ANNEE 1635, ENVOYEE AU R. PERE PROVIN-
CIAL DE LA COMPAGNIE DE JESUS EN LA PROVINCE DE
FRANCE, PAR LE P. PAUL LE JEUNE DE LA MESME COM-
PAGNIE, SUPERIEUR DE LA RESIDENCE DE KEBEC, Paris,
Cramoisy, M.DC.XXXVI.
BN, LK.12.732.A. *Rés.* ; McCoy n° 16.

RELATION DE CE QUI S'EST PASSE EN LA NOUVELLE
FRANCE EN L'ANNEE 1636, ENVOYEE AU R. PERE PROVIN-
CIAL DE LA COMPAGNIE DE JESUS EN LA PROVINCE DE
FRANCE, PAR LE P. PAUL LE JEUNE DE LA MESME COM-
PAGNIE, SUPERIEUR DE LA RESIDENCE DE KEBEC, Paris,
Cramoisy, M.DC.XXXVII.
BN, LK.12.732.B(4), *Rés.* ; McCoy n° 22.

Outre quelques lettres [2], d'importance inégale, qui n'ont
jamais été rassemblées, Paul Lejeune est l'auteur des livres
de piété suivants :

a) DE LA DÉVOTION DES ÉLUS, Paris, F. Lambert, 1665.

Ce livre, répertorié d'abord par Sotwel (en 1676) puis
repris par les bibliographies postérieures, est aujourd'hui introuvable ; son existence est attestée dans la mesure où il est

---

2. La plus importante est évidemment la lettre à son Provincial
de l'été 1634, conservée aux Archives de la Société de Jésus à
Rome, copiée par F.-X. Martin, publiée pour la première fois
par Carayon et reproduite par Thwaites (vol. VI, document
XXII) ; celui-ci édite encore la lettre au cardinal de Richelieu
du 1er août 1635 dont nous avons parlé plus haut. Sans avoir
procédé à un recensement exhaustif, signalons qu'une autre est
conservée au Centre hospitalier de Dieppe (lettre à la R. Mère
Elisabeth de Saint-François, supérieure de l'Hôpital de Dieppe,
2 septembre 1640, copie in ASPJ), alors que toutes les autres,
semble-t-il, se trouvent aux Archives de la Société de Jésus à
Rome, mais on en trouve quelques copies (lettres à son Provincial, 1632, 1633, 1634) aux ASPJ, parmi les 100 documents
transcrits par Fouqueray pour son *Histoire de la Compagnie
de Jésus* (5 vol., Paris, Études, 1910).

cité de nombreuses fois par Lejeune lui-même dans *Solitude ou Retraite de dix jours...*

b) SOLITUDE DE DIX JOURS SUR LES PLUS SOLIDES VERITEZ, ET SUR LES PLUS SAINTES MAXIMES DE L'EVANGILE, contenant vingt entretiens, pour les personnes d'Oraison, et vingt Lectures sur les mesmes sujets, pour ceux qui ne sçauroient mediter, ou qui se trouveroient trop distraits en leur meditations.
Seconde édition, Paris, Florentin Lambert, M.DC.LXV, 326 p.

La première édition, disparue, doit dater de 1664 ; outre cette édition de 1665, il en existe une autre chez le même éditeur en 1669 marquée « dernière édition » : elle sera suivie en 1674 d'une « nouvelle édition » chez Michel le Petit qui en fera le tome premier du livre suivant. Une autre édition est publiée à Lyon chez François Comba en 1675 qui confondra Paul Lejeune avec l'Oratorien Jean Lejeune, ce qui vaudra à notre Jésuite d'être répertorié sous ce nom dans les bibliographies oratoriennes (celle, par exemple, de A.-M. Ingold). Une « dernière édition » paraît encore en 1680 chez René Guignard à Paris.

c) SOLITUDE OU RETRAITE DE DIX JOURS, POUR SE PREPARER PENDANT SA VIE A UNE BONNE MORT, contenant vingt entretiens pour les personnes d'Oraison, et vingt Lectures sur les mesmes sujets, pour ceux qui ne sçauroient mediter, ou qui se trouveroient trop distraits en leur Meditation.
Tome second, nouvelle édition, Paris, Michel le Petit, M.DC.LXXIV.

La première édition, introuvable, doit dater de 1665 ; en 1674, Michel le Petit, éditeur parisien, en fait le tome second du livre précédent (c'est l'édition que nous citons ici). Il sera repris en 1680 par les éditeurs Jacques et Claude Hérissant qui en font deux éditions séparées.

d) CONSTITUTIONS DE LA CONGREGATION DES RELIGIEUSES HOSPITALIERES DE LA MISERICORDE DE JESUS, DE L'ORDRE DE SAINCT AUGUSTIN, s.l., M.CD.LXVI.

Repris par V. Guilmer à Morlaix en 1853, ce livre de Lejeune complète et perfectionne, selon Fressencourt, le travail entrepris par le R.P. Lignier pour les Hospitalières de l'Hôtel-Dieu de Dieppe.

e) EPISTRE SPIRITUELLES, ESCRITES A PLUSIEURS PERSONNES DE PIETE, TOUCHANT LA DIRECTION DE LEUR INTERIEUR, PAR UNE PERSONNE FORT EXPERIMENTEE DANS LA CONDUITE DES AMES, Paris, Florentin Lambert, M.DC.LXIV.

Lettres revues par le P. Fressencourt (Paris, Victor Palmé, 1875) qui les fait précéder d'une longue « Notice sur la vie de R.P. Paul Le Jeune ».

Il ne saurait être question maintenant d'aligner tous les livres qui ont servi à l'édition de la *Relation de 1634* : nous nous contenterons d'indiquer quelques titres qui pourraient la compléter ou l'illustrer. On pourra se reporter à la bibliographie de A. Beaulieu, J. Hamelin et B. Bernier, *Guide d'histoire du Canada*, Québec, P.U.L., 1969, 541 p., ou à celles de L. Campeau et de M. Trudel que nous indiquons plus bas sous leurs noms.

3. *Textes contemporains*

BIARD, Pierre, *Relation de la Nouvelle-France...*, 1616 ; *Lettres* de 1611 et 1612, in *la Première Mission d'Acadie*, L. Campeau, éd., voir plus bas à ce nom.

CARTIER, Jacques, *Voyages de découvertes au Canada entre 1534 et 1542*, Paris, Anthropos, 1968.

CHAMPLAIN, Samuel, *Œuvres,* éd. C.-H. Laverdière, 2e éd., 6 vol, Québec, Desbarars, 1870 (abrégé CH).

CHAMPLAIN, Samuel, *The Works of Samuel de Champlain*, 6 vol., éd. H.P. Bigar, Toronto, The Champlain Society, 1922-1936.

DE LERY, Jean, *Histoire d'un voyage fait en la terre du Bresil, autrement dite Amerique...*, Paris, Antoine Chuppin, 1578.

LE CARON, Joseph, *Fragmens de Memoire du Pere Joseph le Caron adressez en France, touchant le génie, l'humeur, les superstitions, les bonnes et mauvaises dispositions des Sauvages*, 1624, in Chrestien Le Clercq (voir plus bas), I, 263-288.

LE CARON, Joseph, *Lettre au R. P. Provincial de Paris,* Tadoussac, 7 août 1618, in Chrestien Le Clercq (voir plus bas), I, 132-140.

LESCARBOT, Marc, *Histoire de la Nouvelle-France...*, nouvelle éd., Paris, Jean Millot, 1611.

SAGARD, Gabriel Théodorat, *Histoire du Canada et Voyages que les Frères mineurs recollects y on faicts pour la conversion des infidelles...*, Paris, Tross, 1865, 4 vol. (abrégé SH).

SAGARD, Gabriel Théodorat, *le Grand Voyage au pays des Hurons,* Paris, Denys Moreau, 1632 (abrégé SV).

THEVET, André, *les Singularitez de la France Antarctique, autrement nommée Amérique : et de plusieurs terres et isles decouvertes de nostre temps,* Paris, Maurice de la Porte, 1558.

4. *Histoire de la Nouvelle-France*

G.W. BROWN, M. TRUDEL et A. VACHON, *Dictionnaire biographique du Canada,* I, Québec, P.U.L., 1966 (abrégé **DB**).

CAMPEAU, Lucien, Introduction et édition des textes de *la Première Mission d'Acadie,* Québec, P.U.L. et Rome, M.H.S.J., 1967. Voir la bibliographie, p. 25*-49* (abrégé **MA**).

CHARLEVOIX, *Histoire et Description générale de la Nouvelle-France,* I, Paris, Nyon, 1744.

FRESSENCOURT, « Notice sur la vie du R.P. Paul Le Jeune », in Lejeune, *Lettres spirituelles...,* 1875.

HANZELI, Victor E., *Missionary Linguistics in New France,* La Haye et Paris, Mouton, 1969.

LANCTOT, Gustave, *Histoire du Canada,* I, 3e éd., Montréal, Beauchemin, 1962 (abrégé **LA**).

LE CLERCQ, Chrestien, *Premier établissement de la Foy dans la Nouvelle-France,* 2 vol., Paris, Auroy, 1691.

ROCHEMONTEIX, Camille de, *les Jésuites et le Nouvelle-France au XVIIe siècle d'après beaucoup de documents inédits,* I, Paris, Letouzey et Ané, 1895.

TRUDEL, Marcel, *Histoire de la Nouvelle-France,* 2 vol. parus, Montréal et Paris, Fides, 1966. Voir la bibliographie, II, XXIII-XLIV (abrégé **TR**).

5. Sur *la biographie de Paul Lejeune,* voir la bibliographie, p. XI-XIII.

GLOSSAIRE DU VOCABULAIRE COMMUN

Pour établir le glossaire du vocabulaire commun de la *Relation de 1634,* nous nous sommes servi des glossaires et des lexiques usuels du moyen français et du français classique ; les définitions que nous avons retenues sont presque toutes extraites d'Antoine Furetière, *Dictionnaire universel contenant generalement tous les mots françois tant vieux que modernes et les termes de toutes les sciences et des arts,* 3 vol., 1690 (abrégé **F**). Nous n'avons arrêté, pour chaque vocable, que les seuls contextes où il se trouve dans la *Relation* et jamais l'ensemble de ses définitions. Les mots choisis sont ceux qu'on ne trouve pas, aux sens employés par Lejeune, dans les dictionnaires les plus courants du français moderne, en pratique le *Petit Larousse.*

Abismer : engloutir (aujourd'hui, s'abîmer)

Académie : « se dit aussi des maisons des Écuyers où la Noblesse apprend à monter à cheval, et les autres exercices qui lui conviennent » (**F**).

Affreusement, affreux : effrayant, qui effraie.

Ains : mais.

Alesne : « Pointe d'acier emmanchée qui sert à plusieurs artisans pour percer le cuir, et y passer du fil, afin d'en attacher plusieurs pieces ensemble » (**F**).

Ambroisie : « Viande exquise dont les Anciens feignoient que leurs Dieux se nourrissoient » (**F**).

Animer : « Exciter à la colere. Ce valet a fort animé son maître par ses discours insolents » (**F**).

Apostropher : « Adresser sa parole à quelque personne dans des discours ou des Escrits Oratoires » (**F**). Interpeller, mais sans brusquerie.

Ascendant : supériorité.

Assurer : rendre ferme, stable.

Aubade : concert donné à l'aube sous les fenêtres de quelqu'un, mais qui signifie aussi à contresens insulte, affront.

Barbare : Amérindien, Montagnais, primitif. « Estranger qui est d'un pays fort éloigné, sauvage, mal poli, cruel, et qui a des mœurs forts differentes des nostres. Rome a été plusieurs fois pillée par des *Barbares*. Les Sauvages de l'Amerique sont fort *barbares* » (F). On trouve dans la *Relation* l'opposition sémantique entre l'emploi adjectival, ordinairement péjoratif, et l'emploi nominal, plus neutre, quoique non innocent, telle qu'elle se dégage des deux derniers exemples. Voir *sauvage*.

Basset : petit.

Bond, que de bond que de volée : « Il l'a obtenue tant de bond que de volée, pour dire, en plusieurs manieres, moitié de gré, moitié de force » (F).

Boucan, boucaner : « Nous t'apporterons la chair d'un Castor, et me firent bien entendre qu'elle ne seroit point *bouquanée,* ils sçavent bien que les François n'aiment point leur *bouquan,* c'est de la chair seichée à la fumée, ils n'ont point d'autre sel que la fumée pour conserver leur viande » (RJ, V, 60).

Brai : « Terme de Marine, est une composition de gomme, de résine, et autre matiere gluante [...] qui sert à calfater et remplir les jointures des planches du bordage d'un vaisseau » (F).

Brayer : « Braye, linge qui couvre les parties honteuses, comme caleçons, bas de chemises » (F).

Brocard : « Terme injurieux et satirique, qu'on dit plaisantant contre quelqu'un » (F).

Bruit, à petit bruit : « Il y eut seulement un pirate Hollandois qui nous voulut attaquer [...] mais pour n'estre assez forts, nous gaignasmes le devant *à petit bruit* » (SV, 9). « Pour dire secrettement, doucement » (F).

Cadène : la chaîne du forçat, ici, celle de l'enfer.

Capable : emploi absolu : qui peut contenir beaucoup.

Capitaine : voir *sagamo*.

Caresme-prenant : « On dit aussi des personnes mal mises qui ont des habits hors de mode et extravagants, qu'ils sont habillés en vrais *caresme-prenants* » (F).

Castelogne : couverture de laine.

Chaude, à la chaude : « D'une manière prompte, chaude et violente » (F).

Chevet : « Oreiller long et rond rempli de plumes » (F). « Et pour ce qu'ils [les Hurons] n'ont point accoustumé de se servir de *chevet,* je me servois la nuict d'un billot de bois, ou d'une pierre, que je mettois sous ma teste » (SV, 86).

Coin : « Les Tailleurs appellent *Coin,* la piece d'un bas qui est en pointe et qui prend depuis la cheville du pied, et s'estend jusques sous la plante des pieds ; et *coin,* chez les Cordonniers, est un petit morceau de bois pour hausser le coup du pied des souliers lorsqu'ils sont sur la forme » (*Dict. des sciences et des techniques de l'Académie*).

Commandement : « Signifie aussi, Abondance de choses dont on peut disposer. Ce Maistre d'Hostel, ce Sommelier font bonne chere à leurs amis, car ils ont le vin et les viandes à leur commandement» (F).

Communiquer, communication : « Se dit aussi de la fréquentation, de l'intelligence qu'on a avec quelqu'un. La *communication* avec les Heretiques est fort dangereuse aux esprits foibles » (F).

Contrariété : « En termes de Palais, se dit de l'allégation des faits contraires » (F).

Conversation, converser : « vivre, parler familièrement avec quelqu'un » (F). Fréquentation, fréquenter.

Cotter : « citer, marquer précisément » (F).

Courre : courir.

Déduire : « Raconter quelque fait particulier ou histoire par le menu » (F).

Dégorger : « Rompre les digues. Quand les étangs viennent à se *dégorger*, ils inondent les lieux voisins et plus bas » (F).

Déportement : comportement; « Conduite et manière de vivre » (F).

Diligenter : « Travailler avec diligence. Il se dit d'ordinaire avec le pronom personnel. Il se faut *diligenter* pour arriver de jour au giste » (F).

Distinguer : « Signifie aussi, Mettre à part. Il faut *distinguer* les intérests de ces parties » (F).

Dolent : triste.

Empescher : « Embarasser, occuper. C'est un homme qui a de grands emplois qui l'empêchent de vaquer à ses affaires propres » (F).

Engager : mettre en gage, « Signifie aussi contraindre, ou mettre dans l'embarras » (F).

Erre : « aller grande erre, aller belle erre, pour dire, aller bon train » (F).

Esperdu : « Qui a l'esprit troublé ou égaré par quelque violente passion ou surprise » (F).

Espouvantable : « Terrible, qui surprend, qui fait peur, qui donne de l'admiration » (F).

Esquarre : « Se dit figurément d'un grand fracas ou ouverture qui se fait dans quelques corps. Une bombe fait une grande *escarre* quand elle crève » (F).

Estonnant : tonnant, fort.

Fallot : « Homme ridicule, et qui sert de jouet aux autres, mauvais plaisant. On dit par injure, Vous estes un plaisant *falot*, à celui qui est fort méprisable » (F).

Flegme : « En langue ordinaire, se dit de ces gros crachats espais que jettent les gens enrhumés et les malades du poulmon » (F).

Fontaine : source.

Friand : « Qui aime les morceaux délicat et bien assaisonnés. Il se dit tant des personnes, que du goust et de la chose goûtée » (F).

Guenon, assis en forme de : « La terre nue où nos genouils nous servoient de table à prendre nos repas, ainsi comme les Sauvages, non en *posture de Singe,* mais assis sur des busches de bois, qui estoit quelque chose de plus que les barbares » (SH, 216). « Lors que je vis pour la première fois de ces hommes *assis en guenon* contre terre... (SH, 259).

Horrible : « Qui fait peur ou horreur, ou qui donne une grande aversion » (F).

Hostelerie : « Logis que tient un hostelier, où on reçoit les voyageurs et les passans pour les loger et nourrir pour de l'argent » (F).

Hypocras : « Breuvage qu'on fait avec du vin, du sucre, de la canelle, du girofle, du zinzambre, et autres ingrediens. [...] L'*hypocras* passe pour vin de liqueur, et se boit par délices à la fin d'un repas » (F).

Imprécation : «Souhait qu'on fait contre quelqu'un. [...] On en fait quelquefois par manière de jurement, et pour confirmation de ce qu'on dit » (F).

Improuver : désapprouver, blâmer.

Infection : « Puanteur, l'*infection* de ce cloaque est insupportable » (F).

Injure : « Se dit aussi du temps et de la fortune » (F). Pour vivre comme les Hurons, il faut se résoudre à « souffrir les pluies sur le dos, toutes les *injures* des saisons et du temps » (SV, 64).

Intelligence : « Union, amitié de deux ou plusieurs personnes qui s'entendent bien ensemble, qui n'ont aucun différent » (F).

Jambage : « Construction de maçonnerie qui sert à soutenir quelque partie d'un bastiment. Les pieds droits d'une porte, d'une fenestre, s'appellent *jambages* » (F).

Jaçoit que : quoique.

Jamais : « Il se prend aussi substantivement. Quand j'ai promis amitié à quelqu'un, c'est pour un *jamais,* pour toujours » (F).

Jongleur : voir *sorcier.*

Lacet : « Tendre des *lacets,* ou comme les autres noment, des colets » (RJ, XII, 34).

Lesche : rêne, ruban mince.

Lieue : mesure itinéraire qu'on peut fixer, au XVIIe siècle, à environ quatre kilomètres (3 933 m.), soit deux milles et demi.

Limite : voir *marche.*

Lubricité : « Amour brutal et sensuel » (F).

Magicien : voir *sorcier.*

Magnifique : « Celui qui est splendide, somptueux, qui se plaist à faire dépense en choses bonnes. C'est la principale qualité des Princes d'estre *magnifiques* » (F).

Malvoisie : « Vin grec ou de Candie. On le nomme en latin *vinum arvisium*. Ce nom vient de *malvasia*, qui est une ville du Peloponese qui est l'ancienne Epidaure, d'où est venu d'abord ce vin si renommé » (F).

Mander : « Écrire à quelqu'un, ou lui envoyer un message pour lui faire sçavoir quelque chose, pour le prier, le charger de faire quelque affaire » (F).

Maniement : « Se dit aussi parmi les Ouvriers de l'art de manier les matières sur lesquelles ils travaillent » (F).

Marche : « Signifioit autrefois frontière, borne, limites, confins. Les Marquis estoient les Gouverneurs des villes situées sur les *marches* ou frontières d'un État » (F).

Martagon : « ...des Martagons, qui portent quantité de fleurs en une tige, qui a près de six, sept et huit pieds de haut, et les Sauvages en mangent l'oignon cuit sous la cendre qui est assez bon. Nous en avions apporté en France, avec des plantes Cardinales, comme fleurs rares, mais elles n'y ont point profité, ni parvenues à la perfection, comme elles font dans leur propre climat et terre natale » (SV, 55).

Matachia : « Les femmes et filles commencèrent à quitter leurs robbes de peaux, et se meirent toutes nues, montrans leur nature, néantmoins parées de *matachias*, qui sont patenostres et cordons entrelacés, faicts de poil de porc-espic, qu'ils teignent de diverses couleurs » (CH, II, 11).

Matachier : « Je prenois plaisir à leurs façons de faire, et à voir travailler les femmes, les unes à *matachier* et peinturer leurs robes » (SV, 47). « Ils ont aussi accoustumé de se peindre et *matacher* [*sic*], c'est pour ce suject qu'ils portent de ces peintures et de l'huile avec eux » (SV, 75).

Matras : lance, trait.

Mesche : « Matière sèche et préparée pour prendre feu aisément, le conserver et le communiquer, telle que celle qu'on met dans les fusils pour allumer le feu. On fait de la *mesche* avec du linge, du papier bruslé, d'étouppe bouillie et de l'agarie sec » (F).

Meuble : « Se dit en une signification plus étroite, d'un lit et des chaises de même parure » (F).

Nocher : pilote.

Oisiveté : « Fainéantise, fuite du travail » (F).

Paillardise : « Péché de la chair » (F).

Palme : « Empan, mesure qui se rapporte à la longueur de sa main quand elle est étendue autant qu'elle le peut être » (F). Se calcule depuis le poignet jusqu'à l'extrémité des doigts.

Parement : « Ornement d'Église qui sert à parer l'autel ou ceux qui y officient » (F). Peut se dire de tout ornement religieux.

Partie : « Se dit figurément des talens naturels ou acquis qui rendent une personne considérable. Il a cent bonnes *parties*, cent bonnes qualités » (F).

Passement : « Dentelle, ouvrage qu'on fait avec des fuseaux pour servir d'ornement, en l'appliquant sur des habits. On en fait d'or, d'argent, de soie et de fil » (F).

Patrouiller : « Se dit aussi de ceux qui manient quelque chose mal proprement, et sur tout en apprestant, ou en mangeant les viandes. Les gens délicats sont dégoustés lors qu'ils voient qu'on a *patrouillé* la viande, qu'on a *patrouillé* dans le potage » (F).

Pertuis, l'herbe à mille pertuis : l'herbe à mille trous.

Pétun, pétuner : tabac (qu'on trouve, p. 152), fumer.

Pie, œuvres pies : œuvres pieuses.

Pique : ancienne mesure de longueur équivalente à une pique, soit sept pieds.

Plat, à platte terre : « Il estoit assis à platte terre, c'est à dire sans siège » (F).

Pource : parce que.

Pratiquer : « Signifie aussi converser [voir ce mot] avec quelqu'un, avoir familiarité avec lui » (F). .

Précipué : avantagé, de *préciput,* avantage stipulé par contrat ou testament.

Prou : beaucoup, suffisamment.

Régner : « Environner. Cette galerie *règne* tout autour de ce bastiment » (F).

Relascher : « En termes de Marine, signifie céder au vent contraire et chercher quelque port ou quelque rade pour se mettre à l'abri et laisser passer le mauvais temps » (F).

Relief : « Les reliefs de cuisine sont des restes de pains ou de chairs qui demeurent après que la maison est nourrie et dont les pauvres gens s'accommodent bien » (F).

Reprise, par reprise : « Se dit aussi en parlant d'une interruption d'action. Ce travail est trop fort pour le faire tout d'une haleine, il le faut faire à diverses *reprises* » (F).

Respect, au respect de : considérant (action de prendre en considération) ; « Qu'est-ce que notre vie au respect de l'éternité ? » (F).

Resverie : « Songe extravagant, délire, démence. C'est mauvais signe pour un malade, quand il entre dans la resverie » (F).

Retourner, s'en retourner de : revenir, s'en revenir de.

Sagamo : « Ils appellent leur Capitaine Sagamo, mais par la fréquentation des Européans, ils se servent du mot Capitana » (Lejeune,

1632, RJ, V, 58). Le mot de *Sagamo* ne s'usurpe ici que par quelques uns, pour dire Capitaine, le vrai mot c'est *Oukhimau*, je croi que ce mot de *Sagamo* vient de l'Acadie » (Lejeune, 1633, RJ, V, 114). Ce mot n'apparaît jamais dans la *Relation de 1634* où il est remplacé par celui de *Capitaine.*

Sauvage : comme *Barbare,* ce mot commute dans les relations de la Nouvelle-France avec Amérindien et dans la *Relation de 1634* avec Montagnais (voir INP à ce mot) ; de façon générale, son emploi est neutre : « Se dit aussi des hommes errans qui sont sans habitations réglées, sans Religion, sans Loix et sans Police. Presque toute l'Amérique s'est trouvée peuplée de Sauvages » (F). Toutefois, on ne saurait négliger le phénomène de civilisation qui teinte toujours le référent d'une nuance péjorative ; le sens est parfois entièrement défavorable : « Quant aux façons de faire des Sauvages, c'est assez de dire qu'elle sont tout à fait sauvages » (Lalemant, RJ, IV, 196). « ...Ce pays dont les habitants sont véritablement Sauvages de nom et d'effet» (J. Dolbeau, in Le Clercq, *op. cit.,* 63). On remarquera, par exemple, p. 99, que le mot *errans* ne commute pas avec *Montagnais,* mais avec *Sauvages* au sens de « primitifs ».

Secret : « On dit aussi, qu'un homme est *secret,* quand il a de la discrétion, quand il ne descouvre point ce qu'il faut taire, ce qu'on lui a commandé de cacher » (F).

Si bien : mais bien.

Sorcier : Sorcier, Jongleur, Magicien désignent presque toujours Carigonan (voir INP à ce nom) dans la Relation de 1634 et s'écriraient aujourd'hui *Chaman* (voir TR, 400, ou Lévi-Strauss, *Anthropologie structurale, passim*), le ministre et médecin des Amérindiens. « Tous ceux qui ont cognaissance particulière avec le Manitou bon ou mauvais se nomment parmi eux Manitouisiouekhi. Et pour autant que ces gens-là ne cognoissent que le meschant Manitou, c'est à dire le Diable, nous les appellons Sorciers. Ce n'est pas que le Diable se communique à eux si sensiblement qu'il fait aux Sorciers et aux Magiciens d'Europe, mais nous n'avons point d'autre nom pour leur donner, veu mesmes qu'ils font quelques actions de vrais sorciers » (Lejeune, RJ, XII, 6).

Soupe : « On dit aussi d'un homme qui a bien bu qu'il est ivre comme une soupe » (F).

Todis : « Petit logement étroit, sale et mal-propre », la nuance péjorative semble moins forte qu'en français moderne puisque Furetière doit préciser : « Il est contraint par la nécessité de se loger dans un *méchant taudis.* »

Tortu : « Qui n'est pas en droite ligne. Les chemins des pays de montagnes sont *tortus,* bossus » (F).

Tranchée : « En termes de Médecine, se dit d'une colique ou d'une douleur de ventre qui est causée par des vents enfermés dans les boyaux » (F).

Trémue, pour trémie : « Vaisseau de bois fait en forme de piramide renversée qui sert au moulin pour faire escouler peu à peu par un auget le bled sur les meules pour en faire de la farine » (F).

Truchement : interprète.

Viande : signifie parfois, au pluriel, conformément à l'étymologie, nourritures.

INDEX DES NOMS PROPRES

L'index des noms propres de la *Relation de 1634* (abrégé INP), outre les noms de héros mythologiques et quelques collectifs, groupe tous les noms de personnes et signale leurs occurrences dans la *Relation* ; en plus des renseignements d'ordre biographique, cet index rassemble l'information historique qui greffe le livre de Lejeune à l'histoire de la Nouvelle-France : la succession des compagnies de monopole (les de Caen, Du Plessis-Bochart, la Compagnie de la Nouvelle-France) en face du développement de la colonie de peuplement (Champlain, Hébert, Couillard de Lespinay, Giffard de Moncel), la prise de Québec (les Kirke, Jacques Michel) et l'évolution de l'histoire missionnaire (Brébeuf, Amantacha, Viel, Manitougatche, etc.). A la suite de chaque entrée, on trouvera les sources de notre information : nous devons beaucoup, on le remarquera, au commode *Dictionnaire biographique du Canada* et au livre de Marcel Trudel ; on remarquera moins les importantes précisions dues à Lucien Campeau.

Amantacha ou Le Castor, baptisé Louis de Sainte-Foi, Huron : 181

> Amantacha est né vers 1610. Son père, Soranhes, qui vit à Téanaostaiae (Saint-Joseph II), comme il l'avait promis à Nicolas Viel en Huronie, le confie au père Joseph Le Caron à Québec en 1626 (DB, 59) : après une querelle de zèle, les Récollets le confient le même été aux Jésuites qui le font passer en France sur le bateau d'Émerie de Caen. « Voici, écrit Charles Lalemant, un petit Huron qui s'en va vous voir, il est passionné de voir la France. Il nous affectionne grandement et fait paroistre un grand désir d'estre instruict ; [...] Il est important de le bien contenter, car si une fois cet enfant est bien instruit, voilà une partie ouverte pour entrer en beaucoup de nations où il servira grandement » (RJ, IV, 224). Après quelque temps chez Ézéchiel de Caen (catholique, père d'Émery) à Rouen, il est conduit chez les Jésuites de Paris. Il sera baptisé solennellement à la cathédrale de Rouen le 8 décembre 1627 par l'archevêque

François de Harlay. À l'été 1629, les frères Kirke s'emparent du navire qui le ramène : on ne peut affirmer avec certitude qu'il soit alors passé au service des Anglais, mais chose certaine, les Jésuites, et en particulier Charles Lalemant et Paul Lejeune (RJ, VI, 84), le diront « corrompu » par eux. Quoi qu'il en soit, libéré, il rentre en Huronie avec Étienne Brûlé. L'été 1632, puis 1633, il joue un rôle important dans l'histoire économique de la colonie, conduisant avec son père la flotte des Hurons sur le Saint-Laurent (RJ, V, 224-228, 244-246 ; VI, 22s.) : bien qu'à cette occasion il se confesse et communie, il déçoit manifestement l'espoir des missionnaires. Au moment où Lejeune écrit, il est, avec son père, prisonnier des Iroquois et ne réussira à s'enfuir qu'après s'être fait couper un doigt. En 1636, il ne reviendra pas d'une expédition contre les Iroquois. / CH, IV, 267 ; SH, 796 ; RJ, IV, 224 ; V, 224s. ; VI, 84 ; TR, 328-329 ; DB. Le Clercq, *op. cit.*, 365-368 ; 388-390.

Amériquain, Amérique

Peut désigner tout le continent ou tous ses habitants, mais ordinairement employé dans l'expression « Amériquains méridionaux » circonscrite aux peuples d'Amérique du Sud, du *Brasil*.

Anonymes

Outre le jeune Hiroquois (voir sous ce mot), plusieurs des Montagnais avec lesquels il hiverne (voir sous Mestigoït) et tous ceux qui sont liés par un lien de parenté avec une personne déjà nommée (par exemple, la femme du Sorcier Carigonan), Lejeune parle d'un certain nombre de personnes qu'il ne nomme pas, mais qu'il détermine nettement : la Canadienne dont il rapporte le châtiment (22), le Montagnais et sa femme, accompagnés d'une parente et de son fils, accueillis par la cabane de Mestigoït durant la famine (63, 167), le chef de la troisième cabane (138, 141), l'interprète de l'algonquin qui rapporte des rumeurs à Champlain (186), le petit Français qui demeure avec les Jésuites (14) et enfin le Sorcier de Gaspé (46-49) qu'*assassine* Carigonan.

Aouetitin, dit Bienvenu, baptisé Pierre, voir *Ourontinoucoueou.*

Apostat, voir *Pastedechouan*

Atahocam

Héros de la mythologie montagnaise, auteur du monde. Voir p. 30, notes 1 et 2.

Bienvenu, Aouetitin dit Bienvenu, voir *Ourontinoucoueou*

Bontemps : 180

Capitaine, pilote un des navires de la flotte de Du Plessis, s'est signalé dans la prise du navire anglais.

Brébeuf, Jean de, missionnaire jésuite : 8-12, 14, 22, 28, 32, 111, 181-183, 186, 189

À l'âge de 32 ans, Jean de Brébeuf arrive en Nouvelle-France avec Charles Lalemant et Enemond Massé au mois d'avril 1625. Du 20 octobre 1625 au 27 mars 1626, donc après les Récollets et avant Lejeune, il hiverne avec des Montagnais à 20 lieues de Québec ; il passera l'hiver suivant en Huronie en compagnie de Anne de Noue et du Récollet La Roche d'Aillon. Il y demeure avec ce dernier en 1627-1628, puis seul l'année suivante. Il assiste à la prise de Québec en juillet 1629 puis repasse en France où il sera économe au collège d'Eu jusqu'en 1632.

C'est donc un homme d'expérience qui arrive en Nouvelle-France avec les pères Daniel et Davost le 22 mai 1633. La mort de Nicolas Viel l'empêche de se rendre tout de suite en Huronie et c'est lui qui remplace Lejeune à Québec durant les six mois qu'il passe avec les Montagnais.

Parti le 7 juillet, il arrive en Huronie le 5 août 1635 et s'installe à Ihonatiria (Saint-Joseph I). Comme Supérieur de la Mission huronne, il rédigera les relations de 1635 et 1636 ; en août 1638, il sera remplacé dans cette fonction par Jérôme Lalemant. De novembre 1640 à mars 1641, il se rend avec Chaumonot chez les Neutres où il tente sans succès d'établir une nouvelle mission ; à son retour, il se brise la clavicule gauche, ce qui explique son retour à Québec à l'été 1641. Il dirige alors la Résidence de Saint-Joseph, Sillery, qui groupe une quarantaine de familles christianisées et sédentarisées, d'abord avec les pères de Queen et Du Perron, puis avec Barthelemy Vimont.

Fin 1644 trois Iroquois sont pris ; les Hurons exigent deux de ces prisonniers comme otages. Le gouverneur Montmagny, qui veut les conserver en vie, leur donne une escorte de 20 soldats et trois missionnaires, dont Brébeuf. Arrivé en Huronie le 7 septembre 1644, il n'en reviendra plus : sa vie se confond avec la marche des Iroquois et la destruction de la Huronie. Massacre d'un village des Neutres en 1647 ; 700 prisonniers et mort d'Antoine Daniel le 4 juillet 1648 ; le 16 mars 1649, attaque par un millier d'Iroquois de Saint-Ignace (Taenhatentaron) puis de Saint-Louis où il est fait prisonnier avec Gabriel Lalemant. Conduits à Saint-Ignace, ils seront mis à mort après avoir subi, selon la coutume amérindienne, le supplice du feu. Jean de Brébeuf laisse deux relations huronnes (1635 et 1636), un journal spirituel de 44 fragments et 15 lettres à ses supérieurs. Il sera canonisé par Pie XI le 29 juin 1930 et proclamé patron du Canada, avec les autres missionnaires morts martyrs, le 16 mars 1940. / RJ, IV, 265 ; XXIII, 272 ; XXXIV, 24-36, 124-129 ; CH, VI, 233-234 ; TR, 337s., DB.

Brûlé, Etienne, interprète : 188

Né vers 1592 à Champigny-sur-Marne, près de Paris, il est à Québec en 1608. Deux ans plus tard, Champlain le confie à Yroquet en échange de Savignon qu'il amène en France : il devient ainsi le premier Européen à pénétrer en Huronie. Il revient l'été suivant, vers le 13 juin 1611, avec 200 Hurons et Algonquins. Au service des marchands, il est payé 100 pistoles par an, comme interprète huron, rouage important de la traite des fourrures. Il accompagne peut-être Champlain au lac Huron en 1613. En 1615, avec 12 guerriers hurons, il traverse l'Iroquoisie pour chercher l'alliance des Andastes qui arriveront deux jours après la défaite de Champlain. Il reconduit les Andastes et au retour, il est pris par les Iroquois Tsonnontouans, mais réussit à s'enfuir (sur le récit de sa fuite légendaire et miraculeuse, voir CH, IV, 134 ; SH, 429s.). Il se rend au lac Supérieur en 1621-1623 et peut-être chez les Neutres en 1625. Lors de la prise de Québec, il passe au service des frères Kirke avec l'interprète Marsolet ; il retourne ensuite en Huronie avec Amantacha. Lejeune fait ici allusion à sa mort : pour une raison qu'on ignore, il est assassiné et mangé par les Hurons de la tribu de l'Our en juin 1633. / CH, III, 256 ; IV, 134, 244-245 ; VI, 244 ; SH, 429-432 ; RJ, V, 291 ; TR, 216.

Burel, Gilbert, frère jésuite

Originaire de Bourges, il a 59 ans en 1634. Il est arrivé en Nouvelle-France en même temps que Lejeune et rentrera en France en 1637. À aucun moment il n'est question de lui dans la *Relation de 1634* : il doit être compté dans l'expression « nos François ».

Buteux, Jacques, missionnaire jésuite : 3, 17, 18, 19, 181, 187, 188.

Malade durant la traversée, Jacques Buteux arrive en Nouvelle-France avec le P. Charles Lalemant et le F. Jean Ligeois en mai 1634 à l'âge de 35 ans. Le 8 septembre, il se rend à Trois-Rivières avec Lejeune pour assister à la création de la nouvelle Habitation. En 1639, il est nommé supérieur de cette Mission qu'il desservira plus de dix ans. En mai 1652, il périt dans une embuscade iroquoise. / RJ, XXXVII, 134s. ; XXXVIII, 44s., 48 ; DB.

Caen, Emery de : 24, 165

Fils d'Ézéchiel de Caen qui fera partie, à partir de 1613, de la Compagnie des Marchands de Rouen et de Saint-Malo et cousin de Guillaume de Caen qui obtient le monopole de la traite de la Nouvelle-France en 1621, Émery de Caen est baptisé catholique à Rouen le 21 avril 1603 et viendra chaque année en Nouvelle-France à partir de 1621. De 1624 à 1626, il commande Québec en l'absence de Champlain. En 1631, les Kirke lui refusent tout commerce. L'année suivante, alors que Guillaume est chargé par Richelieu d'organiser la reddition de la colonie, il est nommé commandant de Québec où il arrive le 29 juin avec son lieutenant Du Plessis-Bochart et Paul Lejeune qui vient d'être nommé supérieur. Celui-ci l'a toujours considéré avec amitié, mais ne pouvait que s'opposer aux *intérêts* qu'il représentait : le conflit n'est religieux qu'en apparence (Émery représente les intérêts de son cousin Guillaume, protestant), en fait, l'intérêt missionnaire que Lejeune représente ne pouvait que s'opposer à celui de la compagnie de monopole quelle qu'elle soit. Ainsi, la lettre d'envoi de la *Relation de 1634* module celle de 1633 où Lejeune se félicitait de la substitution de la compagnie de Guillaume de Caen par celle de la Nouvelle-France et le remplacement correspondant d'Émery de Caen (qui ne reviendra plus dans la colonie à partir de cette date) par Samuel de Champlain. / TR, 273s. ; DB ; RJ, V, 82s.

Caen, Guillaume de : 24

Bien qu'il ne soit pas nommé dans la *Relation de 1634*, le protestant Guillaume de Caen est impliqué dans l'expression « ceux qui avoient ci-devant la traicte du pays » et sous-entendue à contresens dans l'éloge de la Compagnie de la Nouvelle-France, bien que plus implicitement que dans la lettre d'envoi de la *Relation de 1633*. En effet, par l'interdit de séjour en Nouvelle-France qui le frappe en 1626, l'éviction théorique de ses intérêts en 1627 (par la création de la Compagnie de la Nouvelle-France) et en fait à partir de 1633, le retrait du personnage symbolise celui des petites compagnies de commerce responsables depuis près d'un siècle de la colonisation de la Nouvelle-France. En 1621, Guillaume avait été chargé, avec Ézéchiel de Caen, de la traite du Saint-Laurent ; l'année suivante, Louis XIII avait présidé à la formation de la Compagnie de Montmorency dite Compagnie de Caen dirigée par les trois de Caen, Ézéchiel et son fils Émery, catholiques, et Guillaume, huguenot. L'opposition « coloniale » (économique, politique et missionnaire) à la compagnie se manifestera sous le couvert d'un conflit religieux marqué par la révocation de l'édit de Nantes pour la Nouvelle-France en 1627 en même temps que la création de la Compagnie de la Nouvelle-France sous l'instigation du cardinal de Richelieu entré au Conseil d'État en 1624. Toutefois, l'éviction des de Caen n'est pas tout de suite effective : en 1628, les commis de Guillaume sont autorisés à traiter certaines marchandises qui lui appartiennent dans le Saint-Laurent ; en 1629, 50 000 écus de fourrures lui sont prises par les Kirke lors de la prise de Québec ; en 1631, il obtient encore le monopole de la traite entravée par les Anglais qui détiennent Québec ; enfin, en 1632, Richelieu le charge d'organiser la reddition de Québec, à condition toutefois qu'il ne s'y rende pas. C'est donc sur un bateau qui lui appartient que Paul Lejeune fait son entrée en Nouvelle-France. Il pourra, l'année suivante, applaudir à son éviction définitive de la colonie. / TR, *passim* ; DB.

Canadien

Ce mot, qui peut désigner les Amérindiens de la Nouvelle-France, est ordinairement circonscrit aux tribus de la Gaspésie.

Cardinal de Richelieu, Armand Jean Du Plessis : 3, 187

> Voir p. 4, note 8 ; ici, sous Compagnie de la Nouvelle-France et
> Guillaume de Caen.

Carigonan : progressivement : 13, 25, 32 ; puis continuellement à partir de la page 36 ; voir 121-125 ; nommé 127

> Montagnais, frère aîné de Mestigoït, Pastedechouan et Sasousmat, il
> est « surnommé des François l'Espousée pource qu'il fait le grand
> comme une espousée, c'est le plus fameux Sorcier ou *Manitousiou*
> (c'est ainsi qu'ils appellent ces jongleurs) de tout le pays ». Il ne
> nous est connu que par la *Relation de 1634* où Lejeune nous trace
> le portrait peu flatteur du sympathique Sorcier avec lequel il hiverne.
> Il meurt avant janvier 1634, brûlé vif dans sa cabane.

36, 140, 145, 147-149

> Sa femme, dont on ignore le nom, est malade dès le début de l'hiver-
> nement et doit être portée sur un brancard. Son mari, et d'ailleurs
> elle-même, s'opposera efficacement à l'instruction que voudrait lui
> donner Lejeune. Elle meurt le 28 novembre 1633 : Lejeune soup-
> çonne Mestigoït ou Carigonan lui-même de l'avoir tuée, mais un
> vieillard lui apprendra plus tard qu'elle est morte de sa maladie —
> Lejeune s'en rapporte à ce qui est.

72, 75, 160, 193

> Son fils et son neveu ont tous deux des écrouelles, le deuxième au
> cou, le premier à l'oreille, ce qui l'empêchera d'être accepté au
> séminaire de Québec en 1635 ; il sera toutefois baptisé par Lejeune
> l'année suivante. / RJ, VII, 298s. ; IX, 68s. ; DB.

Castillon, Jacques : 180

> Un des principaux membres de la Compagnie de la Nouvelle-France,
> il se fera concéder une partie de l'île d'Orléans : la seigneurie de
> Charny. / LA, 211.

Champlain, Samuel de : 5, 6, 16, 22, 71, 96, 128, 179, 180,
186, 187

> Le personnage de Samuel de Champlain est indissociable de l'utopie
> coloniale qu'il symbolise, l'établissement en Nouvelle-France d'une
> colonie de peuplement, pilier essentiel de l'entreprise missionnaire :
> il aura droit à la plume élogieuse de tous les missionnaires. Son
> entreprise, à cause de son orientation, est dès le départ en contra-
> diction avec celle des compagnies marchandes avec lesquelles il
> saura toujours frayer.
> Né à Brouage vers 1570 ou en 1567, il s'embarque comme simple
> observateur sur un des deux navires de Pont-Gravé qui se rend
> en Nouvelle-France au nom d'Aymar de Chaste en 1603. Dès son
> retour, la même année, il publie *Des Sauvages*, avant de repartir pour
> l'Acadie où il hiverne trois ans (1604-1607), toujours en simple ob-
> servateur, participant aux Habitations successives qu'y érige Pierre

Du Gua de Monts, lieutenant général du roi. En 1608, il construit la première Habitation de Québec et, l'année suivante, défait les Iroquois au lac Champlain, comme chef de l'expédition du même de Monts titulaire d'un monopole de traite des fourrures pour dix ans. À l'été 1610, il vainc pour la deuxième fois les Iroquois sur le Richelieu. Si en 1611 il n'assiste qu'à la traite des fourrures, en 1613, il remonte l'Outaouais jusqu'à l'île des Allumettes, mais ne peut se rendre plus loin car les Amérindiens lui défendent l'entrée de l'arrière-pays. À l'été 1615, il entreprend son septième séjour en Nouvelle-France, mais il subit la défaite avec ses alliés aux mains des Iroquois (au lac Ontario) et, blessé, se voit forcé d'hiverner en Huronie. Après deux brefs séjours en 1617 et 1618, il est lieutenant du vice-roi Montmorency de 1620 à 1624 à Québec où il tente « d'aménager le territoire » (en 1623, fait renforcer le fort de Québec et commencer le fort Saint-Louis, en 1624, fait remplacer par une construction de pierre l'Habitation de 1608). Entre-temps, la Compagnie de Caen remplace celle du duc de Montmorency. À son onzième séjour, en 1626, Champlain est cette fois en compagnie des Jésuites qui cohabitent avec les Récollets installés depuis 1615. En juillet 1629, il doit capituler devant les frères Kirke, mais après la reddition de la colonie, en 1633, il s'installe définitivement en Nouvelle-France comme lieutenant général de Richelieu sur toute l'étendue du pays. Alors que Lejeune est depuis quelques mois à l'Habitation de Trois-Rivières dont Champlain vient d'ordonner la construction, il meurt à Québec le 25 décembre 1635 entre les bras de Charles Lalemant.

Lejeune connaissait les relations de Champlain ; il y fait allusion dans son livre : 1603, *Des Sauvages* ; 1613, *les Voyages du Sieur de Champlain* ; 1619, *Voyages et Descouvertures* ; 1632, *les Voyages de la Nouvelle-France occidentale, dicte Canada.* | TR, I, 254-258s. ; II ; DB.

Compagnie des Cent-Associés ou Compagnie de la Nouvelle-France : 3, 4, 71, 128, 180, 187

La Compagnie des Cent-Associés, fondée par le cardinal de Richelieu le 29 avril 1627 (TR, 432s.) après la révocation de la compagnie de Guillaume de Caen (déjà interdit de séjour en Nouvelle-France depuis mars 1626), est la dernière née et la plus prestigieuse des « compagnies de monopole ». En 1628, elle équipe une première flotte de quatre vaisseaux et de 400 hommes, placée sous la direction de Roquemont de Brison, qui est prise par les Kirke. Une seconde expédition a lieu en 1629 qui n'a pas plus de chance. En 1632, après la reddition de la colonie, la Compagnie se voit incapable d'affronter les frais d'une nouvelle traversée et forcée d'accepter les services de Guillaume de Caen en la personne de son lieutenant Du Plessis-Bochart. C'est sur cette flotte que Paul Lejeune fait son entrée en Nouvelle-France. En novembre 1632, un sous-groupe de la Compagnie obtient pour cinq ans le monopole colonial (LA,

173s.). Pas plus que dans son éloge de l'année précédente (*Relation de 1633*), Lejeune ne distingue le sous-ensemble de l'ensemble dans « Messieurs les Associés ». En regard de l'éviction des de Caen, l'éloge est sincère ; il sera toutefois tempéré par la lettre au Provincial qui signalera qu'à Trois-Rivières, où on entreprend la construction de l'Habitation, le P. Buteux et lui devront fournir leurs habits, les meubles de la sacristie, leur nourriture qu'ils partageront forcément avec les autres et « jusques à de la cire et de la chandelle » (RJ, VI, 80s.) ; il en sera encore de même au sujet de la « dépense » lors de la montée des Pères et de leurs hommes en Huronie.

Couillard de Lespinay, Guillaume : 182

Né à Saint-Malo ou à Paris vers 1591, il est à Québec depuis 1613 lorsqu'il épouse, le 26 août 1621, Guillemette, fille de Louis Hébert. À la mort de celui-ci, il hérite de la moitié du patrimoine et la même année Champlain lui concède cent arpents de terre sur la rivière Saint-Charles. En 1629, il demeure avec l'occupant ; en 1632, il possède vingt arpents de terre cultivée et en 1639 un moulin à farine. Il mourra le 4 mars 1663. / DB.

Cramoisy, Sébastien

Éditeur de la *Relation de 1634*, comme de toutes les relations de 1632 à 1673, il prend pour la première fois le titre de « Imprimeur ordinaire du Roy », mais ce n'est qu'en 1640 qu'il sera chargé de l'Imprimerie royale que Louis XIII établira au Louvre. Marbre-Cramoisy, son fils ou son neveu, conservera son titre jusqu'en 1687. Sébastien Cramoisy est l'un des cent associés de la Compagnie de la Nouvelle-France.

Harrisse, *Notes pour servir à l'Histoire* [...] *de la Nouvelle-France*, Paris, Tross, 1872, 60-61 ; RJ, V, 280 et note 22.

Daniel, Antoine, missionnaire jésuite : 181, 183, 186, 188

Antoine Daniel, né à Dieppe en 1601, est arrivé en 1632 à la Résidence de Sainte-Anne (au cap Breton) en compagnie d'Ambroise Davost et de son frère le capitaine Charles Daniel. Le 22 mai 1633, il est à Québec avec Champlain. Durant l'hivernement de Lejeune, il étudie la langue huronne en compagnie de Davost sous la direction du P. Brébeuf. Au début de juillet 1634, ils prennent tous trois le chemin de la Huronie : bien que les rumeurs de mort et d'assassinat se révèlent fausses, Antoine Daniel est en effet abandonné et dépouillé par ses guides ; il rejoindra péniblement ses confrères. En juillet 1636, il revient à Québec où il aura durant deux ans la charge du séminaire huron. Lors de son voyage de 1638, il est de nouveau abandonné par ses guides hurons. Il restera en Huronie jusqu'à sa mort le 4 juillet 1648. / RJ, V, 290, note 53 ; XXXIV, 86-98 ; DB.

Davost, Ambroise, missionnaire jésuite : 181, 183, 184, 186, 188

Conduit à Québec par Champlain le 22 mai 1633 en compagnie des pères Brébeuf et Daniel, il était à Sainte-Anne depuis 1632. Durant l'hiver 1633-1634, il étudie le Huron avec le père Daniel sous la direction de Jean de Brébeuf. Ils partent tous trois pour la Huronie en juillet. Le 27 juillet 1636, il est de retour à Québec où il sera durant deux ans le tuteur des enfants français. Atteint du scorbut, il meurt et est enseveli en mer le 27 septembre 1643 alors qu'il retournait en France. / DB ; RJ, V, 290, note 54.

Du Chesne, Adrien : 17, 19

Chirurgien de l'Habitation de Québec et interprète pour les Jésuites, Adrien du Chesne est peut-être en Nouvelle-France dès 1618, mais sa présence n'est attestée qu'en 1631. Au printemps 1634, il visite les Montagnais en compagnie de Paul Lejeune. Le 24 juin, il est parrain de Pichichich et d'Itaouabisision, deux enfants qu'il juge en danger de mort. Le 9 juillet 1637, il se fera concéder une terre en banlieue de Québec qu'il cèdera à Abraham Martin en 1645 lors de son retour de Dieppe où il arrive en 1641. On sait qu'en 1648 il est encore à Québec. On perd alors sa trace. / DB.

Du Plessis-Bochart, Charles : 4, 71, 180, 183, 184, 186

Du Plessis-Bochart, officier de marine, est lieutenant d'Émery de Caen jusqu'en 1632. L'année suivante, il est amiral de la flotte sous les ordres de Champlain et ramène en France les vaisseaux de la traite. Il est de retour au printemps 1634, commandant de quatre navires. Il fonde un poste de traite à Tadoussac et dirige la construction du fort de Trois-Rivières où il se trouve avec Lejeune et Buteux à l'automne 1634. En 1636, il retourne en France pour ne plus revenir. / RJ, *passim* ; DB.

Ekhemabamate : 136, 141, 156

Chef d'une cabane de 16 Montagnais rencontré par Mestigoït le 30 octobre 1633. Les deux cabanes hiverneront de concert jusqu'au 20 février. Lejeune visitera sa cabane à Noël.

Gamache, le marquis de Rohault de : 4

Lors de l'entrée de son fils René au noviciat de Rouen, le marquis de Gamache « avait donné aux Jésuites une somme de 16 000 écus à charge de l'employer à l'enseignement religieux » (Fouqueray, *Histoire de la Compagnie de Jésus*, Paris, Études, 1925, V, 396) ; Charles Lalemant avait espéré que cet argent soit « employé pour la mission et qu'il ne soit diverti ailleurs et qu'on ait permission de s'en servir tous les ans » (lettre du 1er mai 1632, copie des Archives de Chantilly). Les débuts du collège des Jésuites l'année suivante (1635) permettront de satisfaire la condition posée par le marquis (LA, 213s.).

Gand, François Derré de : 193

Commissaire général de la Compagnie de la Nouvelle-France, connu par les *Relations* comme « une sorte de saint laïque, de mystique, remarquable par son humilité autant que par sa charité auprès des Indiens, auxquels il servit maintes fois de parrain et dont il pansait lui-même les blessures » (Raymond Douville in DB). Il meurt à Québec le 20 mai 1641.

Giffard de Moncel, Robert : 181

Né à Mortage en 1587, il épouse Marie Regnouard le 12 février 1628. L'année précédente, on signale sa venue en Nouvelle-France comme « Chirurgien de la marine ». En 1628, il est de retour sur la flotte de Roquemont avec un équipement considérable qui sera saisi par les Kirke. Au printemps 1634, il arrive en Nouvelle-France avec sa femme et ses deux enfants pour s'y installer définitivement : il sera à Beauport le premier seigneur colonisateur de la Nouvelle-France et en 1640 le premier médecin de l'Hôtel-Dieu de Québec. Après avoir joué en 1645 un rôle important dans la Communauté des Habitants, il sera nommé au Conseil de Québec en 1648. Il se verra attribuer deux autres seigneuries (Saint-Gabriel en 1647 et Mille-Vache en 1653) avant de mourir à Beauport le 14 avril 1668.

Lors de son arrivée en 1634, il a déjà signé à Mortage un certain nombre de contrats d'embauche : avec Jean Guyon de Buisson qui fera venir sa femme, Mathurine Robin, dans quelques années et dont il aura huit enfants avant de mourir en 1663 ; avec Zacharie Cloutier qui fera aussi venir sa famille plus tard ; avec Noël Langlois qui se marie à Québec en juillet 1634 avec Françoise Grenier dont il aura onze enfants ; avec, encore, Gaspas et Martin Boucher et quelques autres. Comme tous ces gens n'ont aucun droit à la traite, il s'agit d'une entreprise de colonisation, la première de cette envergure.

Marie Giffard est enceinte durant la traversée. Huit jours après son arrivée, elle donnera naissance à Marie-Françoise baptisée par Charles Lalemant. À l'automne 1646, Marie-Françoise entrera à l'Hôtel-Dieu de Québec pour devenir mère Marie de Saint-Ignace, la première religieuse originaire de la Nouvelle-France. / DB.

Hébert, Marie Rollet, veuve de Louis Hébert, épouse en seconde noce de Guillaume Hubou : 13, 22, 179

Marie Rollet est déjà en 1602 l'épouse de Louis Hébert qui séjourne en Acadie en 1606-1607 puis 1611-1613. En 1617, elle arrive en Nouvelle-France avec son mari et ses trois enfants, Anne qui épouse Étienne Jonquet en 1618 et meurt l'année suivante, Guillaume et Guillemette qui épouse Guillaume Couillard (voir à ce nom) en 1621. En 1623, on a concédé à Louis Hébert qui mourra en 1629 un fief sur le Cap-aux-Diamants où les Hébert et les Couillard

auront une maison de pierre en 1632. Deux ans après la mort de
son mari, elle épouse Guillaume Hubou. Elle meurt en 1649. C'est
son nom qu'évoque « la plus ancienne famille du pays » dont parle
Lejeune : outre son second époux, elle peut comprendre son fils
Guillaume, 15 ans, de même que sa fille et son gendre Guillaume
Couillard. / TR, 53s. ; DB.

Hiroquois

Les Iroquois, tribus sédentaires du sud du lac Ontario groupés en
cinq nations qui vivent surtout de la chasse, sont en conflit avec
l'axe économique qui lie les Hurons aux Européens par la voie du
Saint-Laurent et qui leur coupe l'arrière-pays. Cette guerre, qui
n'aura pas d'autres formes que celle, larvée, qu'elle a ici (voir p. 24,
note 2 ; p. 67, note 1 ; p. 181), atteindra son sommet en 1649 dans
l'anéantissement total de la Huronie.

Hiroquois, le jeune Hiroquois anonyme : 54, 74, 133, 149, 160, 165

Paul Lejeune rapporte dans sa *Relation de 1632* que quelques jours
après son arrivée à Tadoussac, le 18 juin, les Montagnais avaient
capturé neuf prisonniers iroquois et que trois de ceux-ci étaient à
Tadoussac : un vieillard de 60 ans, un homme de 30 ans et « le
troisième estoit un jeune garçon de 15 à 16 ans » (RJ, V, 26-32). Le
missionnaire est alors confronté pour la première fois aux mœurs
guerrières des Amérindiens (voir p. 67, note 1). Le 3 juillet, il apprend que les six prisonniers de Québec ont été mis à mort et le
lendemain, qu'il en a été de même pour ceux de Tadoussac, sauf
pour le plus jeune qui échappe à la mort grâce à Émery de Caen
qui réussit à l'acheter et le confie à Carigonan. Selon la coutume
amérindienne, celui à qui on a « donné la vie » est aussi bien considéré que les autres membres de sa famille d'adoption. C'est donc
à ce titre qu'il hiverne avec Lejeune en 1633 jusqu'à la veille des
Rois où il disparaît sans qu'on puisse savoir s'il est mort ou s'il est
retourné chez les siens.

Hommes, nos Hommes

Le collectif *nos Hommes,* parfois écrit *nos François* (qui désigne
ordinairement l'ensemble de la colonie) comprend les Français qui
sont au service des Jésuites et qu'on appelle les «donnés». En 1633-
1634, les Jésuites en ont plus de quatre (puisque quatre d'entre eux,
Ambroise, Louis, Robert Hache et Jacques Funier « désirent ou
désireroient entrer en nostre Compagnie », RJ, VI, 54) et une des
quatre pièces de la « Petite Maisonnette », Notre-Dame-des-Anges,
leur est réservée. La bonne intelligence dont parle Lejeune dans sa
Relation est fortement réévaluée dans la lettre au Provincial où il
décrit les six « causes de leurs mécontentements » (RJ, VI, 46).

Hoste, mon Hoste, voir *Mestigoït*

Huron

> Amérindiens sédentaires du sud de la baie Georgienne qui connaissent, depuis l'arrivée des Européens, une forte extension de leurs activités commerciales. Voir *Hiroquois*.

Iroquois, voir *Hiroquois*

Itaouabisisiou : 17, 18, 19

> Jeune enfant montagnais baptisé Jean-Baptiste par Paul Lejeune le 24 juin 1634 sur la recommandation de son parrain Adrien du Chesne. Trois jours plus tard, son père Khiouirineou et sa mère Onitapimoneou rapportent le cadavre de l'enfant et demandent la même cérémonie qui fut faite quelques jours plus tôt pour Pichichich enterré solennellement dans le cimetière chrétien. Les missionnaires offrent ensuite, selon la coutume amérindienne, le festin des morts.

Jaquinot, Barthelemy, Provincial des Jésuites de la Province de Paris : 3, 44, 97, 111, 179, 187

> Né à Dijon vers 1569 et entré à 18 ans chez les Jésuites, Barthelemy Jaquinot fut recteur au collège de Lyon puis supérieur des maisons professes de Toulouse et de Paris. Il fut successivement Provincial des cinq provinces que la Compagnie avait en France. Il succède donc au père Coton qui meurt à Paris le 19 mars 1626 et fut avant de mourir à Rome le 1er août 1647 l'assistant du général de l'ordre pour la France (Michaud, *Bibliographie universelle*).

Khichikouai : 34, 35, 36, 37, 38, 51, 139

> Génie de l'air ou du jour dans la mythologie montagnaise ; pour connaître l'avenir, les « Jongleurs » consultent ces génies dans des tours rondes qu'ils ébranlent. Voir p. 37, note 7.

Khiouirineou : voir *Itaouabisisiou*

Kirke, les frères Kirke : 6 (note 2)

> Les cinq frères Kirke : David, Lewis, Thomas, John et James. Gervase Kirke, le père de tout ce beau monde, est marchand importateur entre Londres et Dieppe. En 1627, il fonde avec ses fils la Compagnie des Marchands londoniens afin d'organiser le commerce et la colonisation du Saint-Laurent. Son fils aîné, David, né à Dieppe vers 1597, est chargé par Charles Ier d'évincer les Français du Saint-Laurent et nommé chef de l'expédition de 1628-1629 qui comprend trois vaisseaux ; Lewis est commandant en second et Thomas conduit le troisième navire. Ils prennent d'abord Tadoussac, mais Champlain, par ruse, réussit à ne pas se rendre à leur sommation : le gouverneur de Québec se prépare ainsi un hivernement difficile puisque la flotte de la Compagnie des Cent-Associés, commandée par Roquemont de Brison, qui devait assurer le ravitaillement de la colonie est prise à l'entrée du Saint-Laurent. Les Kirke ravagent encore la ferme de Cap-Tourmente avant de rentrer à Londres. L'été suivant, le 19

juillet, Champlain doit capituler devant Lewis et Thomas Kirke guidés dans le Saint-Laurent par les interprètes Étienne Brûlé et Marsolet, de même que par leur associé Jacques Michel. Lewis reste à Québec (où il passera l'hiver) alors que Thomas, qui ramène avec Champlain la majorité de la colonie française, s'empare dans le Saint-Laurent du vaisseau d'Émery de Caen qui venait ravitailler la colonie. En dépit du traité de Suse qui vient d'être signé, Charles Ier refuse de rendre la Nouvelle-France aussi longtemps que la dot de sa femme n'aura pas été acquittée par Louis XIII son beau-frère. La reddition de la colonie ne sera décidée que quelques années plus tard par le traité de Saint-Germain-en-Laye et réalisée par Émery de Caen qui arrive avec Paul Lejeune le 22 mai 1633. / SH, 839s.; CH, VI, 233s.; RJ, V, 40-42; DB.

Lalemant, Charles, missionnaire jésuite : 3, 19, 180, 181, 187, 188

Charles Lalemant avait été désigné par le P. Coton pour devenir le premier supérieur des Missions de la Nouvelle-France où il arrive en mars 1625, âgé de 38 ans, en compagnie d'Enemond Massé, Jean de Brébeuf et du Récollet La Roche d'Aillon. À l'automne 1627, devant les difficultés de l'installation, il décide de rentrer en France avec ses vingt ouvriers, laissant huit personnes à Québec et Jean de Brébeuf en Huronie. Le printemps suivant, le bateau de Roquemont qui le ramène en Nouvelle-France tombe aux mains des Kirke; en 1629, le navire qui tente encore de le ramener en Nouvelle-France fait naufrage et le bateau de pêche basque qui le reconduit fait de nouveau naufrage sur les côtes d'Espagne. Après quelques années au collège d'Eu puis de Rouen où il est recteur, il revient enfin en Nouvelle-France en compagnie du P. Jacques Buteux et du F. Jean Ligeois. Dans la lettre qu'il écrit à son Provincial en août 1634, Lejeune le supplie de le relever de ses fonctions, suggérant qu'on le remplace par Charles Lalemant (« Il y a plus de trois ans (ou il y aura à la venue des vaisseaux) que je suis en charge ; le Père Lallemant estant ce qu'il est, et demeurant à Kébec, contentera infiniment. Je remercie desjà par avance V.R. de ce qu'elle m'accordera cette requeste » RJ, VI, 60-62). En partant pour Trois-Rivières, il le place en fait en position de supérieur. Toutefois, la demande de Lejeune ne sera pas exaucée. Charles Lalemant s'occupera quelques années de la population française de Québec pour rentrer définitivement en France en 1638 où il sera Procureur des Missions de la Nouvelle-France jusqu'en 1650. Il meurt à Paris, le 18 novembre 1674. / RJ, IV, *passim*, 255, note 20 ; TR, 337, 347-348 ; DB ; Rochemonteix, *op. cit.*, 152-153, note 3.

La Perdrix : 182

Capitaine algonquin qui s'oppose à la montée des missionnaires en Huronie sous prétexte qu'ils doivent passer sur son territoire et que Du Plessis-Bochart contente dans un conseil assemblé à la demande des Jésuites.

Le Baron : 183

Jeune Français qui accompagne Brébeuf et Daniel en Huronie.

Letardif, Olivier : 7

Olivier Letardif est, depuis 1633, commis général des Cent-Associés et a adopté, cette année-là, trois jeunes Amérindiens ; comme interprète, il collabore au travail missionnaire. Né vers 1604 en Bretagne, on le rencontre en Nouvelle-France en 1621 comme sous-commis des de Caen et interprète des langues montagnaise, algonquine et huronne. Le 3 novembre 1637, il épousera Louise Couillard, 13 ans, fille de Guillaume, qui meurt en 1641. La même année, il a obtenu, conjointement avec Jean Nicollet, la terre dite de Belleforme en banlieue de Québec ; cinq ans plus tard, il acquiert un huitième de la seigneurie de Beaupré et se remarie le 16 mai 1648. Jusqu'en 1659, il exercera la charge de juge seigneurial de Beaupré. Il meurt en janvier 1665 à Château-Richer. / DB.

Ligeois, Jean, frère jésuite : 3, 180

Le frère Jean Ligeois arrive en Nouvelle-France en mai 1634 en compagnie de Jacques Buteux et de Charles Lalemant. Âgé de 34 ans, particulièrement versé dans les métiers de la construction, on le rencontrera à partir de ce moment sur tous les chantiers de la colonie : vers 1640 à la maison puis à la chapelle de Trois-Rivières, au moulin de la Vacherie en 1646, au collège de Québec dix ans plus tard et à Sillery en 1655. Il fera en outre plusieurs séjours en France (1644-1645, 1648-1649, 1649-1650, 1650-1652). Le 29 mai 1655, il est assassiné par sept ou huit Iroquois (Agniers) alors qu'il dirigeait la construction d'un fort pour les Montagnais. / DB.

Lormel : 181

Capitaine de navire de la flotte de Du Plessis-Bochart, il conduit à Québec, le 24 juin 1634, le « vaisseau de l'Anglois » (voir p. 180, note 24).

Manitou : 12, 38, 45, 49, 51, 133, 139

Divinité de la mythologie montagnaise, le Manitou est présenté dans la *Relation de 1634* (38) comme le dieu de la guerre (voir p. 39, note 8) : au cours des combats, ceux qu'ils regardent sont protégés de la mort.

39

Sa femme, principe du mal, préside à la mort et aux maladies. Le jeune croit que, par les rites du *soufflement,* le Sorcier tente de l'éloigner du malade (45).

Manitougatche, dit La Nasse, baptisé Joseph : 9, 10, 12-16, 20, 32, 73

Le Montagnais *Mantoucharche,* nous dit Sagard, était « nommé la Nasse par les François, à cause qu'il se servoit toujours d'une Nasse pour la pesche de l'anguille, ce que ne font pas ordinairement les autres Sauvages » (SH, 884-885). Il était connu des Récollets et aurait hiverné avec Joseph Le Caron et Chaussin (SH, 284-285). Ce sont toutefois les Jésuites qui sauront se l'attacher en lui concédant une partie de leur terre défrichée (CH, V, 236). Durant l'occupation anglaise, il s'était éloigné de Québec, mais dès le retour des Jésuites en 1632, il promet à Lejeune de reconstruire sa cabane près de Notre-Dame-des-Anges et de lui donner un de ses fils (RJ, V, 56). Le 8 novembre suivant, il tient sa promesse et, avec deux ou trois ménages de sa famille, vient s'installer près des Jésuites (RJ, V, 102) ; il construit bientôt une cabane de planches dans le bâtiment qui a été brûlé par les Anglais (RJ, V, 120). En janvier 1633, Anne de Noue hiverne avec lui et sa famille au Cap-Tourmente, mais malade de faiblesse et d'épuisement, Manitougatche doit le ramener à Québec. Le 7 mai 1633, la famille de Manitougatche est de retour à Québec. Après le départ de Lejeune en mission, il est hébergé avec Sasousmat par le P. Brébeuf, puis, après la mort de Sasousmat, il suit sa famille à la chasse, mais sa femme et ses enfants le ramènent bientôt, malade, à sa demande : le P. Brébeuf le baptise du nom de Joseph le 3 avril 1634 et il sera enterré solennellement à l'âge de 60 ans le 15 avril suivant.

On ne connaît pas de façon précise sa famille, sinon qu'elle comprend deux ou trois ménages (RJ, V, 102). Manitougatche ne laisse probablement aucun fils : il n'est jamais question que de ses filles et de ses gendres. Une de celles-ci assiste à son baptême le 3 avril ; une autre s'enfuit avec un fils de trois à quatre mois que son mari assomme au printemps 1634 dans une crise de jalousie ; enfin, Pierre Pastedechouan avait jadis épousé une de ses filles qui l'a quitté depuis. / RJ, V, *passim* ; SH, 284-285, 884-885 ; CH, V, 236 ; TR, 361 ; DB.

Massé, Enemond, missionnaire jésuite

En 1610, Enemond Massé est désigné pour accompagner Pierre Biard en Nouvelle-France où il arrive le 22 mai 1611. L'été suivant, il accompagne Louis Membertou à la rivière Saint-Jean et devient ainsi le premier missionnaire jésuite à suivre des nomades amérindiens dans leurs excursions de chasse. Il rentre en France en 1613, chassé d'Acadie par Argall. Après un an au collège de Clermont à Paris, il est ministre à La Flèche lorsqu'il retourne en Nouvelle-France avec Charles Lalemant et Jean de Brébeuf. À l'été 1627, tandis que Jean de Brébeuf est en Huronie, il reste à Québec avec Anne de Noue alors que Charles Lalemant rentre en France. Expulsé par les Kirke, il fait, en France, un nouveau séjour au collège Henri IV de La Flèche. En 1633, il revient définitivement en Nouvelle-France.

Bien qu'il ne soit jamais nommé dans la *Relation de 1634,* celui que Lejeune appelle le père Utile est responsable « des choses domestiques et du bestial que nous avons, en quoi il a très-bien réussi » (RJ, VI, 36). Le bétail des Jésuites comprend, en 1633-1634, deux vaches, deux petites génisses, un petit taureau, deux grosses truies et huit petits cochons (RJ, VI, 72s.). Enemond Massé s'occupera aussi de Notre-Dame-des-Anges, aidant encore à l'instruction des Français jusqu'à la fin de 1645 où il est réduit à l'inactivité. Il meurt à Sillery à 72 ans, le 12 mai 1646. / MA, 555-559 ; RJ, VI, 36, 72 ; XXII, 40 ; XXIII, 272 ; XXIX, 28-42 ; TR, 96s., 120s., 145s. ; DB.

Matchounon : 10

Montagnais qui ne « croit pas ce que dit le Père » Jean de Brébeuf.

Matouetchiouanouecoueou : voir *Pichichich*

Memichtigou chionisconeou : 19

Algonquine d'un an environ, dont le nom signifie « femme d'un Européen » ; son père se nomme Pichibabis (Pierre) et sa mère Chichip (canard). Paul Lejeune la baptise Marguerite sur le conseil d'Adrien du Chesne qui la juge mortellement atteinte d'une fièvre éthique. Le 24 octobre 1634, Chichip, descendue à Québec avec les Algonquins pour la traite, confirmera à Lejeune la mort de sa fille. / RJ, VIII, 24-26.

Messou : 30, 31, 33, 38

Héros de la mythologie montagnaise, réparateur du monde abîmé dans les eaux, frère aîné du principe (ou de l'aîné) de chaque espèce d'animaux. Il a donné à l'homme le don d'immortalité qu'il a perdu à cause de la curiosité de sa femme.

Mestigoït : 11, 12, 37, 39, 44, 45, continuellement à partir de 46 ; nommé 127.

Montagnais de 35 à 40 ans, chef de la cabane avec laquelle Lejeune passe l'hiver 1633-1634 ; frère de Carigonan et de Pastedechouan qui hivernent avec lui, de même que de Sasousmat qui meurt chrétien à Québec le 26 janvier 1634. On ignore tout de lui avant le début de la *Relation* de Lejeune, sinon qu'avec ses frères il se serait montré sympathique à l'occupant lors de la prise de Québec et qu'il aurait créé un certain nombre de difficultés aux traitants français de Tadoussac. Quoi qu'il en soit, il apparaît durant l'hivernement de 1633-1634 comme le chef flegmatique et habile de la cabane, sachant tempérer à la fois les exigences de Carigonan et les impatiences de Lejeune. Il meurt noyé dans une crise de folie, vraisemblablement au printemps 1635. Lejeune ne le dit jamais marié, mais parle d'une jeune femme étourdie «qu'il tenait avec soi » (63) ou qui « faisoit son mesnage » (130).

Mestigoït, la cabane de Mestigoït

Il est remarquable que Lejeune *hésite* (voir p. 142, note 11) à dénombrer exactement la cabane de Mestigoït ordinairement désignée par le collectif « nos » ou « les Sauvages » qui teinte d'innombrable les 19 nomades montagnais qu'il accompagne pourtant six mois dans leur chasse (voir p. 38, note a) :

1. Mestigoït.
2. La femme « qui fait son mesnage » (63, 130).
3. Carigonan (voir à son nom).
4. La femme de Carigonan (voir à Carigonan).
5. Le fils de Carigonan (voir à Carigonan).
6. Le neveu de Carigonan (voir à Carigonan).
7. Pastedechouan (voir à son nom).
8. La femme de Pastedechouan (voir à Pastedechouan).
9. Un vieillard (« fort versé dans leur doctrine », 4, 30, 43, 53, 55, 59, 149).
10, 11. Deux jeunes chasseurs (34) probablement parents de Carigonan (48) qu'il dirige à la chasse en mars (170).
12. Le jeune Hiroquois (voir à ce mot).
13. Une petite fille qui a les écrouelles (75).
14. Un petit garçon affamé qui se jette sur un os (148).
15. Un petit garçon qui pleure de faim (148).
    — Un de ceux-ci est abandonné par Lejeune, perdu en forêt (154).
    — Un de ceux-ci et sa mère donnent une peau d'orignal à Lejeune (171).

En ajoutant arbitrairement deux jeunes femmes et deux enfants très jeunes, on arrive au nombre de 19 personnes et on rend compte de deux exigences : d'une part Lejeune nous dit que les enfants sont nombreux et que quelques-uns doivent être portés (132) et d'autre part, il parle d'un conseil de femmes qui ne semble concerner que la cabane de Mestigoït (166), or comme la femme de Carigonan est morte, un conseil de deux femmes serait assez peu vraisemblable.

Michel, Jacques : 6

Originaire de Dieppe comme les Kirke, l'interprète Jacques Michel est à leur service et leur sert de pilote sur le Saint-Laurent en 1628 et 1629. Champlain rapporte comme suit la querelle de Jacques Michel et du P. Jean de Brébeuf : David Kirke aurait accusé les Jésuites d'avoir dépossédé Guillaume de Caen et Jacques Michel aurait répliqué au P. Brébeuf qui tentait de se défendre : « Oui, oui, convertir des Sauvages, mais plutost des Castors » et le missionnaire l'aurait alors catégoriquement contredit devant son supérieur, pour s'en excuser ensuite. « Je laisse à penser, ajoute Champlain, si ce sujet estoit capable de le faire mourir, sans autre plus violent desplaisirs [...]. Aussi Dieu l'a puni ne lui faisant grâce de se recognoistre à l'heure de la mort... » (CH, VI, 289). Toutefois, Lejeune rapporte mal la pensée de Champlain (s'il s'agit bien de lui) qui croit que la vraie cause de sa mort fut d'être méprisé de tous, à la fois des Français et des Anglais, « Et non ce que Quer [Kirke] et d'autres disoient, que c'estoit pour n'avoir donné un soufflet au Père Jésuite qui estoit la mesme sagesse et vertu, ayant bien tesmoigné aux voyages qu'il a fait dans les terres » (CH, VI, 288). Quoi qu'il en soit, Champlain assiste à l'enterrement solennel que lui font les Kirke à Tadoussac, mais il n'est pas question de la profanation de son corps qui n'a pu se produire qu'après son départ avec Thomas Kirke. Lejeune la rapporte déjà dans sa *Brève relation de 1632*. / CH, VI, 283-290 ; RJ, V, 40.

Montagnais

Parfois écrit « Montagnets », désignés par les collectifs « les Barbares » et « les Sauvages » (sur le collectif « nos Sauvages », voir sous Mestigoït à cabane de Mestigoït), les Montagnais sont des tribus amérindiennes nomades qui vivent de la chasse et de la pêche dans la région du Saint-Laurent, entre Québec et Tadoussac : « L'Eslan qui est leur principale manne ne se prend que pendant les grandes neiges qui tombent en abondance dans les montagnes du Nord, où ils font leur chasse au poil, et à cause d'icelles montagnes les Sauvages qui les hantent sont appelés Montagnais » (SH, 40).

Nesle : 180

Capitaine de navire sous les ordres de Du Plessis-Bochart qui arrive à Québec le 10 juin 1634. Il reviendra encore en Nouvelle-France le printemps suivant.

Nipinoukhe : 33, 34, 38

Héros mythologique, principe des saisons, qui ramène chaque année le printemps et l'été, comme Pipounoukhe ramène l'automne et l'hiver. Lejeune compare leur succession, en montagnais *chitescatoueth*, au mythe grec de Castor et Pollux.

Noue, Anne de, missionnaire jésuite : 127

Anne de Noue arrive pour la première fois en Nouvelle-France en juin 1626, âgé de 39 ans, avec le procureur Philibert Noyrot et le frère Jean Goffestre sur l'Alouette, frêté par les Jésuites, qui ramène vingt ouvriers. En 1626-1627, il se rend en Huronie avec Jean de Brébeuf et le Récollet La Roche d'Aillon ; il est de retour à Québec dès le printemps suivant et y reste avec Enemond Massé jusqu'à la prise de Québec en 1629. À son retour en France, il sera ministre aux collèges d'Amiens et d'Orléans. Il revient à Québec avec Lejeune en 1632. Durant l'hiver 1633-1634, il sera chargé de diriger les ouvriers qui sont au service des Jésuites (voir « nos Hommes »). Il meurt gelé sur le Saint-Laurent le 1er ou le 2 février 1646. / RJ, IV, 266-267, note 31 ; XXIX, 16-28 ; DB.

Onitapimoneou : voir *Itaouabisisiou*

Ourontinoucoueou, Montagnaise baptisée Marie : 19, 20, 21, 22

Le 21 décembre 1632, le jour même où Manitougatche lui donne un petit orphelin — Fortuné — auquel il vient de sauver la vie à Tadoussac, une Montagnaise se présente avec un enfant de 7 ans, Aouetitin, qui sera appelé Bienvenu. Lejeune accepte l'enfant et, malgré l'opposition d'un parent, le père de Aouetitin n'y fait pas d'opposition, persuadé que son fils sera bien traité. Fortuné et Bienvenu seront donc les deux premiers pensionnaires de Lejeune — un embryon de séminaire (RJ, V, 136-138). Toutefois, six mois plus tard, alors que le petit Fortuné passe en France (il en reviendra l'été suivant pour cause de maladie), le 16 juin 1633 Aouetitin est rendu à sa mère, d'abord parce que le Provincial a fait savoir à Lejeune « qu'il n'y avoit pas encore dequoi establir un séminaire » et ensuite pour s'assurer la sympathie des Montagnais qui craignent tous, comme sa mère, que la flotte qui vient d'arriver l'amène en France. C'est cette même Montagnaise qui est baptisée Marie le 1er août 1634. Quelques mois plus tard, lorsque Lejeune sera à Trois-Rivières, Charles Lalemant lui donnera l'extrême-onction et l'enterrera solennellement dans le cimetière chrétien. Le 13 mai 1634, Lejeune baptisera Aouetitin : « Elle laissa pour tout héritage sa maladie à son petit enfant, qu'une fièvre lente a faict passer au Ciel après son baptesme. » / RJ, V, 136-138, 216-218 ; VII, 296.

Pastedechouan, Montagnais baptisé Pierre-Antoine : 13, 36, 37, 43, 48, 50, 70, 112, 122, continuellement à partir de 126

Pastedechouan a 12 ans lorsqu'en 1620, après un bref séjour au couvent des Récollets, il part pour la France avec le P. Dolbeau : à la suite du Montagnais Nigamon, il est le deuxième que les Récollets envoient étudier en France. Son arrivée convainc Des Boves, le grand-vicaire de l'archevêque de Rouen à Pontoise de s'engager dans l'édification du séminaire de Saint-Charles. Pastedechouan passera cinq ans en France. Il est baptisé à Enger sous le nom de Pierre-Antoine. Le prince de Guéménée, gouverneur du Maine, son parrain, surveille ses études. Il servira de professeur de montagnais à Sagard et rédigera même un petit dictionnaire. À son retour, il faut lui faire violence pour le renvoyer chez ses parents. En 1629, si on ne peut affirmer qu'il passe au service de l'occupant, il est par contre certain qu'il a tenté, avec ses frères, d'en tirer le maximum de profit. En 1632, Émery de Caen l'engage comme interprète pour le congédier ensuite ; incapable de vivre de la chasse, il est alors hébergé par les Jésuites et Paul Lejeune tente avec difficulté d'en faire son professeur de montagnais : il ne pourra retenir son professeur que dans les périodes de famine. C'est pour le suivre, croyant ainsi pouvoir apprendre plus facilement la langue, que le Jésuite entreprend la mission de 1633-1634 ; mais sous l'influence de son frère Carigonan, les rapports du missionnaire et de son professeur dégénèrent rapidement et Lejeune ne manquera pas de vocabulaire pour qualifier

cet « Apostat, renégat, excommunié, athée, valet d'un Sorcier » qu'il
appellera toujours l'Apostat. Ses frères lui ont trouvé successivement
quatre ou cinq femmes, dont une des filles de Manitougatche ; celle
qu'il aura durant l'hiver 1633-1634 se plaint souvent de lui, mais
ne pourra le quitter avant le printemps suivant parce qu'elle n'est
pas montagnaise. Bien qu'il exigeât qu'il revienne dans les périodes
d'abondance et non de famine, Lejeune écrira deux fois en vain à
Tadoussac pour le faire venir à Québec. Pastedechouan sera trouvé
mort, seul au milieu des bois, durant l'hiver 1636. / SH, 333-
334, 850-852 ; RJ, V, 110, 172-176, 214-216, 172 ; VI, 86 ; VIII,
302 ; IX, 68-70 ; TR, 268, 319, 324, 327-328 ; DB ; Le Clerc, *op. cit.*,
305-307, 327, 363-365, 393-396 ; N.-E. Dionne, *Bulletin de recherches
historiques*, XIII (1907), qui indique que son nom, « Pastre-Chouen »
signifie en français *Passe-Rivière* » (120-124), perd sa trace en 1635.

Pères, nos Pères

Collectif qui désigne les missionnaires jésuites suivants : Anne de
Noue arrivé avec Paul Lejeune en 1632, Jean de Brébeuf et Enemond
Massé qui arrive de France au printemps 1633 avec Antoine Daniel
et Ambroise Davost qui sont depuis 1632 au cap Breton ; Jacques
Buteux et Charles Lalemant à partir du 31 mai 1634. Le frère Jean
Ligeois arrive avec ces deux derniers et Gilbert Burel est arrivé avec
Lejeune en 1632.

Petit Pré : 183

Jeune Français, probablement au service des Jésuites, qui cède sa
place à Jean de Brébeuf dans le canot qui allait le conduire en Huronie sous l'instigation de Du Plessis-Bochart ; il part sûrement pour
la Huronie quelques jours plus tard.

Pichichich, Montagnais baptisé Adrien : 17-18

Jeune Montagnais de 8 mois environ baptisé du prénom de son
parrain Adrien du Chesne par Lejeune le 24 juin 1634. Son père,
Tchimaouirineou, surnommé Baptiscan, avait fait cette demande à
l'interprète Olivier le Tardif ; quelques jours plus tard, avec sa
femme Matouetchiouanouecoueou et une vingtaine de membres de
sa famille, il rapporte aux Jésuites le cadavre de l'enfant qui sera
enterré solennellement par cinq prêtres en surplis.

Pipounoukhe

Héros de la mythologie montagnaise. Voir *Nipounoukhe*.

Rollet, Marie, voir *Hébert*

Sasousmat, Montagnais baptisé François : 9-11, 14, 127

Sasousmat, surnommé Marsolet, frère de Carigonan, Mestigoït et
de Pastedechouan, est âgé de 25 à 30 ans en 1633. Malade, il demande
à plusieurs reprises le baptême à Jean de Brébeuf. Celui-ci l'héberge
à Notre-Dame-des-Anges avec Manitougatche et le baptise du nom

de François le 26 janvier 1634. Lejeune rapporte que le jour de sa mort, le 28 janvier, un phénomène lumineux est observé à la fois par les Jésuites de Québec et par les frères du défunt qui hivernent avec lui à quarante lieues de Québec. La fille de Sasousmat meurt la même année en accouchant d'une fille.

Sorcier, voir *Carigonan*

Tchimaouirineou : voir *Pichichich*

Viel, Nicolas, missionnaire récollet : 188

Nicolas Viel arrive en Nouvelle-France avec Gabriel Sagard en juin 1623. Ils partent tous deux avec Joseph Le Caron pour la Huronie le 16 juillet. Au printemps suivant, il y reste seul avec neuf Français. Au printemps 1625, Jean de Brébeuf qui vient d'arriver et La Roche d'Aillon attendent son retour avant de partir à leur tour pour la Huronie, mais ils apprennent bientôt que le missionnaire s'est noyé le 25 juin au dernier saut de la rivière des Prairies (depuis Sault-au-Récollet) avec un jeune Français dont le surnom huron est Auhaitsique. Charles Lalemant a toujours parlé d'un accident, aussi bien dans la lettre qu'il écrit à Champlain le 28 juillet (RJ, IV, 170) que dans celle qu'il adresse à son frère Jérôme le 1er août de l'année suivante (RJ, IV, 196). Marcel Trudel fait remarquer que la version de l'assassinat apparaît pour la première fois en 1634, ici même, sous la plume de Lejeune et qu'il n'y a pas lieu de la retenir. On fera encore remarquer que Jean de Brébeuf, dans sa *Relation de 1636* (RJ, X, 78) n'affirme pas l'assassinat de Nicolas Viel, mais rapporte seulement un discours d'une ambassade qui a tout avantage à noircir les Hurons. / SH, 114, 168, 794 ; **RJ**, IV, 196 ; X, 78 ; TR, 295, 340-342 ; DB ; Le Clercq, *op. cit.,* 316-323.

TABLE DES MATIÈRES